Bioenergética

CIP-BRASIL. CATALOGAÇÃO NA PUBLICAÇÃO
SINDICATO NACIONAL DOS EDITORES DE LIVROS, RJ

L953b

Lowen, Alexander
    Bioenergética / Alexander Lowen ; ilustração Caroline Falcetti ; tradução Maria Silvia Mourão Netto. - [12. ed.]. - São Paulo : Summus, 2017.
    296 p. : il.

    Tradução de: Bioenergetics
    Inclui bibliografia
    ISBN 978-85-323-1086-6

    1. Bioenergética. 2. Corpo e mente (Terapia). 3. Psicoterapia bioenergética. I. Falcetti, Caroline. II. Netto, Maria Silvia Mourão. III. Título.

17-44880   CDD: 615.85
                                             CDU: 615.85

www.summus.com.br

Compre em lugar de fotocopiar.
Cada real que você dá por um livro recompensa seus autores
e os convida a produzir mais sobre o tema;
incentiva seus editores a encomendar, traduzir e publicar
outras obras sobre o assunto;
e paga aos livreiros por estocar e levar até você livros
para a sua informação e o seu entretenimento.
Cada real que você dá pela fotocópia não autorizada de um livro
financia o crime
e ajuda a matar a produção intelectual de seu país.

Bioenergética

Alexander Lowen

summus
editorial

Do original em língua inglesa
BIOENERGETICS
Copyright © by Alexander Lowen, 1975, 2017
Direitos desta tradução adquiridos por Summus Editorial Ltda.

Editora executiva: **Soraia Bini Cury**
Assistente editorial: **Michelle Campos**
Tradução: **Maria Silvia Mourão Netto**
Revisão da tradução: **Samara dos Santos Reis**
Ilustrações: **Caroline Falcetti**
Projeto gráfico e diagramação: **Crayon Editorial**
Capa: **Santana**

Summus Editorial
Departamento editorial
Rua Itapicuru, 613 – 7º andar
05006-000 – São Paulo – SP
Fone: (11) 3872-3322
Fax: (11) 3872-7476
http://www.summus.com.br
e-mail: summus@summus.com.br

Atendimento ao consumidor
Summus Editorial
Fone: (11) 3865-9890

Vendas por atacado
Fone: (11) 3873-8638
Fax: (11) 3872-7476
e-mail: vendas@summus.com.br

Impresso no Brasil

A meus pais, cuja devoção a mim permitiu-me enfrentar e trabalhar os meus conflitos de personalidade.

Alexander Lowen

A Summus Editorial agradece a Cláudia Lelis por sua preciosa contribuição nesta obra.

Sumário

1. De Reich à bioenergética 11
2. O conceito de energia 39
3. A linguagem do corpo 69
4. A terapia bioenergética 89
5. Prazer: a meta primordial da vida 115
6. Realidade: uma busca secundária 147
7. Ansiedade da queda 167
8. Tensão e sexo 189
9. Autoexpressão e sobrevivência 219
10. Consciência: unidade e dualidade 257

Notas 291

Três almas, três preces:
Sou um arco em suas mãos, Senhor.
Faça uso de mim, senão apodreço.
Não abuse de mim, Senhor, senão me partirei ao meio.
Abuse de mim, Senhor, pois não me importo de me partir ao meio.

Níkos Kazantzákis, *Relatório ao Greco*

1. De Reich à bioenergética

TERAPIA REICHIANA, 1940-1945

A bioenergética é baseada no trabalho de Wilhelm Reich, que foi meu professor de 1940 a 1952 e meu analista de 1942 a 1945. Conheci-o em 1940, na New School for Social Research, em Nova York, onde ministrava um curso sobre análise do caráter. Fiquei intrigado com a descrição desse curso, pois relacionava a identidade funcional do caráter de uma pessoa com sua atitude corporal ou couraça muscular. As couraças estão ligadas ao padrão geral das tensões musculares crônicas do corpo, sendo assim definidas porque servem para proteger o indivíduo contra experiências emocionais dolorosas e ameaçadoras. São como um escudo que o resguarda de impulsos perigosos oriundos de sua personalidade, assim como das investidas de terceiros.

Anos antes de conhecer Reich, eu desenvolvera um estudo sobre o relacionamento mente-corpo. Tal interesse nasceu de minha experiência pessoal com atividades esportivas e com a calistenia. Durante os anos 1930, fui coordenador de esportes em diversos acampamentos de férias e descobri que um programa regular de atividades físicas não só melhorou minha saúde como teve resultados positivos em meu estado mental. No decurso de meus estudos, examinei os conceitos de euritmia de Émile Jacques-Dalcroze e as ideias de Edmund Jacobson sobre relaxamento progressivo e ioga. Esses estudos confirmaram minha forte impressão de que o indivíduo poderia influenciar suas atitudes mentais por meio de um trabalho com o corpo, mas suas propostas não me satisfizeram inteiramente.

Reich foi direto às minhas ideias logo na sua primeira preleção. Introduziu o curso com uma discussão sobre o problema da histeria. A psicanálise, ressaltou ele, tinha sido capaz de elucidar o fator histórico na síndrome da conversão histérica. Comprovou-se que esse fator surge de um trauma sexual sofrido pelo indivíduo na primeira infância, tendo sido inteiramente reprimido e esquecido nos anos posteriores. A repressão e a subsequente conversão de ideias e sentimentos em sintomas constituíam o fator dinâmico da doença. Apesar de os conceitos de repressão e conversão serem, naquele tempo, dogmas estabelecidos pela teoria da psicanálise, o processo pelo qual uma ideia reprimida transformava-se em um sintoma físico não era de todo compreendido. Segundo Reich, faltava à teoria psicanalítica o entendimento do fator temporal. Ele questionou: "Por que o sintoma se desenvolveu em determinado período e não antes, nem depois?" Para responder a essa pergunta, seria preciso saber o que acontecera na vida do paciente nesse meio-tempo. Como ele conduzira suas sensações sexuais durante esse período? Reich acreditava que a *repressão* do trauma original era mantida por uma *supressão* das sensações sexuais. Tal supressão predispunha o indivíduo ao sintoma histérico, transformado mais tarde em algo concreto por um incidente sexual posterior. Para Reich, a supressão das sensações sexuais, ao lado da atitude caracterológica concomitante, constituía a verdadeira neurose; o sintoma em si era sua expressão externa. A consideração desse elemento – ou seja, o comportamento e a atitude do paciente em relação à sexualidade – introduziu um fator "econômico" no problema da neurose. O termo "econômico" refere-se às forças que predispõem um indivíduo para o desenvolvimento de sintomas neuróticos.

Fiquei por demais impressionado com a perspicácia de Reich. Tendo lido alguns livros de Freud, estava de modo geral familiarizado com o pensamento psicanalítico, mas não me lembro de ter lido nenhuma discussão a respeito desse assunto. Sentia que Reich estava me introduzindo em uma nova forma de pensar os problemas humanos, o que me fascinou de imediato. O significado pleno dessa nova descoberta foi se tornando evidente para mim aos poucos, à medida que Reich desenvolvia suas ideias durante o curso. Percebi que o fator econômico era uma chave importante para a compreensão da personalidade, pois se relacionava com a forma de o indivíduo conduzir sua energia, inclusive a sexual. Quanta energia tem uma pessoa, e que parcela é utilizada na atividade sexual? A economia de energia de um indivíduo diz respeito ao equilíbrio mantido entre a carga e a descarga de energia ou entre a excitação sexual e sua respectiva liberação. Apenas quando essa economia – ou equilíbrio – é perturbada desenvolve-se o sintoma da conversão histérica. A couraça muscular ou as tensões musculares crônicas servem para manter a economia em equilíbrio, retendo a energia que não pode ser descarregada.

Meu interesse por Reich crescia à medida que ele esclarecia suas ideias e observações. A diferença entre economia sexual saudável e economia neurótica não estava ligada à questão de equilíbrio. Nesse ponto, Reich falava mais em economia sexual que em economia de energia; em sua mente, entretanto, tais termos eram sinônimos. Um indivíduo neurótico mantém o equilíbrio ao reter sua energia em tensões musculares e ao limitar sua excitação sexual. Um indivíduo saudável não tem limites e sua energia não fica confinada na couraça muscular. Em consequência, toda sua energia está disponível para o prazer sexual ou para qualquer outro tipo de expressão criativa. Sua economia de energia funciona a pleno vapor. Já o baixo nível de economia de energia é comum à maioria das pessoas, sendo responsável pela tendência à depressão – fator endêmico em nossa cultura[1,2].

Apesar de Reich ter apresentado suas ideias de maneira clara e lógica, permaneci um tanto quanto cético durante a primeira metade do curso. Tal atitude, pude ver, é típica de minha personalidade. Creio que devo creditar a ela minha capacidade de imaginar as coisas por mim mesmo. Meu ceticismo em relação a Reich concentrou-se na aparente supervalorização do papel do sexo nos problemas emocionais. *O sexo não é a chave do problema*, pensei. Então, sem que eu me desse conta, esse ceticismo desapareceu de repente. No decurso das palestras, senti-me inteiramente convencido da validade da posição de Reich.

A razão dessa mudança tornou-se clara para mim cerca de dois anos depois, quando tive a oportunidade de fazer uma curta terapia com Reich. Lembrei que eu não terminara de ler um dos livros relacionados por ele na bibliografia de seu curso, um livro de Freud chamado *Três ensaios sobre a teoria da sexualidade*[3]. Eu chegara apenas à metade do segundo ensaio, intitulado "Sexualidade infantil", quando parei de ler. Concluí então que o ensaio havia tocado em minha ansiedade inconsciente a respeito de minha sexualidade infantil; despreparado para encarar tal ansiedade, não pude mais manter o ceticismo acerca da importância da sexualidade.

O curso de Reich sobre análise do caráter terminou em janeiro de 1941. Entre o fim dele e o início da minha terapia, permaneci em contato com ele. Participei de alguns encontros em sua casa em Forest Hills, onde discutimos as implicações sociais dos seus conceitos econômico-sexuais e desenvolvemos um projeto para utilizar tais conceitos em um programa de saúde mental comunitária. Na Europa, Reich foi pioneiro nessa área. (Esse aspecto do seu trabalho e minha ligação com ele serão abordados de forma mais profunda em um livro que escreverei sobre Reich.)

Iniciei minha terapia com Reich na primavera de 1942. Durante o ano anterior, fui frequentador assíduo de seu laboratório. Ele me mostrou alguns dos trabalhos que estava desenvolvendo com biocompostos e tecidos cancerosos. Um dia, então, ele me disse: "Lowen, se você está interessado neste trabalho, só existe uma forma de se introduzir nele – pela terapia". Essa afirmação me surpreendeu, pois eu não esperava por isso. Respondi: "Estou interessado, mas meu objetivo é tornar-me famoso". Reich levou a sério essa minha ressalva: "Eu o farei famoso", disse. Por todos esses anos, encarei a afirmação de Reich como uma profecia. Era o impulso de que eu precisava para superar minha resistência e iniciar o trabalho ao qual consagrei toda a minha vida.

Minha primeira sessão de terapia com Reich foi uma experiência da qual jamais me esquecerei. Cheguei com a ingênua suposição de que não havia nada de errado comigo. Deveria ser apenas uma análise didática. Usando um calção de banho, deitei-me na cama. Reich não utilizou o divã, pois se tratava de uma terapia orientada para o corpo. Eu deveria dobrar os joelhos, relaxar, respirar com a boca aberta e o maxilar relaxado. Segui tais instruções e esperei para ver o que acontecia. Depois de algum tempo, Reich disse: "Lowen, você não está respirando". Respondi: "É claro que estou, do contrário estaria morto". Ele então respondeu: "Seu tórax não se move. Sinta o meu". Coloquei minha mão sobre o seu tórax e senti que subia e descia com cada respiração. Eu certamente não estava respirando do mesmo modo.

Deitei novamente e voltei a respirar, desta vez cuidando que meu tórax se enchesse com a inspiração e se esvaziasse com a expiração. Nada aconteceu. Minha respiração continuou fácil e forte. Depois de alguns instantes, Reich disse: "Lowen, jogue sua cabeça para trás e abra bem os olhos". Fiz o que me foi pedido e... um grito irrompeu da minha garganta.

Era um dia bonito de início da primavera e as janelas do quarto se abriam em direção à rua. Para evitar qualquer embaraço com os vizinhos, Reich pediu-me que levantasse a cabeça, o que conteve o grito. Voltei a respirar profundamente. Pode parecer estranho, mas o grito não me incomodou. Eu não estava ligado a ele emocionalmente. Não senti medo. Depois que respirei por mais algum tempo, Reich pediu-me que repetisse o procedimento: jogar a cabeça para trás e abrir bem os olhos. Mais uma vez, me veio um grito. Hesito em dizer que gritei, pois não me pareceu tê-lo feito. Simplesmente aconteceu. Mais uma vez eu não sentira contato com o som. Deixei a sessão com a impressão de que eu não estava tão bem quanto imaginara. Existiam "coisas" (imagens, emoções) na minha personalidade que não me eram conscientes – e então compreendi que elas haveriam de vir à tona.

Nesse tempo, Reich chamava sua terapia de vegetoterapia caracteroanalítica. A análise do caráter havia sido sua grande contribuição à teoria psicanalítica, motivo pelo qual tem sido reconhecido por todos os analistas. A vegetoterapia se refere à mobilização de sentimentos e sensações por meio da respiração e de outras técnicas corporais que ativam os centros vegetativos (os gânglios do sistema nervoso autônomo) e liberam energias "vegetativas".

A vegetoterapia representou uma ruptura radical da análise verbal pura, encaminhando o trabalho para um confronto direto com o corpo. O conceito surgira pela primeira vez cerca de nove anos antes, durante uma sessão analítica. Reich assim a descreveu:

> Em Copenhague, em 1933, tratei um homem que apresentava grande resistência à revelação das suas fantasias homossexuais passivas. Essa resistência era expressa abertamente pela atitude extremamente rígida da garganta e do pescoço ("pescoço duro"). Um ataque concentrado à sua defesa obrigou-o finalmente a capitular, embora de maneira alarmante. Durante três dias, foi abalado por agudas manifestações de choque vegetativo. A palidez do rosto mudava rapidamente do branco para o amarelo ou azul. A pele ficou toda manchada, e de cores diferentes. Sentiu dores violentas no pescoço e atrás da cabeça. A pulsação cardíaca era rápida e forte. Teve diarreia, sentiu-se cansado e parecia haver perdido o controle.[4]

O "ataque concentrado" foi apenas verbal, mas atingiu diretamente a atitude de "pescoço duro" do paciente. "*Os afetos haviam irrompido somaticamente depois que o paciente afrouxara a sua atitude de defesa psíquica*[5]." Nesse ponto, Reich chegou à conclusão de que a "*energia da vida sexual pode ser contida por tensões musculares crônicas*"[6]. A partir daí, ele passou a estudar as atitudes corporais de seus pacientes. E observou: "Não há uma só pessoa neurótica que não apresente uma 'tensão no abdome'"[7]. Reich notou a tendência, comum a todos os seus pacientes, de prender a respiração e inibir a expiração, a fim de controlar sentimentos e sensações. Concluiu, assim, que o fato de prender a respiração servia para diminuir a energia do organismo ao reduzir suas atividades metabólicas – o que, por sua vez, inibia a formação da ansiedade.

Para Reich, portanto, o primeiro passo no procedimento terapêutico era conseguir que o paciente respirasse mais fácil e profundamente. O segundo seria mobilizar qualquer expressão emocional que fosse mais evidente no rosto ou no comportamento do paciente. No meu caso, essa expressão era o medo. Vimos que esse procedimento teve forte efeito sobre mim.

As sessões que se sucederam seguiram o mesmo padrão. Eu me deitava e respirava o mais livremente possível, tentando facilitar a expiração profunda. Reich instruiu-me a entregar-me a meu corpo, não controlando nenhum impulso ou expressão que surgisse. Várias coisas aconteceram e, aos poucos, puseram-me em contato com antigas recordações e experiências. De início, a respiração mais profunda, à qual eu não estava acostumado, produziu em minhas mãos sensações fortes de formigamento que, em duas ocasiões, se transformaram num espasmo carpopedal – gerando graves câimbras nas mãos. Essa reação desapareceu à medida que meu corpo se acostumou com o aumento de energia provocado pela respiração profunda. Tremores surgiram em minhas pernas quando aproximei e afastei ligeiramente os joelhos; também acometeram meus lábios quando cedi ao impulso de movê-los à frente.

Seguiram-se várias irrupções emocionais e lembranças a elas relacionadas. Certa vez, estava eu deitado, respirando, e meu corpo começou a se balançar involuntariamente. O balanço aumentou até que resolvi me sentar. Então, sem que eu me desse conta, saí da cama, olhei em sua direção e comecei a esmurrá-la com ambos os punhos. Nisso, apareceu o rosto de meu pai estampado no lençol e, de repente, entendi que estava batendo nele por uma surra que ele me dera quando eu era pequeno. Alguns anos depois, perguntei a ele sobre esse incidente. Disse-me que havia sido a única surra que me dera em toda minha vida e explicou que eu tinha chegado em casa muito tarde e minha mãe tinha ficado extremamente nervosa e preocupada. Ele me surrara para que eu não voltasse a fazer o que fiz. A parte interessante dessa experiência, assim como na do grito, é sua natureza inteiramente espontânea e involuntária. Fui impelido a socar a cama como fora a gritar – não por qualquer pensamento consciente, mas por uma força interna que me sobreveio e dominou.

Em outra ocasião, enquanto estava deitado e respirando, comecei a sentir uma ereção. Tive um impulso de tocar meu pênis, mas o inibi. Então me lembrei de um episódio interessante da infância. Vi-me como um garoto de 5 anos caminhando pelo apartamento onde morava, urinando no chão.

Meus pais não estavam em casa. Eu sabia que estava fazendo aquilo para me vingar de meu pai, que, no dia anterior, havia me recriminado por estar segurando o pênis.

Fiz cerca de nove meses de terapia para descobrir o que havia causado o grito da primeira sessão. Desde aquele dia eu não havia gritado mais. Com o passar do tempo, pensei ter a clara impressão de que existia uma imagem que eu teria medo de fitar. Contemplando o teto na posição deitada, eu sentia que a imagem um dia surgiria. Foi o que aconteceu, e era minha mãe olhando-me de cima para baixo com uma expressão de intensa raiva nos olhos. Eu soube de imediato que esse era o rosto que me tinha amedrontado. Revivi a experiência como se estivesse acontecendo no presente. Eu era um bebê de mais ou menos 9 meses de idade, deitado no berço do lado de fora da minha casa. Eu estivera chorando muito alto, querendo minha mãe. Obviamente, ela estava ocupada com os afazeres domésticos e meu choro persistente a enervou. Ela saiu da casa furiosa comigo. Deitado ali, na cama de Reich, aos 33 anos, olhei para a imagem dela e, usando palavras que não poderia ter conhecido quando criança, perguntei: "Por que você está tão zangada comigo? Só estou chorando porque quero você".

Naquela época, Reich usava outra técnica para aperfeiçoar a terapia. No início das sessões, ele pedia aos pacientes que lhe contassem todos os pensamentos negativos que tinham tido sobre ele. Acreditava que seus analisandos estabeleciam uma transferência negativa com ele, assim como uma positiva, e ele não acreditaria nesta a menos que a negativa fosse expressa antes. Achei a tarefa extremamente difícil. Uma vez que me comprometera com Reich e com a terapia, expulsei todos os pensamentos negativos da minha mente. Eu achava que não havia nada do que me queixar. Ele fora bastante generoso comigo, e eu não tinha dúvidas a respeito da sua sinceridade, da sua integridade e da validade de seus conceitos. De modo característico, eu estava determinado a fazer que a terapia fosse bem-sucedida, e só quando ela estava quase fracassando resolvi me abrir com Reich.

Depois da experiência do medo, quando vi o rosto da minha mãe, atravessei longos meses durante os quais não tive nenhum progresso. Nessa época, eu encontrava com Reich três vezes por semana, mas estava bloqueado, pois não conseguia dizer-lhe como me sentia a seu respeito. Queria que ele tivesse um interesse paternal por mim, não apenas um interesse terapêutico, mas, por saber que aquela não era uma exigência razoável, não conseguia expressá-la.

Minha luta interna com o problema não me levou a lugar nenhum. Reich parecia desconhecer o meu conflito. Por mais que eu me esforçasse para deixar a respiração profunda e plena, simplesmente não conseguia.

Eu já estava em terapia havia um ano quando se deu esse impasse. Quando parecia que aquilo se propagaria indefinidamente, Reich me pediu que desistisse. "Lowen, você é incapaz de se entregar a seus sentimentos. Por que você não desiste?" Suas palavras eram como uma sentença de morte. Desistir significava o fracasso de todos os meus sonhos. Desmoronei e chorei profundamente. Era a primeira vez que soluçava desde os tempos de infância. Não consegui mais esconder meus sentimentos e disse a Reich o que queria dele, no que fui ouvido com empatia.

Não sei se Reich pretendera findar a terapia ou se sua sugestão de terminar o tratamento fora um artifício para romper a minha resistência, mas tive a forte impressão de que ele falara a sério. Qualquer que tenha sido o caso, contudo, sua ação produziu o resultado desejado. Comecei a progredir outra vez.

Para Reich, o objetivo do tratamento era desenvolver no paciente a capacidade de se entregar por completo aos movimentos espontâneos e involuntários do corpo, os quais fazem parte do processo respiratório. Portanto, a ênfase recaía em deixar que a respiração se processasse o mais plena e profundamente possível. Se isso fosse feito, as ondas respiratórias produziriam um movimento de ondulação do corpo – chamado, por Reich, de reflexo do orgasmo.

No decurso de seu trabalho psicanalítico anterior, Reich chegara à conclusão de que a saúde emocional estava relacionada com a capacidade de se entregar inteiramente no ato sexual, o que ele denominava potência orgástica. Reich descobriu que nenhum indivíduo neurótico tinha essa capacidade. A neurose não só bloqueava essa entrega como, ao reter a energia em tensões musculares crônicas, evitava que esta estivesse disponível para a descarga sexual. Reich também descobriu que os pacientes que conseguiram alcançar a plena satisfação orgástica no ato sexual libertaram-se de quaisquer atitudes ou comportamentos neuróticos, mantendo-se livres deles continuamente. O orgasmo pleno, segundo Reich, descarregava todo o excesso de energia do organismo – não restando, portanto, nenhuma energia para manter sintomas ou comportamentos neuróticos.

É importante compreender que Reich diferenciava o orgasmo da ejaculação ou do clímax. Tratava-se de uma reação involuntária do corpo *como um todo*, manifestada em movimentos rítmicos e convulsivos. O mesmo tipo de movimento pode ocorrer quando a respiração é inteiramente livre e o indivíduo se entrega a seu corpo. Nesse caso, não existe clímax ou descarga de excitação sexual, uma vez que esta não foi acumulada. O que acontece é que a pelve se move espontaneamente para a frente a cada expiração e para trás a cada inspiração. Esses movimentos são produzidos pelo fluxo respiratório conforme circula para cima e para baixo, movido pela inspiração e pela expiração. Ao mesmo tempo, a cabeça executa movimentos similares aos da pelve, com a diferença de que se move para trás na fase expiratória e para a frente na etapa da inspiração. Em tese, o paciente cujo corpo estivesse suficientemente livre para ter esse tipo de reflexo durante a sessão de terapia também estaria capacitado a experimentar o orgasmo total no ato sexual – sendo considerado emocionalmente saudável.

Para muitos dos que leram *A função do orgasmo*[8], essas ideias devem ter parecido fruto de elucubrações fantásticas de uma mente obcecada pelo sexo. Entretanto, elas foram expressas pela primeira vez quando Reich já era um professor de psicanálise extremamente conceituado, cuja formulação do conceito e da técnica analítica do caráter foi vista como uma das maiores contribuições à teoria da área. Na ocasião, ela ainda não era aceita pela maioria dos psicanalistas, sendo até hoje desconhecida ou ignorada pela maioria dos que pesquisam o tema sexo. Porém, os conceitos de Reich adquirem um realismo convincente quando se experimenta com o próprio corpo, como eu o fiz. Essa convicção baseada em experiências pessoais levou muitos dos psiquiatras (e outros profissionais) que trabalharam com Reich a se tornar, ao menos por algum tempo, discípulos entusiasmados.

Depois do episódio da explosão de choro e da revelação de meus sentimentos a Reich, minha respiração foi se tornando mais livre e fácil; minha resposta sexual, mais plena e profunda. Ocorreram várias mudanças em minha vida. Casei-me com a mulher por quem estava apaixonado. O compromisso de casamento foi um grande passo para mim. Além disso, eu me preparava ativamente para me tornar um terapeuta reichiano. Durante esse ano, participei de um seminário clínico sobre análise do caráter ministrado pelo dr. Theodore P. Wolfe, que era o amigo mais próximo de Reich nos Estados Unidos e tradutor de suas publicações para a língua inglesa. Tendo completado recentemente meus estudos pré-médicos[9], eu tentava, pela segunda vez, ingressar na faculdade de Medicina. Minha terapia progredia regular e vagarosamente. Apesar de não ter havido nenhuma irrupção dramática de sentimentos ou de lembranças nas sessões, eu sentia que estava chegando mais perto da capacidade de me entregar aos meus sentimentos sexuais. Sentia-me também mais próximo de Reich.

Naquele ano, Reich tirou longas férias. Encerrou as aulas em junho e retomou-as em meados de setembro. Quando a terapia estava chegando ao fim, Reich sugeriu interromper o tratamento por um ano. Entretanto, eu ainda não havia terminado. O reflexo do orgasmo não tinha se desenvolvido de forma consistente, apesar de eu estar me sentindo bem próximo disso. Eu me esforçava demais, e era justamente isso que me impedia de atingir meu objetivo. A ideia de tirar umas férias pareceu boa e aceitei a sugestão de Reich. Existiam também razões pessoais para tal decisão. Sem conseguir ingressar na faculdade de Medicina àquela altura, fiz um curso de anatomia humana em 1944, na New York University.

Minha terapia com Reich foi retomada em 1945, com sessões semanais. Em pouco tempo, consegui desenvolver o reflexo do orgasmo de forma consistente. Várias razões explicam esse progresso. Durante o ano em que não fiz terapia, pude deixar de lado o esforço para satisfazer Reich e para obter saúde sexual, conseguindo assim integrar e assimilar o trabalho anterior feito com o mestre. Também, nesse período, atendi ao meu primeiro paciente como terapeuta reichiano, o que me encorajou enormemente. Senti-me muito à vontade e tinha a consciência de estar bastante seguro com relação à minha vida. Entregar-me ao meu corpo, o que também significava me entregar a Reich, tornou-se uma tarefa fácil. Em poucos meses, ficou claro para nós dois que minha terapia tinha sido, pelos seus critérios, bem-sucedida. Anos mais tarde, contudo, dei-me conta de que permaneceram sem solução muitos dos principais problemas de minha personalidade. Meu medo de pedir o que queria, ainda que infundado, não tinha sido inteiramente discutido. Meu medo de falhar e minha necessidade de me sair bem não tinham sido superados. Minha incapacidade de chorar, a menos que eu fosse encostado na parede, não havia sido explorada. Esses problemas foram resolvidos muitos anos depois, com a bioenergética.

Não quero dizer com isso que a terapia com Reich não surtiu efeito. Se não resolveu inteiramente todos os meus problemas, ao menos me tornou mais consciente de sua existência. Mais importante que isso, porém, é o fato de ter-me aberto o caminho para a autorrealização, ajudando-me a avançar na direção dos meus objetivos. A terapia aprofundou e intensificou meu compromisso com o corpo – a base da personalidade –, além de ter-me proporcionado uma identificação positiva com minha sexualidade, que se revelou a pedra angular da minha vida.

MEU TRABALHO COMO TERAPEUTA REICHIANO, 1945-1953

Em 1945, atendi ao meu primeiro paciente. Apesar de ainda não ter cursado Medicina, Reich encorajou-me nesse procedimento com base em minha formação acadêmica e no meu treinamento com ele, incluindo minha terapia pessoal. Esse treinamento demandava a participação contínua nos seminários clínicos sobre vegetoterapia caracteroanalítica, conduzidos por Theodore Wolfe, e em palestras realizadas pelo próprio Reich em sua casa, onde se discutiam as bases teóricas de suas propostas, enfatizando os conceitos biológicos e energéticos que explicavam seu trabalho com o corpo.

O interesse pela terapia reichiana crescia progressivamente à medida que aumentava o número de pessoas que tomavam conhecimento de suas ideias. A publicação de *A função do orgasmo*, em 1941, acelerou essa procura, apesar de o livro não ter obtido uma reação favorável da crítica e ter sido mal distribuído. Reich montou uma editora, a Orgone Institute Press, que não tinha vendedor nem fazia nenhum tipo de divulgação. A promoção de seus livros e ideias era feita apenas verbalmente. Contudo, suas concepções se difundiram, ainda que devagar, e assim cresceu o número de interessados na terapia reichiana. Porém, havia poucos analistas do caráter treinados e disponíveis – o que, junto com a minha disposição pessoal, permitiu minha iniciação no campo da terapia.

Por dois anos antes de partir para a Suíça, trabalhei como terapeuta reichiano. Em setembro de 1947, deixei Nova York e fui com minha esposa para a Universidade de Genebra, a fim de fazer o curso de Medicina, de onde saí com o título de doutor em Medicina em junho de 1951. Enquanto estive na Suíça, conduzi terapias com pessoas que tinham ouvido falar no trabalho do Reich e estavam ansiosas para conhecer aquela nova técnica terapêutica. Como tantos outros jovens terapeutas, comecei com a ingênua pretensão de que conhecia algo a respeito dos problemas emocionais das pessoas – certeza mais baseada em empolgação do que em experiência. Relembrando aqueles anos, enxergo minhas limitações tanto no campo da compreensão como no da capacidade. Contudo, acredito ter ajudado alguns indivíduos. Meu entusiasmo era uma força positiva, e a ênfase dada à respiração e à entrega mostrava-se correta.

Antes de deixar esse país, ocorreu um importante progresso na terapia reichiana: o uso do contato direto com o corpo do paciente para relaxar as tensões musculares, que são um obstáculo à capacidade de se entregar aos sentimentos e sensações e de permitir que o reflexo do orgasmo se desenvolva. Durante seu trabalho comigo, vez ou outra Reich aplicava certa pressão com as mãos em alguns músculos tensos do meu corpo para ajudar a relaxá-los. Normalmente, em mim e em outros pacientes, essa pressão era aplicada ao maxilar. Em muitas pessoas os músculos da região maxilar são extremamente tensos; o queixo se mantém firme, em uma atitude de determinação que tende à austeridade, ou é impelido adiante em posição de desafio, ou retraído de modo anormal. Em todos esses casos, não é inteiramente flexível, e a sua posição fixa denota uma atitude já estruturada. Sob pressão, os músculos da região maxilar ficam cansados e "deixam-se levar". Em consequência, a respiração torna-se mais livre e profunda e ocorrem frequentes tremores involuntários no tronco e nas pernas. Outros pontos de tensão muscular que receberam pressão foram a parte posterior do pescoço, a região inferior das costas e os músculos adutores das coxas. A pressão era aplicada seletivamente apenas nas áreas em que as tensões pudessem ser palpadas.

O uso das mãos constitui um importante desvio da prática analítica tradicional. Nas análises freudianas, qualquer contato físico entre o analista e o paciente era estritamente proibido. O primeiro sentava-se atrás do segundo, sem ser visto, e funcionava como uma tela na qual o paciente poderia projetar todos os seus pensamentos. O analista não ficava sempre impassível, visto que suas respostas guturais e interpretações das ideias expressas pelo paciente influenciavam este último sobremaneira. Reich transformou o analista numa força mais direta no procedimento terapêutico. Sentava-se num ponto de onde pudesse encarar o paciente e, ao mesmo tempo, ser visto e estabelecer contatos físicos quando fosse necessário e oportuno. Reich era um homem alto, de calmos olhos castanhos e mãos fortes e cálidas; essa é a lembrança que guardo dele, do tempo de nossas sessões.

Hoje não se reconhece o avanço revolucionário que essa terapia representou na época ou as suspeitas e hostilidades que chegou a evocar. Devido à forte preocupação com a sexualidade e ao uso do contato físico entre terapeuta e paciente, os praticantes da terapia reichiana eram acusados de utilizar a estimulação sexual para promover a potência orgástica.

Bioenergética

Diziam que Reich masturbava seus pacientes. Nada poderia estar mais longe da verdade. Tal difamação revela o nível de medo que rondava a sexualidade e o contato físico naquela época. Porém, essa atmosfera mudou enormemente, nos últimos 30 anos, no que diz respeito tanto à sexualidade quanto ao toque. A importância do toque tem sido vista como uma *forma primária de contato*[10], sendo inquestionável sua utilidade na terapia. Claro que o contato físico entre terapeuta e paciente dá àquele a responsabilidade de respeitar a relação terapêutica, evitando qualquer envolvimento sexual com o paciente.

Devo acrescentar que os terapeutas da bioenergética são treinados para utilizar as mãos no intuito de palpar e de sentir espasmos ou bloqueios musculares; para aplicar a pressão necessária ao relaxamento ou à redução da tensão muscular, atentando para a tolerância do paciente à dor; para estabelecer contato por meio de um toque suave e tranquilizador, que forneça apoio e calor. Hoje é difícil compreender a amplitude do passo dado por Reich em 1943.

O uso da pressão física facilitou a irrupção de sensações e sentimentos e a consequente retomada de lembranças. Serviu também para acelerar o processo terapêutico, fator necessário quando a frequência das sessões foi reduzida para uma vez por semana. Nessa época, Reich desenvolvera uma incrível capacidade de interpretar o corpo para saber como aplicar as pressões que relaxariam as tensões musculares, fazendo fluir pelo organismo uma sensação chamada por ele de vibração. Por volta de 1947, Reich era capaz de desenvolver o reflexo do orgasmo em certos pacientes num período de seis meses. Pode-se avaliar essa façanha comparando-a com o fato de eu ter feito terapia com ele por cerca de três anos, três vezes por semana, antes que o reflexo do orgasmo se desenvolvesse em mim.

Devo enfatizar que o reflexo do orgasmo não é, na realidade, um orgasmo. O aparelho genital não está implicado nele; não existe ereção nem, portanto, descarga da excitação sexual. Apenas indica que o caminho para tanto está aberto se a entrega for transposta para uma situação sexual, embora essa transferência não ocorra necessariamente. As duas situações, a sexual e a terapêutica, são diversas. A primeira é muito mais carregada emocional e energeticamente. Além disso, na situação terapêutica, o indivíduo tem a vantagem de contar com o apoio do terapeuta – o que, no caso de um homem como Reich, de personalidade muito forte, pode ser um fator importante. De todo

23

modo, na ausência do reflexo do orgasmo, é improvável que o indivíduo permita que os movimentos pélvicos involuntários ocorram no clímax do ato sexual. Esses movimentos são a base da resposta de um orgasmo total. Devemos lembrar que, na teoria de Reich, é a resposta orgástica ao sexo, e não o reflexo do orgasmo, o critério de saúde emocional.

Apesar disso, o reflexo do orgasmo também tem alguns efeitos positivos na personalidade. Mesmo ocorrendo na atmosfera segura da situação terapêutica, é uma experiência que confere alegria e liberdade ao indivíduo, que perde suas inibições. Ao mesmo tempo, sente-se ligado e integrado com seu corpo e, por meio dele, com o ambiente. Adquire uma sensação de bem-estar e de paz interior. Sabe que a vida do corpo está no seu aspecto involuntário. Digo isso por minha experiência pessoal e por comentários de pacientes ao longo dos anos.

Infelizmente, esses belos sentimentos nem sempre se mantêm sob a tensão causada pelo cotidiano moderno. O ritmo, a pressão e a filosofia de nossos tempos são antitéticos à vida. Muitas vezes, o reflexo se perde quando o paciente não aprende a lidar com suas tensões diárias sem recorrer aos padrões neuróticos de comportamento. Foi isso que aconteceu com dois dos pacientes de Reich nesse período. Vários meses depois do aparentemente bem-sucedido término do tratamento, eles me pediram uma terapia adicional, pois não haviam sido capazes de manter o nível de progresso alcançado nas sessões com Reich. Compreendi então que não poderia haver atalho para a saúde emocional – e que trabalhar de forma consistente todos os problemas do indivíduo é a única forma de assegurar seu funcionamento ótimo. De todo modo, eu ainda estava convencido de que a sexualidade era a chave para a solução dos problemas neuróticos do indivíduo.

É fácil criticar Reich pela ênfase dada à importância da sexualidade, mas eu não faria isso. A sexualidade foi e é a chave de todos os problemas emocionais, mas os distúrbios sexuais só podem ser compreendidos, de um lado, com base na estrutura total da personalidade e, de outro, pelo modo de vida do indivíduo. Depois de anos relutando em admiti-lo, cheguei à conclusão de que não existe apenas uma saída que desvende todos os mistérios da condição humana. Minha hesitação originava-se de um profundo desejo de acreditar que existia uma resposta única. Agora penso em polaridades e em seus inevitáveis conflitos e soluções temporárias. Uma visão da personalidade que encara o sexo como única chave para a personalidade é por demais restrita, mas ignorar o papel do sexo na determinação da personalidade do indivíduo é desprezar uma das mais importantes forças da natureza.

Numa de suas primeiras formulações, antes mesmo do seu conceito de instinto de morte, Freud propôs uma antítese entre os instintos do ego e os instintos sexuais. Os primeiros buscam a preservação do indivíduo; os segundos, a preservação da espécie. Isso implica um conflito entre o indivíduo e a sociedade, que sabemos ser verdadeiro para a nossa cultura. Outro conflito inerente à antítese é o existente entre a luta pelo poder (motivação egoica) e a luta pelo prazer (motivação sexual). A ênfase exagerada no poder em nossa cultura coloca o ego contra o corpo e sua sexualidade, criando um antagonismo entre ambas as motivações – quando o ideal seria o apoio e o reforço comum entre elas. Não se pode, porém, ir ao extremo oposto e focalizar apenas a sexualidade. Isso ficou claro para mim depois de ter perseguido sem sucesso um único objetivo, à semelhança de Reich: a realização sexual de meus pacientes. Para o homem ocidental, o ego é uma força poderosa que não pode ser posta de lado nem ignorada. O objetivo terapêutico é integrar o ego ao corpo e à sua busca de prazer e realização sexual.

Somente depois de anos de árduo trabalho e cometendo minha parcela de erros aprendi essa verdade. Ninguém é exceção à regra de que o aprendizado ocorre pelo reconhecimento dos erros. Porém, sem a determinação de atingir o objetivo da satisfação sexual e da potência orgástica, eu não teria compreendido a energia da dinâmica da personalidade. E, sem o critério do reflexo do orgasmo, não se pode entender os movimentos involuntários e as reações do organismo humano.

Existem ainda diversos elementos misteriosos no funcionamento e no comportamento humanos que estão fora do alcance da mente racional. Por exemplo, cerca de um ano antes de deixar Nova York, tratei de um jovem que sofria de sérios problemas. Ele era tomado de profunda ansiedade cada vez que se aproximava de uma moça. Sentia-se inferior, deslocado, e tinha várias tendências masoquistas. Muitas vezes, tinha alucinações em que o diabo espreitava-o às escondidas. No decurso de sua terapia, seus sintomas melhoraram, mas não foram solucionados em absoluto. O rapaz desenvolveu, entretanto, um relacionamento estável com uma moça, tendo experimentado um pequeno prazer no clímax sexual.

Encontrei-o cinco anos mais tarde, depois de voltar aos Estados Unidos. O jovem contou-me uma história fascinante. Tendo ficado sem terapeuta depois de minha partida, decidiu continuar a terapia por conta própria. Isso incluía os exercícios básicos de respiração que usávamos em nosso tratamento. Todos os dias, depois do trabalho, deitava-se na cama e tentava respirar profunda e plenamente, como fazia comigo. Então, um dia, o milagre aconteceu. Toda sua ansiedade desapareceu. Ele se sentiu seguro de si, pondo fim à autodepreciação; o mais importante, no entanto, foi o alcance da potência orgástica total no ato sexual. Seus orgasmos eram plenos e satisfatórios. Tornou-se uma pessoa diferente.

Infelizmente, ele relatou, "tudo aquilo só durou um mês". Tão rápido como veio, a mudança desapareceu, e ele voltou à sua triste condição anterior. Mais tarde, consultou outro terapeuta reichiano, com quem se tratou por vários anos, só conseguindo ligeiros progressos. Quando voltei a trabalhar, ele me procurou para retomar o tratamento. Trabalhei com ele por mais três anos, ajudando-o a superar muitas de suas deficiências. Mas o milagre jamais voltou a se repetir. Nunca mais ele obteve o nível de progresso sexual e emocional que havia atingido no breve período que se seguiu à minha partida.

Como explicar o inesperado aparecimento da saúde que pareceu surgir por si só e seu subsequente desaparecimento? A experiência desse meu paciente fez-me lembrar de *Horizonte perdido*[11], de James Hilton, livro popular nessa época. Na história, o herói, Conway, é raptado com alguns companheiros de voo e levado a um vale secreto, no alto dos montes do Himalaia, o Xangri-lá – uma montanha literalmente "do outro mundo". Aqueles que viviam no vale não enfrentavam a morte nem a velhice. A moderação era a base do governo, o que também não se pode dizer que seja deste mundo. Considerando extremamente agradável aquele modo de vida sereno e racional, Conway sente-se tentado a ficar em Xangri-lá. É convidado a ser o líder da comunidade, mas deixa que seu irmão o convença de que tudo não passa de fantasia. Seu irmão, apaixonado por uma jovem chinesa, induz Conway a escapar com eles para a "realidade". Eles partem, mas, uma vez fora do vale, Conway fica horrorizado ao ver a moça se transformar numa velha e, em seguida, morrer. Qual das realidades é mais válida? Conway decide voltar para Xangri-lá e, no fim da história, aparece vagando pelas montanhas em busca do seu "horizonte perdido".

A súbita transformação ocorrida em meu paciente pode ser julgada com base em uma mudança no seu senso de realidade. Durante um mês, ele tam-

Bioenergética

bém viveu "fora deste mundo", deixando de lado todas as ansiedades, culpas e inibições advindas de sua vivência real. Sem dúvida, muitos fatores contribuíram para produzir tal efeito. Nessa época, pairava sobre as pessoas ligadas ao trabalho de Reich – tanto estudantes quanto pacientes – um estado de euforia e de excitação. Reich era tido como aquele que proclamara uma verdade absoluta a respeito dos seres humanos e de sua sexualidade. Suas ideias tinham um sabor revolucionário. Tenho certeza de que meu paciente foi envolvido por essa atmosfera – que, juntamente com sua respiração mais profunda, produziu o efeito marcante descrito por ele.

Sair do próprio mundo ou do próprio ser constitui uma experiência transcendental. Muitas pessoas tiveram experiências similares de maior ou menor duração. Comum a todas é o sentimento de soltura, a sensação de liberdade e a descoberta, dentro de si, de um ser inteiramente vivo e dotado de respostas espontâneas. Tais transformações, porém, ocorrem de modo inesperado, não podendo ser planejadas nem programadas. Infelizmente, por vezes retornam ao que eram com a mesma rapidez com que mudaram, e a carruagem resplandecente se transforma da noite para o dia na abóbora que sempre fora. Isso nos faz indagar: qual é a verdadeira realidade de nossa existência? Por que *não podemos* permanecer no estado de liberdade?

A maioria de meus pacientes teve algum tipo de experiência transcendental no decurso de sua terapia. Cada um deles descobriu um horizonte, antes encoberto por uma densa névoa, que de repente se torna claramente visível. Apesar de a névoa adensar-se de novo, resta a lembrança, que fornece motivação para um compromisso contínuo com os objetivos de mudar e de crescer.

Se buscarmos a transcendência, teremos muitas visões, mas certamente acabaremos no próprio ponto de partida. Se optarmos pelo crescimento, passaremos por momentos de transcendência, mas estes serão picos de experiência dentro de uma caminhada mais plana em busca de um eu mais rico e seguro.

A vida em si é um processo de expansão que se inicia com o crescimento do corpo e de seus órgãos, passando pelo desenvolvimento das habilidades motoras, pela aquisição do conhecimento e pela ampliação dos relacionamentos; tudo isso culmina num resumo da experiência que denominamos *saber*. Tais aspectos do crescimento se justapõem se a vida e o crescimento ocorrerem num ambiente cultural e social legítimo. E, embora o processo seja contínuo, nunca é regular. Existem períodos de desnivelamento quando ocorre a assimilação de uma experiência, preparando o indivíduo para uma nova ascensão. Cada ascensão conduz a um novo cume, criando o que chamamos de pico de experiência. Cada pico, por sua vez, deve ser integrado à personalidade para que ocorra um novo crescimento e para que o indivíduo chegue à sabedoria. Uma vez eu disse a Reich que tinha uma definição para felicidade. Ele ergueu as sobrancelhas, olhou-me zombeteiramente e perguntou-me qual era. Respondi: "A felicidade é a consciência do crescimento". Suas sobrancelhas baixaram ao responder-me: "Nada mal".

Se a minha definição for válida, indica que a maioria das pessoas que procura terapia sente que seu crescimento se deteve, e muitos pacientes recorrem ao tratamento para restabelecê-lo. A terapia pode conseguir isso fornecendo novas experiências e ajudando a remover ou reduzir os bloqueios e obstáculos à assimilação das experiências. Tais bloqueios constituem padrões estruturados de comportamento que representam uma solução insatisfatória de conflitos da infância. Criam o eu neurótico e limitado do qual se procura escapar ou libertar. Trabalhando com o passado, o paciente em terapia descobre seus conflitos originais e novas formas de lidar com situações de rejeição e ameaça à vida que o forçaram a se "encouraçar" para sobreviver. A única maneira de conseguir o verdadeiro crescimento no presente é reviver o passado. Se o passado for eliminado, não existirá o futuro.

O crescimento é um processo natural; não se pode provocá-lo. Sua lei é comum a todos os seres vivos. Uma árvore, por exemplo, cresce para cima apenas se sua raiz se desenvolve em direção ao centro da Terra. Nós aprendemos com o estudo do passado. Assim, o indivíduo só pode crescer se firmar suas raízes no próprio passado. E o passado de um indivíduo é o seu corpo.

Voltando àqueles anos de entusiasmo e euforia, vejo como era ingênuo esperar que os problemas profundamente estruturados de uma pessoa moderna fossem facilmente solucionados por qualquer tipo de técnica. Não quero dizer que Reich tenha tido ilusões diante de sua imensa tarefa. Ele esteve bem consciente da situação. Sua busca por formas mais efetivas de lidar com esses problemas provinha diretamente dessa consciência.

Tal busca levou-o a investigar a natureza da energia que percorre os organismos vivos. Ele reivindicava para si, como se sabe, a descoberta de uma nova energia, a qual denominou "orgone", palavra derivada dos termos "orgânico" e "organismo". Reich inventou um mecanismo que poderia acumular essa energia e carregar o corpo de qualquer indivíduo que nele se sentasse. Eu mesmo construí um desses acumuladores e o utilizei. Em algumas situações, o aparelho mostrou-se útil, mas não tinha nenhum efeito sobre os problemas da personalidade. Em nível individual, estes ainda requerem uma combinação de cuidadoso trabalho analítico e de aproximação física que ajude a pessoa a relaxar as espasticidades musculares crônicas que inibem sua liberdade e limitam a sua vida. Em nível social, deve haver uma mudança evolutiva nas atitudes do homem para consigo mesmo, para com seu ambiente e para com a comunidade.

Em ambos os níveis, Reich forneceu grandes contribuições. Sua explicação sobre a natureza da estrutura do caráter e a demonstração de sua ligação funcional com as atitudes corporais representaram importantes avanços no nosso conhecimento sobre o comportamento humano. Ele introduziu o conceito de potência orgástica como critério de saúde emocional – o que de fato é –, demonstrando que sua base física é o reflexo do orgasmo no corpo. Ele ampliou os nossos conhecimentos a respeito dos processos do corpo humano ao descobrir o significado das reações involuntárias do organismo. Desenvolveu, ainda, uma técnica relativamente eficiente para o tratamento dos distúrbios emocionais (involuntários) do indivíduo.

Reich frisou muito bem como a estrutura da sociedade se reflete na estrutura do caráter de seus membros individualmente, explicação que esclareceu os aspectos irracionais da política. Aventou a possibilidade da existência humana sem inibições nem repressões que estrangulam os impulsos de vida. Em minha opinião, se essa visão vier a se realizar, há de vir seguindo o caminho traçado por Reich.

Para a proposta deste livro, a maior contribuição de Reich foi sua delineação do papel protagônico que o corpo deve desempenhar em qualquer teoria da personalidade. Seu trabalho forneceu as bases sobre as quais foi construído o edifício da bioenergética.

O DESENVOLVIMENTO DA BIOENERGÉTICA

As pessoas sempre me perguntam: "Qual é a diferença entre a bioenergética e a terapia reichiana?" A melhor forma de responder a essa questão é continuar com o nosso relato histórico sobre o desenvolvimento da bioenergética.

Em 1952, quando terminei o período de residência médica, tendo voltado da Europa no ano anterior, notei algumas mudanças nas atitudes de Reich e de seus seguidores. O entusiasmo e a empolgação, tão evidentes entre

1945 e 1947, transformaram-se em sentimentos de perseguição e de desânimo. Reich parou com todas as terapias individuais e mudou-se para Rangeley, Maine, onde se dedicou à física orgônica. O termo "vegetoterapia caracteroanalítica" deu lugar à denominação "terapia orgônica" – o que resultou na perda do interesse pela arte da análise do caráter e na ênfase na aplicação da energia orgônica com o acumulador.

O sentimento de perseguição foi, de um lado, engendrado pela atitude crítica das comunidades médica e científica às ideias de Reich; de outro, pela hostilidade manifestada por alguns psicanalistas, muitos dos quais tinham uma animosidade declarada contra Reich. O terceiro fator derivou das ansiedades inerentes ao próprio Reich e a seus discípulos. O desânimo resultou do insucesso de uma experiência, conduzida por Reich em seu laboratório no Maine, que envolvia a interação da energia orgônica com a radioatividade. O experimento teve um efeito negativo; Reich e seus assistentes ficaram doentes, tendo de abandonar o laboratório durante algum tempo. Além disso, a perda da esperança numa terapia da neurose relativamente rápida e eficiente contribuiu para o estado geral de desencorajamento.

Eu não compartilhava desses sentimentos. Meu isolamento de Reich e de seus seguidores por cinco anos permitiu-me manter a empolgação e o entusiasmo dos primeiros anos. Minha educação acadêmica e a experiência obtida no período em que trabalhei como residente em hospitais convenceram-me, mais do que nunca, da validade geral das ideias de Reich. Em consequência, tive dificuldade de me identificar por completo com o grupo de terapeutas orgônicos, dificuldade esta mais tarde reforçada pela minha consciência de que os seguidores de Reich haviam desenvolvido uma devoção quase fanática para com ele e seu trabalho. Considerava-se presunçoso, se não herético, questionar suas afirmações ou modificar os seus conceitos com base numa experiência pessoal. Estava claro para mim que tal atitude haveria de sufocar qualquer trabalho criativo ou original. Essas considerações levaram-me a adotar uma posição independente em relação ao trabalho de Reich.

Enquanto mantive essa disposição de espírito, um debate com outro terapeuta reichiano, o dr. Louis G. Pelletier, que estava fora dos círculos oficiais, abriu meus olhos para a possibilidade de modificar ou ampliar os procedimentos técnicos de Reich. Durante todo o meu trabalho com Reich, ele sempre ressaltou que o meu maxilar deveria estar relaxado, numa atitude de abandono ou entrega ao corpo. Nos meus anos de terapeuta reichiano, também reforcei essa posição. Na referida discussão, o dr. Pelletier observou que seria interessante fazer os pacientes estenderem o maxilar para a frente, numa atitude de desafio. O fato de mobilizar essa expressão agressiva relaxaria algumas tensões dos músculos de um maxilar contraído. Concluí que essa prática também seria viável e, de repente, senti-me livre para questionar ou até mesmo modificar os feitos de Reich. Mais tarde, percebi que tais práticas funcionariam melhor se utilizadas de modo alternado. A mobilização e o estímulo da agressividade do paciente facilitam sua entrega ou seu abandono aos sentimentos sexuais. Por outro lado, se o indivíduo inicia a terapia numa atitude de entrega, quase sempre surgem sentimentos de tristeza e raiva no final, causados pela dor e pela frustração experimentadas pelo corpo.

Em 1953, tornei-me dr. John C. Pierrakos, que acabara de completar a residência em psiquiatria no Kings County Hospital. O próprio dr. Pierrakos fizera terapia nos moldes reichianos e era seguidor de Reich. Nessa época, ainda nos considerávamos terapeutas reichianos, apesar de já não estarmos ligados ao grupo de médicos reichianos. Em um ano uniu-se a nós o dr. William B. Walling, cuja formação era similar à de Pierrakos. Os dois haviam sido colegas na faculdade de Medicina. O resultado inicial dessa associação foi um programa de seminários clínicos com dois objetivos: apresentar pessoalmente nossos pacientes a fim de compreender mais a fundo seus problemas e, ao mesmo tempo, ensinar a outros terapeutas os conceitos básicos do trabalho com o corpo. Em 1956, o Instituto de Análises Bioenergéticas estava formalmente fundado, constituindo-se numa instituição sem fins lucrativos criada para cumprir nossos objetivos.

Nesse meio-tempo, Reich teve problemas com a lei. Como que para sustentar seu sentimento de perseguição, a Food and Drug Administration (FDA) entrou com uma ação federal para que Reich fosse proibido de vender ou despachar acumuladores orgônicos para outros estados, afirmando que não havia tal coisa denominada energia orgônica e, por isso, sua venda era fraudulenta. Reich se recusou a contestar ou a defender essa ação, alegando que suas teorias científicas não poderiam ser questionadas numa corte de justiça. A FDA obteve uma grande vitória por falta de comparecimento em juízo. Reich foi aconselhado a ignorar o mandado judicial, o que foi rapidamente descoberto pelos funcionários da FDA. Reich foi julgado por desacato a autoridade, declarado culpado e sentenciado a dois anos em uma penitenciária federal. Morreu na prisão de Lewisburg, em novembro de 1957.

A trágica morte de Reich fez-me compreender que um homem não pode ser poupado de si mesmo. Que dizer, entretanto, de um indivíduo que está sinceramente comprometido com sua salvação pessoal? Se "salvação" significa libertações das inibições e amarras impostas por nossa formação, não posso dizer que tenha alcançado tal estado de graça. Apesar de ter terminado com sucesso minha terapia com Reich, tinha plena consciência de ainda haver muitas tensões musculares crônicas em meu corpo que não me deixavam experimentar o prazer que eu tanto esperava. Eu sentia sua influência limitadora na minha personalidade. E almejava uma experiência sexual ainda mais rica e completa – experiência essa que eu sabia ser possível.

A solução era iniciar a terapia mais uma vez. Eu não podia voltar a Reich e não tinha confiança em nenhum outro terapeuta reichiano. Convencido de que a abordagem deveria ser corporal, resolvi optar por um trabalho com meu colega John Pierrakos – união arriscada, pois eu era mais velho e tinha mais experiência do que ele. Foi com base nesse trabalho conjunto sobre meu próprio corpo que a bioenergética foi concebida. Os exercícios básicos por nós utilizados foram primeiramente testados por mim, pois a experiência ensinou-me a manipulá-los e a analisar seus efeitos. Ao longo de todos esses anos, adquiri o hábito de experimentar no meu corpo tudo que pedia a meus pacientes; não acredito que possamos pedir aos outros o que nós mesmos não estamos preparados para pedir ao nosso corpo. Por outro lado, não acredito que possamos fazer pelos outros aquilo que não podemos fazer por nós mesmos.

Minha terapia com Pierrakos durou cerca de três anos e teve um caráter totalmente diverso da que fiz com Reich. Eu vivenciava menos experiências que fossem espontaneamente marcantes. Isso se dava sobretudo porque eu dirigia em grande parte o trabalho com o corpo, mas também porque tal trabalho se concentrava mais no relaxamento das tensões musculares do que na entrega aos sentimentos sexuais. Eu estava bem consciente de não querer tentar novamente. Queria que alguém tomasse a dianteira e o fizesse por mim. Tentar e controlar são aspectos de meu caráter neurótico, e não me é fácil uma entrega total. Fui capaz de fazê-lo com Reich por meu respeito ao seu conhecimento e autoridade, mas a minha entrega se limitava àquele relacionamento. O conflito se resolveu por meio de um acordo. Na primeira metade da sessão, eu trabalhava comigo mesmo, descrevendo as sensações do meu corpo a Pierrakos. Na segunda metade, ele pressionava os músculos tensos com suas mãos fortes e quentes, relaxando-os para permitir que as vibrações de energia surgissem.

Trabalhando com meu corpo, desenvolvi as posições e os exercícios básicos que hoje são considerados padrão na bioenergética. Percebi que precisava sentir mais inteiramente as minhas pernas e resolvi iniciar a sessão em pé e não de bruços, como pedia Reich. Abria as pernas, virava os dedos dos pés para dentro, dobrava os joelhos e arqueava as costas, numa tentativa de mobilizar a região inferior do meu corpo. Eu me mantinha nessa posição por vários minutos, pois ela me fazia sentir mais próximo do solo. Além disso, o procedimento me ajudava a respirar mais profundamente com o abdome. Como essa posição produzia certa pressão na parte inferior das minhas costas, eu a invertia pendendo para a frente e tocando o chão de leve com as pontas dos dedos, mantendo os joelhos suavemente dobrados. A partir daí, passei a sentir mais minhas pernas – que, aos poucos, começaram a vibrar.

Esses dois simples exercícios vieram a tornar-se o conceito de *grounding*[12], único à bioenergética. Tal conceito desenvolveu-se com vagar através dos anos, à medida que se tornou claro que todos os pacientes sentiam falta de ter os pés firmemente plantados no chão. Essa falta os levava a "voar nas nuvens", sem contato com a realidade. O *grounding* – ou seja, fazer que o paciente tenha contato com a realidade, com o solo onde pisa, com seu corpo e sua sexualidade – tornou-se um dos pilares da bioenergética. No Capítulo 6, apresento uma elaboração completa do conceito de *grounding* e de sua relação com a realidade e a ilusão. No mesmo capítulo são descritos vários exercícios utilizados para alcançar o *grounding*.

Outra das inovações por nós desenvolvida no decurso desse trabalho foi o uso do "banquinho de respirar". A respiração é crucial para a bioenergética, assim como o é para a terapia reichiana. Contudo, tem sido um problema conseguir que os pacientes respirem profunda e plenamente. Ainda mais difícil é conseguir que essa respiração torne-se livre e espontânea. A ideia de um banquinho surgiu depois de observarmos que, em geral, as pessoas tendem a se espreguiçar contra o encosto da cadeira depois de terem estado sentadas durante algum tempo. Eu mesmo desenvolvi esse hábito durante o trabalho com meus pacientes. O fato de sentar-me numa poltrona deixava minha respiração debilitada e eu costumava recostar-me e esticar o corpo para torná-la novamente profunda. O primeiro modelo de cadeirinha por nós utilizado foi um banquinho de madeira de 60 cm de altura, no qual um cobertor era fortemente enrolado e amarrado[13]. Deitado de costas sobre o assento, o indivíduo conseguia estimular a respiração sem a necessidade de realizar exercícios específicos. Eu mesmo experimentei o uso desse assento durante a terapia com Pierrakos e, desde então, tenho-o utilizado regularmente.

Os resultados do meu segundo período de terapia foram marcadamente diferentes. Nessa oportunidade, tive maior contato com a tristeza e a raiva que em qualquer outra ocasião, sobretudo com relação à minha mãe. A liberação desses sentimentos tinha um efeito revigorante. Houve ocasiões em que meu coração se abria e eu me sentia radiante e animado. Mais importante do que isso, entretanto, era o constante senso de bem-estar que me invadia. Aos poucos, meu corpo foi se tornando mais relaxado e forte. Lembro-me de ter deixado de lado o sentimento de fragilidade. Sentia que, apesar de poder ser ferido, eu não *me partiria em pedaços*. Também perdi o medo irracional da dor. Compreendi que a dor vinha da tensão e descobri que, me entregando à dor, poderia descobrir a tensão que a tinha causado – procedimento que sempre traria o relaxamento.

Durante essa terapia, o reflexo do orgasmo só ocorria ocasionalmente. Eu não estava preocupado com essa ausência, pois me concentrava nas tensões musculares, e esse trabalho intenso me fazia esquecer a entrega a sentimentos sexuais. Minha tendência à ejaculação precoce, que persistia apesar do meu aparente sucesso com a terapia com Reich, diminuiu bastante, e a minha resposta ao clímax sexual tornou-se mais satisfatória. Esse progresso fez-me perceber que o caminho mais eficiente para chegar ao centro das dificuldades sexuais do paciente é lidar com seus problemas de personalidade, problemas esses que incluem necessariamente os sentimentos de culpa em relação ao sexo e às ansiedades. A ênfase dada por Reich à sexualidade, apesar de teoricamente válida, em geral não produzia resultados que pudessem ser mantidos sob as condições de vida modernas.

Como analista, Reich enfatizou a importância da análise do caráter. No meu tratamento com ele, esse aspecto da terapia foi de alguma forma minimizado, tendo diminuído ainda mais quando a vegetoterapia caracteroanalítica foi transformada em terapia orgânica. Embora o trabalho de análise do caráter tome muito tempo e paciência, parece-me indispensável para um resultado sólido. Assim, decidi que, independentemente da importância dada ao trabalho com tensões musculares, uma análise do modo habitual de uma pessoa ser e comportar-se merece igual atenção. Fiz um estudo intensivo dos tipos de caráter, relacionando as dinâmicas físicas e psicológicas dos padrões do comportamento. Esse estudo foi publicado em 1958 sob o título de *The physical dynamics of character structure*[14]. Apesar de incompleto em relação aos tipos de caráter, é a base de todo o trabalho sobre o caráter feito na bioenergética.

Eu terminara meu trabalho com Pierrakos anos antes e sentia-me muito satisfeito com as nossas realizações. Contudo, se alguém me perguntasse: "Você resolveu todos os seus problemas, completou seu crescimento, realizou todo o seu potencial como pessoa e relaxou todas as suas tensões musculares?", minhas respostas ainda teriam sido "Não". Existe um ponto no qual o indivíduo não acha que seja necessário ou desejável continuar a terapia, e então a abandona. Se a terapia foi bem-sucedida, a pessoa se sente capaz de tomar para si a inteira responsabilidade sobre seu bem-estar e sobre seu crescimento ininterrupto. De alguma forma, algo em minha personalidade sempre me inclinou a essa direção. Deixar a terapia não significou que eu tenha parado de trabalhar com o meu corpo. Continuei a fazer os exercícios bioenergéticos que usava com os pacientes tanto isoladamente quanto em grupo. Acredito que esse compromisso com o meu corpo é em parte responsável pelo fato de que tenham continuado a ocorrer muitas mudanças positivas na minha personalidade. Tais mudanças quase sempre foram precedidas de uma compreensão mais profunda da minha pessoa, tanto em relação ao meu passado quanto ao meu corpo.

Neste momento, passaram-se mais de 34 anos desde que me encontrei com Reich pela primeira vez e mais de 32 desde que iniciei a terapia com ele. Trabalhei com pacientes por mais de 27 anos. Trabalhando, pensando e escrevendo sobre minhas experiências pessoais e as de meus pacientes, concluí que *a vida de um indivíduo é a vida de seu corpo*. Uma vez que o corpo vivo é composto por mente, espírito e alma, viver a vida do corpo inteiramente significa ser atento, espiritual e expressivo. Se tivermos alguma deficiência em qualquer um desses aspectos do nosso ser, significa que também não estamos inteiramente com nosso corpo. Costumamos tratar o corpo como instrumento ou máquina. Sabemos que, se ele falhar, estaremos em apuros. Mas o mesmo se pode dizer do automóvel, do qual somos tão dependentes. Nós não estamos identificados com o nosso corpo; na realidade, nós o traímos, como ressaltei em um livro anterior[15]. Todas as nossas dificuldades pessoais advêm dessa traição, e acredito que a maioria dos nossos problemas sociais tem a mesma origem.

A bioenergética é uma técnica terapêutica que ajuda o indivíduo a reencontrar-se com o seu corpo e a tirar o mais alto grau de proveito possível da vida que há nele. Essa ênfase dada ao corpo inclui a sexualidade, que é uma das suas funções básicas. Mas abarca também as funções mais elementares de respiração, movimento, sentimento e autoexpressão. O indivíduo que não respira de modo correto reduz a vida do seu corpo. Se não se movimenta livremente, limita a vida de seu corpo. Se não se sente inteiro, estreita a vida de seu corpo. Se sua autoexpressão é reduzida, a vida do seu corpo é restringida.

Na verdade, essas restrições à vida não são imposições voluntárias. Desenvolvem-se como forma de sobrevivência no meio familiar e cultural que nega os valores do corpo em favor do poder, de prestígio e de bens materiais. Apesar disso, aceitamos tais restrições pelo simples fato de não questioná-las e, por isso, traímos nosso corpo. Nesse processo, também destruímos o ambiente natural do qual o bem-estar do corpo depende. Além disso, a maioria das pessoas não tem consciência de determinadas deficiências de seu corpo – deficiências essas que acabaram se tornando sua segunda natureza, compondo sua forma habitual de viver no mundo. Sem dúvida, a maioria dos seres humanos atravessa a vida utilizando apenas uma pequena parcela do seu potencial de energia e sentimento.

O objetivo da bioenergética é ajudar o indivíduo a retomar sua natureza primária: sua condição de liberdade, seu estado de elegância e sua capacidade de ser belo. A liberdade, a graça e a beleza são atributos naturais a qualquer organismo animal. A liberdade é a ausência de qualquer restrição ao fluxo de sentimentos e sensações; a graça é a expressão desse fluir em movimentos, enquanto a beleza é a manifestação da harmonia interna que tal fluir provoca. Esses fatores denotam um corpo e, portanto, uma mente saudáveis.

A natureza primordial do ser humano é manter-se aberto à vida e ao amor. Estar resguardado, encouraçado, descrente e fechado vem a ser a segunda natureza da nossa cultura. Essa é a forma que adotamos para nos proteger de sofrimentos, mas, quando tais atitudes tornam-se caracterológicas ou estruturais em nossa personalidade, transformam-se em uma dor ainda mais séria, provocando uma mutilação ainda mais grave que aquela sofrida originalmente.

A bioenergética tem como objetivo ajudar o indivíduo a abrir o coração para a vida e para o amor. Essa não é uma tarefa fácil. O coração está muito bem protegido em sua caixa torácica, e os caminhos que levam a ele estão fortemente defendidos, tanto física quanto psicologicamente. Essa defesa deve ser entendida e trabalhada para que possamos alcançar o objetivo descrito. Mas, caso este não seja atingido, o resultado é trágico. Atravessar a vida com o coração encarcerado é como fazer uma viagem transatlântica trancado no porão do navio. Todo o significado, a aventura, a excitação e a glória de viver estão longe de poder ser vistos e tocados.

A bioenergética é uma aventura de autodescoberta. Ela difere de formas similares de investigação da natureza do ser porque almeja compreender a personalidade humana baseada no corpo humano. A maioria das pesquisas anteriores concentrava-se em investigações sobre a mente. Estas nos forneceram informações valiosas, mas parece-me que não chegaram a questionar a mais importante esfera da personalidade: sua ligação com os processos corporais. Poderíamos reconhecer de imediato que o que acontece com o corpo necessariamente afeta a mente, mas isso não seria nenhuma novidade. Minha posição é que os processos energéticos do corpo determinam o que acontece tanto na mente quanto no corpo.

2. O conceito de energia

CARGA, DESCARGA, FLUXO E MOVIMENTO
A bioenergética, como venho enfatizando, é o estudo da personalidade humana com base nos processos energéticos do corpo. O termo é também utilizado em bioquímica para definir uma área de pesquisa que lida com os processos energéticos nos níveis molecular e submolecular. Como foi ressaltado por Albert Szent-Gyorgyi[16], é preciso energia para movimentar a máquina vital. Na realidade, a energia está envolvida no movimento de todas as coisas, tanto vivas quanto inertes. Para o pensamento científico corrente, essa energia tem natureza elétrica. Existem, entretanto, outros pontos de vista a esse respeito, sobretudo quando ela é aplicada a organismos vivos. Reich afirmou que a energia cósmica, por ele denominada orgone, não era elétrica. A filosofia chinesa admite duas energias com relação de polaridade entre si, chamadas de *yin* e *yang*, que formam a base da prática médica chinesa da acupuntura, cujos resultados têm surpreendido os médicos ocidentais.

Não acredito que seja importante para o estudo presente determinar com precisão o caráter real da energia da vida. Cada um desses pontos de vista tem sua validade e eu não consegui conciliar suas diferenças. Podemos, porém, aceitar a proposta fundamental de que a energia está envolvida em todos os processos da vida – nos movimentos, sentimentos e pensamentos –, os quais cessariam se a fonte de energia para o organismo se esgotasse. A falta de alimentos, por exemplo, haveria de esgotar a energia do organismo de uma forma tão severa que poderia inclusive sobrevir a morte; um corte na entrada do oxigênio necessário ao organismo interfere no processo normal da respiração, conduzindo o indivíduo à morte. Os venenos que bloqueiam as atividades metabólicas do corpo, reduzindo assim sua energia, provocam o mesmo efeito.

É de domínio público o fato de que a energia de um organismo animal advém da combustão dos alimentos. As plantas, por outro lado, têm a capacidade de captar e utilizar a energia solar em seus processos vitais, assimilando-a e transformando-a nos tecidos da planta – tornando-se assim alimento para animais herbívoros. O processo de transformar o alimento em energia livre que o animal pode utilizar em suas necessidades vitais é um procedimento químico complexo, que demanda, em última instância, o uso do oxigênio. A combustão do alimento não é diferente da combustão que ocorre numa fogueira, pois ambas necessitam de oxigênio para manter seu processo. Em ambos os casos, o nível de combustão está ligado à quantidade de oxigênio disponível.

Essa simples analogia não explica o complicado fenômeno da vida. As chamas do fogo apagam-se quando a fonte de combustível se esgota; além disso, a chama arde indiscriminadamente, sem levar em conta a energia liberada pela combustão. Em contrapartida, o organismo vivo é como um fogo autocontido, autorregulado e automantenedor. A forma como o corpo desempenha esse milagre – queimar sem que se destrua – é ainda um grande mistério. Enquanto não estivermos capacitados a solucionar esse enigma, é importante tentar compreender alguns de seus aspectos, dado que todos nós desejamos manter acesa a chama da vida, para que esta arda forte e ininterruptamente dentro de nós.

Não estamos acostumados a pensar na personalidade como energia, mas a verdade é que ambas não podem existir isoladamente. A quantidade de energia que um indivíduo carrega e como ele a usa determinarão sua personalidade e refletirão nela. Algumas pessoas têm mais energia que outras; certos indivíduos são mais contidos. Uma pessoa impulsiva, por exemplo, não consegue conter o aumento de seu nível de excitação ou energia; deverá descarregá-lo o mais rápido possível. O indivíduo compulsivo emprega sua energia de modo diferente: sua excitação será descarregada também, mas segundo padrões de movimento e de comportamento rigidamente estruturados.

A relação da energia com a personalidade manifesta-se de modo inequívoco no indivíduo deprimido. Apesar de a reação e a tendência depressivas resultarem de uma interação de fatores físicos e psicológicos complicados[17], um ponto não admite dúvidas: a pessoa deprimida está também energeticamente deprimida. Estudos cinemáticos mostram que tal pessoa desempenha apenas cerca da metade dos movimentos espontâneos normais de um indivíduo não deprimido. Em casos mais graves, é provável que a pessoa fique parada, estática, como se não tivesse a energia necessária para fazê-lo. Seu estado subjetivo geralmente corresponde à sua imagem objetiva: é a pessoa que sempre sente faltar em si a energia para dar vida a qualquer movimento. Pode queixar-se de estar

Bioenergética

nervosa sem, contudo, estar cansada. A depressão em seu nível de energia pode ser vista no rebaixamento de todas as suas funções energéticas: a respiração está diminuída, o apetite e o impulso sexual, debilitados. O indivíduo nesse estado dificilmente aceitará conselhos para que procure algo por que se interesse; literalmente, *não tem a energia* para desenvolver nenhum interesse.

Tratei muitos pacientes deprimidos, já que esse é um dos problemas mais comuns que levam as pessoas a recorrer à terapia. Depois de escutar a história de um paciente, revê-la e avaliar sua condição, tento ajudá-lo a recuperar seu nível de energia. A maneira mais imediata de consegui-lo é aumentando o seu influxo de oxigênio, isto é, fazendo que consiga respirar mais profunda e plenamente. Existe um grande número de formas pelas quais o indivíduo pode ser ajudado a mobilizar sua respiração; elas serão descritas nos capítulos subsequentes. Parto da suposição de que o indivíduo não pode fazê-lo por si, caso contrário não teria recorrido a mim. Isso implica que devo usar a minha energia para conseguir que a dele comece a fluir livremente. Esse processo demanda a introdução do paciente em algumas atividades simples que aos poucos vão aprofundando sua respiração, assim como o uso da pressão física e do toque para estimulá-lo. O que há de importante em tudo isso é que, à medida que a respiração do indivíduo se torna mais ativa, seu nível de energia aumenta. Quando a pessoa está recarregada, sente nas pernas um tremor leve e involuntário ou uma vibração. Trata-se de um sinal de que existe alguma corrente ou excitação no corpo, especificamente na sua parte inferior. Sua voz se torna mais ressonante, pois agora existe mais ar fluindo através da laringe; o rosto também se torna mais vivo. Em geral, essa mudança leva entre 20 e 30 minutos para ocorrer, fazendo que o paciente se sinta como que "levitando". Na realidade, ele *foi* suspenso temporariamente do seu estado depressivo.

Embora o efeito de uma respiração mais plena e profunda possa ser sentido e evidenciado imediatamente, não chega a ser a cura para o estado depressivo. Nem é certo que esse efeito durará, já que a própria pessoa não consegue manter espontaneamente esse estado de respiração mais profunda. Essa incapacidade é o problema central da depressão, que não pode ser superado a menos que se faça uma análise radical de todos os fatores que contribuíram para a formação de um corpo relativamente amortecido e de uma personalidade deprimida. No entanto, a análise em si não será de grande ajuda se não vier acompanhada de um esforço consistente para aumentar o nível de energia dessa pessoa, carregando seu corpo energeticamente.

O conceito de carga de energia não pode ser discutido sem que se leve em conta a descarga energética. O organismo vivo só pode existir se houver um equilíbrio entre carga e descarga de energia; seu nível de energia deve ser coerente com suas necessidades e oportunidades. Uma criança em crescimento terá sempre maior influxo de energia do que uma descarga, utilizando essa energia extra para se desenvolver. O mesmo se dá com a convalescença ou com o desenvolvimento da personalidade. O crescimento consome energia. Além disso, geralmente a quantidade de energia absorvida por uma pessoa corresponde à quantidade de energia que ela pode descarregar em qualquer atividade.

Todas as atividades requerem e utilizam energia – as batidas do coração, os movimentos peristálticos dos intestinos, ao caminhar, falar, trabalhar e fazer sexo. Contudo, nenhum organismo vivo é uma máquina. Suas atividades básicas não se desenvolvem mecanicamente, sendo expressões do seu ser. Os seres humanos se expressam em ações e movimentos; quando sua autoexpressão é livre e adequada à sua realidade da sua situação, obterão satisfação e prazer produzidos pela descarga da energia. Estes, por sua vez, estimularão o organismo a aumentar sua atividade metabólica, que imediatamente se refletirá em uma respiração mais profunda e plena. No estado de satisfação, as atividades rítmicas e involuntárias da vida funcionam no seu nível ótimo.

O prazer e a satisfação são, como tenho dito, o resultado imediato das experiências de autoexpressão. Limite o direito de uma pessoa à autoexpressão e você estará limitando suas oportunidades de prazer e de vivência criativa. Justamente por esse motivo, se a capacidade de um indivíduo expressar ideias e sentimentos for limitada por forças internas (inibições ou tensões musculares crônicas), sua capacidade de sentir prazer também será reduzida. Nesse caso, o indivíduo reduzirá seu influxo de energia (inconscientemente, é claro) para manter o equilíbrio energético do corpo.

O aumento do nível de energia de um indivíduo não pode ser alcançado apenas com a respiração. Os caminhos para a autoexpressão por meio dos movimentos, da fala e dos olhos devem estar igualmente desobstruídos a fim de permitir que ocorra uma maior descarga de energia. Não é raro que isso ocorra espontaneamente no decurso do influxo de energia. A respiração poderá se tornar mais profunda de maneira espontânea com o uso da cadeirinha de respiração. De repente, sem nenhuma intenção consciente, o indivíduo poderá começar a chorar. No momento ele não saberá ao certo o motivo pelo qual está chorando. A respiração mais profunda abriu sua garganta, recarre-

Bioenergética

gou seu corpo e ativou emoções reprimidas, resultando em um sentimento de tristeza que flui para fora. Às vezes, o que surge é a raiva. Quase sempre, entretanto, nada acontece, pois a pessoa poderá estar com medo demais para entregar-se e expressar seus sentimentos. Nesse caso, ela ficará consciente da "retenção" e das tensões musculares da garganta e do peito que bloqueiam a expressão do sentimento. Então será preciso relaxar a retenção com um trabalho físico direto nas tensões musculares crônicas.

Posto que carga e descarga funcionam como uma unidade, a bioenergética trabalha com ambos os lados da equação simultaneamente para aumentar o nível de energia do indivíduo, liberar sua autoexpressão e restaurar o fluxo de sentimentos do seu corpo. Em consequência, a ênfase recai sempre na respiração, no sentimento e no movimento, aliada à tentativa de relacionar o funcionamento energético atual do indivíduo com sua história de vida. Esse procedimento vai aos poucos descobrindo as forças internas (conflitos) que impedem a pessoa de experimentar seu potencial energético total. Cada vez que um desses conflitos internos é resolvido, o nível de energia aumenta. Isso significa que a pessoa absorve e descarrega mais energia em atividades criativas que conduzem ao prazer e à satisfação.

Espero não estar dando a entender que a bioenergética possa resolver todos os conflitos encobertos, remover todas as tensões crônicas e restaurar a corrente livre e plena de sentimentos no corpo de qualquer pessoa. Talvez não seja possível atingir esse objetivo por completo, mas instituiremos um processo de crescimento que conduza a essa direção. Toda terapia é deficiente, pois a cultura em que vivemos não se orienta à atividade criativa e ao prazer. Como ressaltei em outra obra[18], tal cultura não se ajusta aos valores e aos ritmos do corpo vivo, mas àqueles das máquinas e da produtividade material. Não podemos evitar concluir que as forças que inibem a autoexpressão e, consequentemente, diminuem o funcionamento energético derivam dessa cultura e dela fazem parte. Todo ser sensível sabe que é necessária uma energia considerável para se proteger do ritmo frenético da vida moderna, com suas pressões e tensões, sua violência e insegurança.

O conceito de "fluxo" necessita de certa elaboração. A palavra denota um movimento dentro do organismo, mais bem exemplificado pelo fluxo sanguíneo. À medida que o sangue flui através do corpo, transporta metabólitos e oxigênio para os tecidos, fornecendo-lhes energia e removendo os produtos residuais da combustão. Mas o sangue constitui mais que um simples veículo;

é, na verdade, o fluido energeticamente carregado do corpo. Sua chegada a qualquer parte do organismo significa vida, calor e excitação para aquela parte. É o representante e o portador de Eros[19]. Pense no que acontece com as zonas erógenas, sejam os lábios, os mamilos ou os órgãos genitais. Quando se enchem de sangue (cada um desses órgãos é ricamente dotado de grandes redes vasculares), ficamos excitados, sentimo-nos calorosos e carinhosos e buscando o contato com outra pessoa. A excitação sexual ocorre simultaneamente ao aumento do fluxo sanguíneo na superfície do corpo, sobretudo nas zonas erógenas. Se é a excitação que traz o sangue ou se é o sangue que transporta a excitação, isso é irrelevante. O fato é que os dois sempre estão juntos.

Além do sangue, existem outros fluidos energéticos no corpo: a linfa, os fluidos intersticiais e os intracelulares. A corrente de excitação não se limita ao sangue, mas percorre o corpo através de todos os seus fluidos. Energeticamente falando, o corpo todo pode ser visto como uma célula única, tendo a pele como membrana. No interior dessa célula, a excitação pode se propagar em todas as direções ou até mesmo fluir em direções específicas de acordo com a natureza de nossa reação ao estímulo. Essa visão do corpo como célula única não nega o fato de que dentro dele existam diversos tecidos especializados, nervos, vasos sanguíneos, membranas mucosas, músculos, glândulas etc., colaborando juntos como parte de um todo para promover a vida do todo.

Qualquer indivíduo pode experimentar o fluxo de excitação como um sentimento ou uma sensação que, frequentemente, desafia os limites anatômicos. Você nunca sentiu a raiva subir pelo corpo, carregando os braços, o rosto e os olhos? Esta pode variar de uma sensação de "calor na nuca" a uma obstrução apoplética da cabeça e do pescoço pelo sangue. Quando alguém está tão furioso que enxerga tudo vermelho, sei que sua retina tornou-se cheia de sangue. Por outro lado, o sentimento de raiva pode fazer que o indivíduo fique com uma aparência branca e fria devido à vasoconstrição periférica que não deixa o sangue alcançar a superfície. Existe ainda o intenso furor no qual a raiva é encoberta por uma escura nuvem de ódio.

O fluxo de sangue em direção à cabeça e a excitação podem produzir uma emoção inteiramente diversa quando seguem diferentes canais e excitam diferentes órgãos. O fluxo de excitação que percorre a parte anterior do corpo, do coração à boca, passando por olhos e mãos, fará que o indivíduo se sinta comunicativo e expansivo. O fluxo de raiva percorre sobretudo a parte posterior do corpo. O sangue e a excitação que se dirigem à parte inferior do organismo poderão produzir algumas sensações interessantes – as quais podem ser experimentadas quando andamos de montanha-russa ou nas rápidas subidas e descidas de elevador. As crianças costumam gostar dessa sensação, que pode ser experimentada em brinquedos como o balanço. São mais intensas e provocam maior prazer quando ocorrem em forma de suaves sensações de derretimento no ventre, acompanhadas de uma forte carga sexual. O mesmo fluxo, entretanto, pode vir ligado à ansiedade, dando ao indivíduo a sensação de ter o abdome afundado.

Quando nos damos conta de que 99% do corpo é composto de água, parte dela estruturada, mas a maioria fluida, podemos imaginar sensações, sentimentos e emoções como correntes ou ondas desse corpo líquido. Estas são percepções de movimentos internos do corpo relativamente fluido. Os nervos medeiam tais percepções e coordenam as reações, mas os impulsos e movimentos subjacentes são inerentes à carga energética do corpo, ao seu ritmo e pulsação naturais Esses movimentos internos representam a motilidade do corpo, distinguindo-se dos movimentos voluntários, que estão sujeitos ao controle consciente. Eles são mais evidentes nos indivíduos jovens. Ao olhar para o corpo de um bebê, notamos seu constante movimento – assim como as ondas de um lago –, provocado por forças internas. À medida que o indivíduo envelhece, sua motilidade tende a diminuir. Torna-se mais estruturada e rija – até que, finalmente, com a morte, toda a motilidade cessa.

Em todos os nossos movimentos voluntários existe um componente involuntário, que representa a motilidade essencial do organismo. Tal componente involuntário, integrado à ação voluntária, responde pela vivacidade e pela espontaneidade de nossos movimentos e ações. Quando está ausente ou reduzido, os movimentos do corpo têm um caráter mecânico e sem vida. Os movimentos puramente voluntários ou conscientes dão lugar a poucas outras sensações que não a sensação cinestésica de deslocamento no espaço. A sensação advinda dos movimentos expressivos provém do componente involuntário, que não está sujeito ao controle consciente. A fusão dos elementos conscientes e inconscientes ou dos componentes voluntários e involuntários faz surgir movimentos que têm uma ligação emocional e constituem ações coordenadas e eficientes.

A vida emocional de um indivíduo depende da motilidade do seu corpo, que por sua vez é uma função do fluxo de excitação através dele. Os distúrbios nesse fluxo ocorrem na forma de bloqueios, que se manifestam em regiões nas quais a motilidade do organismo é reduzida. Nelas, podemos facilmente palpar e sentir com os dedos a espasticidade da musculatura. Desse modo, os termos "bloqueio", "insensibilidade" e "tensão muscular crônica" se referem ao mesmo fenômeno. Em geral, pode-se inferir a existência de um bloqueio pela constatação de uma área de insensibilidade ou por sentir a contração muscular que o mantém.

Como o corpo é um sistema energético, está em constante interação energética com seu ambiente. Além da energia derivada da combustão do alimento, o indivíduo se torna excitado ou carregado pelo contato com forças positivas. Um dia brilhante e claro, uma bela cena, uma pessoa feliz têm efeito estimulador. Os dias escuros e pesados, a feiura e as pessoas deprimidas, por sua vez, impactam de modo negativo nossas energias, exercendo uma influência depressiva. Todos somos sensíveis às forças ou energias que nos rodeiam, mas o seu impacto não é o mesmo para todas as pessoas. Um indivíduo que esteja extremamente carregado é mais resistente às influências negativas, tornando-se, ao mesmo tempo, uma influência positiva para outras pessoas, sobretudo quando o fluxo de excitação em seu corpo é livre e pleno. O contato com tais indivíduos nos causa prazer, o qual sentimos intuitivamente.

VOCÊ É O SEU CORPO

A bioenergética se apoia na simples proposição de que cada ser é o próprio corpo. Ninguém existe fora do corpo vivo, pelo qual se expressa e se relaciona com o mundo à sua volta. Seria bobagem questionar essa proposição, pois poderíamos ser desafiados a mencionar partes de nós mesmos que não pertencem ao nosso corpo. A mente, o espírito e a alma são aspectos de qualquer corpo vivo. Um organismo morto não tem mente, perdeu seu espírito e sua alma o deixou.

Se você é seu corpo e seu corpo é você, este poderá expressar quem você é. É a sua forma de estar no mundo. Quanto mais vivo for seu corpo, mais vivamente você estará no mundo. Quando o seu corpo perde parte da vivacidade, num momento de exaustão, por exemplo, a tendência é retrair-se. A doença tem o mesmo efeito, produzindo também um estado de retraimento. É possível que você sinta que o mundo está a certa distância, ou inclusive que você o esteja vendo como que através de um nevoeiro. Por outro lado, há dias em que você se sente vivo e radiante e o mundo que o cerca parece mais claro, mais próximo e real. Todos nós gostaríamos de ser e de nos sentir mais vivos, e a bioenergética pode ajudar-nos a alcançar esse objetivo.

Dado que seu corpo expressa quem você é, ele também indica a intensidade de sua presença no mundo. Não à toa usamos termos como "ninguém" para indicar uma pessoa que não nos diz nada com a sua existência, ou "alguém" para nos referir a uma pessoa que nos transmite uma forte impressão[20]. Isso é simplesmente linguagem corporal. Do mesmo modo, as pessoas podem sentir quando você está retraído, assim como notam seu cansaço ou qualquer outro mal do qual esteja sofrendo. O cansaço se expressa por meio de sinais visuais e auditivos diferentes: ombros descaídos, rosto abatido, falta de brilho nos olhos, movimentos vagarosos e pesados, voz mais grave ou sem ressonância. Até mesmo o esforço para encobrir o sentimento trai a si próprio, revelando o caráter dessa tentativa forçada.

O que um indivíduo sente também pode ser definido pela expressão de seu corpo. As emoções são fatos corporais; literalmente, são movimentos ou impulsos dentro do corpo que em geral resultam em uma ação externa. A raiva produz tensão e, como pudemos ver, provoca uma carga na parte superior do corpo, onde estão localizados os principais veículos de ataque, a saber: dentes e braços. Podemos reconhecer alguém com raiva por seu rosto corado, punhos cerrados e pequenos ruídos emitidos pela boca. Em certos animais, o eriçamento de pelos ao longo das costas e do pescoço é outro tipo de manifestação emocional. O carinho e o amor suavizam todas as feições, tornando a pele e os olhos cálidos. A tristeza dá ao indivíduo uma aparência enternecedora, sugerindo que a qualquer momento ele vá irromper em lágrimas.

O corpo revela muito mais que tudo isso. A atitude do indivíduo em relação à vida ou seu estilo pessoal refletem-se no seu comportamento, em sua postura e no modo como se movimenta. Aquele que age com nobreza e cujo porte é imponente se distingue muito bem do que mantém as costas arqueadas, os ombros curvados e a cabeça ligeiramente inclinada, que indicam submissão a uma forte carga que pesa sobre si. Há algum tempo, tratei de um paciente cujo corpo era grande, obeso e disforme. Ele dizia sentir tanta vergonha que se recusava a usar trajes de banho na praia. Sentia-se também deslocado sexualmente. Por muitos anos ele lutou para superar suas deficiências físicas com dietas e exercícios, sem sucesso. No decurso da terapia, deu-se conta de que sua aparência física exprimia um aspecto de sua personalidade que até então ele não tivera condições de admitir: uma parte dele identificava-se com ser grande, gordo, mais bebê do que homem. Isso era observável em sua forma desajeitada de sentar-se na cadeira, bem como no desmazelo das roupas. Foi quando o paciente percebeu que ser um bebê gordo, grande e sujo era uma atitude inconsciente que ele adotara para resistir às contínuas exigências de seus pais para que crescesse, se tornasse um homem e se projetasse como tal. Seus conflitos reais eram mais sérios do que o indicam tais afirmações, mas todos se resumiam a essa atitude corporal. Em nível consciente ou egoico, ele seguia as instruções dos pais, mas a resistência inconsciente de seu corpo não se submetia aos seus esforços voluntários. Não se pode ser bem-sucedido na vida lutando contra si próprio. O esforço para superar o corpo está fadado ao insucesso.

Devemos reconhecer tanto a identidade quanto as diferenças entre os processos físicos e psíquicos. Meu paciente não era apenas um homem grande, gordo, infantil e desajeitado; estava também seriamente empenhado em agir assim. Contudo, não era um homem por completo, dado que seu inconsciente e seu corpo mantinham-se firmes no nível infantil. Ele tentava realizar seu potencial, mas não conseguia. Seu corpo denunciava, de forma drástica, ambos os lados de sua personalidade – era grande como um homem, mas tinha acúmulo de gordura como os bebês.

Muitas pessoas têm defeitos semelhantes devido a conflitos inconscientes entre vários aspectos da personalidade. O mais comum é o existente entre necessidades e exigências não satisfeitas na infância e os anseios e esforços da fase adulta. A condição de adulto requer que a pessoa seja independente, caminhe com os próprios pés e assuma a responsabilidade de satisfazer seus desejos e carências. Nos que estão em conflito, porém, os esforços para se tornar independentes e responsáveis são sabotados por desejos inconscientes de que alguém os apoie e cuide deles. O resultado são pessoas confusas tanto física quanto psicologicamente. Mostrarão uma independência exagerada, mas também medo de ficar sozinhas e incapacidade de tomar decisões. A mesma confusão aparece no corpo desses indivíduos. Os aspectos infantis da personalidade podem manifestar-se em mãos e pés pequenos, em pernas longas e finas que parecem não dar o apoio adequado ou em sistema muscular subdesenvolvido que não tem o potencial agressivo para obter o que a pessoa necessita ou deseja.

Em outros casos, o conflito dá-se entre a alegria da infância e o realismo da fase adulta da personalidade. Superficialmente, a pessoa parece séria, inflexível, rígida, diligente e moralista. Se tentar relaxar e descontrair-se, tornar-se-á infantil. Isso fica claro quando uma pessoa desse tipo bebe um pouco mais. A criança aí existente costuma aparecer em brincadeiras e piadas de mau gosto. O rosto e o corpo exprimem cansaço, dureza e abatimento, o que faz que o indivíduo pareça mais velho. Às vezes, surge em seu rosto uma expressão brejeira, acompanhada de um sorriso furtivo e malicioso que manifesta imaturidade.

O conflito acontece quando a alegria natural à criança não tem permissão para se manifestar livre e plenamente. A supressão da curiosidade sexual da criança e da sua tendência a divertir-se com o próprio corpo não elimina essas inclinações. Elas podem ser enterradas na consciência ou removidas de lá, mas permanecem nas camadas subterrâneas da personalidade, emergindo quando há oportunidade na forma de perversões das tendências naturais. Nesse caso, as características infantis não foram integradas à personalidade, tendo permanecido isoladas e encapsuladas, formando corpos estranhos ao ego.

Uma pessoa é a soma total das suas experiências de vida, cada uma das quais é registrada na sua personalidade e estruturada em seu corpo. Assim como um lenhador pode decifrar a história da vida de uma árvore por meio de um corte transversal no tronco, que mostra os anéis de crescimento anual, o terapeuta bioenergético consegue decifrar a história da vida de uma pessoa em seu corpo. Ambos os estudos requerem conhecimento e experiência, mas se baseiam nos mesmos princípios.

À medida que o organismo humano cresce, vai adicionando camadas à personalidade, cada uma das quais permanece viva e em funcionamento na fase adulta. Quando são acessíveis ao indivíduo, constituem uma personalidade integrada e sem conflitos. Se qualquer camada, ou seja, qualquer experiência, for reprimida ou estiver inacessível, a personalidade entra em conflito e,

FIGURA 1

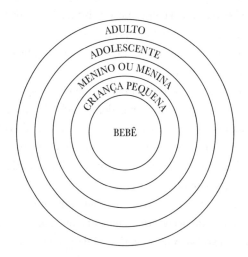

portanto, se limita. A Figura 1 mostra um diagrama esquemático da formação dessas camadas.

As características que cada uma das camadas adiciona à vida podem ser assim resumidas:

- Bebê: amor e prazer
- Criança pequena: criatividade e imaginação
- Menino ou menina: diversão e ludicidade
- Adolescente: romance e aventura
- Adulto: realidade e responsabilidade

No que se refere a características, talvez fosse melhor dizer que o crescimento aqui considerado implica o desenvolvimento e a expansão da consciência. Cada camada representa, portanto, um novo sentido de ser e de suas potencialidades, uma nova consciência do ser e da sua relação com o mundo. A consciência, contudo, não é uma unidade distinta ou isolada da personalidade. É uma função do organismo, um aspecto do corpo vivo. Desenvolve-se em relação à evolução física, emocional e psicológica do corpo. Depende da experiência; aprofunda-se por meio da aquisição de habilidades; confirma-se com a constância de atividades.

Ao igualar as camadas às características da consciência, não quero dizer que cada nova dimensão do ser surja já inteiramente formada dentro de certa idade. A ludicidade aparece de fato na infância, mas atinge o ápice depois dessa fase. Acredito que a real consciência da brincadeira e da alegria é característica mais a meninos e meninas do que às crianças mais novas. A exposição completa de cada camada e de suas características tornará mais significativa a equação proposta:

O *bebê* se caracteriza pelo desejo de intimidade e aproximação, principalmente com a mãe. Quer ser carregado, afagado, bem-vindo e aceito. O amor, como ressaltei em um livro anterior, pode ser definido como um desejo de proximidade mais íntima. Quando a necessidade de proximidade é satisfeita, o bebê está em estado de prazer. A privação dessa proximidade necessária resulta num estado de dor.

Qualquer sentimento de amor num adulto advém dessa camada de sua personalidade, não sendo necessariamente diferente daquele de um bebê, embora sua forma de expressão possa variar. O desejo de contato íntimo subjaz a todas as formas de sentir amor. O indivíduo em contato com o bebê que ele foi e ainda faz parte dele conhece o amor, além de estar em contato com o próprio coração. No momento em que o indivíduo se isola do seu coração ou da sua primeira infância, já não pode experimentar o amor em sua totalidade.

A *primeira infância* soma à vida uma nova dimensão e novas características. A necessidade da intimidade contínua dá lugar à necessidade de explorar o mundo – necessidade essa facilitada pelo aumento da coordenação motora na criança. Pela investigação de pessoas e coisas, de espaço e de tempo, a criança cria o mundo em sua mente. Como ela não está ofuscada por um senso estruturado de realidade, sua imaginação é livre. Durante essa fase, a criança também cria, em nível consciente, seu senso de si, no decurso do qual explora imaginativamente a possibilidade de ser outras pessoas – como a mãe, por exemplo.

Acredito que a infância termine quando o indivíduo chega a uma imagem coerente do seu mundo pessoal e de si mesmo. Tendo dado esse passo, o *menino* ou a *menina* desafia o mundo pessoal com brincadeiras. O crescente domínio das habilidades motoras e os jogos com outras crianças constituem uma forma de brincar divertida, pois livre e ricamente recompensadora. Existe um grau mais alto de excitação nas brincadeiras dos meninos ou meninas que naquelas das crianças mais novas, fato que se soma ao sentimento de alegria experimentado durante essa fase da vida. Existe também um maior senso de liberdade, fruto de uma independência ainda livre de responsabilidades.

A *adolescência* é marcada por um aumento ainda maior no nível de excitação, relacionado com o interesse emergente pelo sexo oposto e com a crescente intensidade do desejo sexual. A imagem ideal da adolescência é a de um tempo de romance e aventura, combinando o forte prazer do contato íntimo com outras pessoas, a imaginação e a criatividade da criança aos desafios e brincadeiras dos mais jovens. O estágio adulto é alcançado quando as consequências de um fato são reais e o indivíduo assume a responsabilidade por ele.

O *adulto* é uma pessoa consciente das possíveis consequências do seu comportamento que assume a responsabilidade sobre elas. Entretanto, se perder o contato com o sentimento de amor e intimidade que conheceu enquanto criança, com a imaginação criativa da infância, com suas brincadeiras e alegrias e com o espírito de aventura e romance que marcou a sua juventude, ele será uma pessoa estéril, rígida e intratável. Um adulto saudável é um bebê, uma criança, um menino ou menina e um jovem. Seu senso de realidade e de responsabilidade implica a necessidade e o desejo de intimidade e amor, a capacidade de ser criativo, a liberdade para se divertir e o espírito de aventura. Desse modo, ele é um ser humano integrado e totalmente consciente.

Para compreender o corpo vivo, devemos descartar os conceitos mecânicos. Os mecanismos do funcionamento do corpo são importantes, mas não explicam esse funcionamento. O olho, por exemplo, não é apenas uma câmara; é um órgão dos sentidos que percebe e um órgão de expressão que reage. O coração não é apenas uma bomba; é um órgão que sente o que uma bomba não pode sentir. Nós somos seres sensíveis, o que significa que temos o poder de sentir ou perceber e de experimentar sensações e sentimentos. A percepção é uma função da mente – que, por sua vez, é um aspecto do corpo. O corpo vivo possui uma mente, tem um espírito e contém uma alma. Como compreender esses conceitos bioenergeticamente?

MENTE, ESPÍRITO E ALMA

Hoje, é comum dizermos que a dicotomia mente-corpo é um produto da imaginação humana – que, na realidade, a mente e o corpo são uma só coisa. Por muito tempo encaramos ambos como entidades isoladas, influenciando uma à outra, mas não diretamente relacionadas. Essa atitude ainda não mudou por completo. Nossa formação ainda se divide em educação física e mental, coisas que nada têm em comum. Uns poucos professores de Educação Física acreditam que podem afetar a capacidade de aprendizado da criança com seus treinamentos, mas quase nunca têm sucesso. Se é certo que mente e corpo são uma só coisa, a verdadeira educação física deveria ser, ao mesmo tempo, uma educação mental – e vice-versa.

Acredito que o problema se deva ao fato de teoricamente sermos a favor do conceito de unidade sem, no entanto, o aplicarmos ao nosso cotidiano. Achamos que podemos educar a mente de uma criança sem dar atenção ao seu corpo. Com ameaças de punição ou de fracasso, podemos meter à força alguma informação na cabeça dela. Infelizmente, a informação não se torna conhecimento a menos que possa ser aplicada por meio da experiência. Sempre negligenciamos o fato de ser a experiência um fenômeno do corpo, ou seja, só podemos experimentar aquilo que ocorre no ou com o corpo. A experiência terá mais ou menos vida conforme o corpo tiver maior ou menor vivacidade. Quando fatores externos afetam o corpo, o indivíduo tem condição de senti-los, mas o que sente é o efeito deles no seu corpo.

A fraqueza da técnica psicanalítica é ignorar o corpo na tentativa de ajudar o paciente a superar seus conflitos emocionais. Como ela não propicia nenhuma experiência corporal, as ideias que emergem no decurso do tratamento são incapazes de produzir maiores mudanças na personalidade. Com frequência atendo a pacientes que, ao longo de anos de psicanálise, conseguiram muitas informações e um pouco de conhecimento sobre sua condição, mas cujos problemas básicos permaneceram intocados. O conhecimento se torna compreensão quando aliado ao sentimento. Apenas uma profunda compreensão, aliada a um forte sentimento, é capaz de modificar padrões estruturados de comportamento.

Em livros anteriores abordei o problema mente-corpo com alguma profundidade. Aqui eu gostaria de destacar determinadas funções mentais que desempenham importante papel na bioenergética. Em primeiro lugar, a mente tem uma posição de comando sobre o corpo. Usando a mente, o indivíduo pode dirigir sua atenção para diferentes partes do corpo, tornando-as então mais nítidas. Sugiro uma experiência simples. Estique o braço em linha reta, com a mão em frente ao rosto; mantenha o braço relaxado e concentre na mão toda a sua atenção. Focalize-a por cerca de um minuto, respirando livremente, e poderá sentir algo diferente – um ligeiro tremor na mão, que agora está carregada e latejante. É possível que vibre ou balance um pouco. Se você chegar a ter tais sensações, saberá que terá dirigido uma corrente de excitação ou energia para a sua mão.

Nos seminários de bioenergética, costumo utilizar uma variação dessa experiência para torná-la mais intensa.

Peço que as pessoas pressionem os dedos esticados das mãos uns contra os outros, mantendo as palmas e os punhos o mais afastados possível. Em seguida, mantendo o mesmo contato, peço que girem as mãos para dentro, de forma que elas apontem para o peito, e depois para fora, sem que se afastem nem percam o contato entre si. Deve-se mantê-las nessa posição de hiperextensão por um minuto, enquanto a respiração corre livremente. Ao fim desse tempo, as mãos estarão relaxadas e frouxamente suspensas. Mais uma vez será possível sentir o tremor, a carga, o latejar e a vibração (Figura 2). Se você fizer essa experiência corporal, notará que a atenção está concentrada em suas mãos devido ao aumento de carga que aconteceu ali. Suas mãos estão num estado de crescente tensão ou carga que pode ser deslocada, na medida em que são a atenção. Se você aproximar devagar as mãos até que as palmas estejam a cerca de cinco a dez centímetros de distância uma da outra, em estado de total relaxamento e ainda carregadas, sentirá uma carga entre elas – carga essa que parece ter matéria e corpo.

FIGURA 2

A mente pode dirigir a atenção do indivíduo tanto para o corpo quanto para os objetos externos. De fato, podemos concentrar nossa energia tanto em nós mesmos quanto no ambiente. Uma pessoa saudável pode alternar tais pontos de concentração fácil e rapidamente, de forma que quase ao mesmo tempo tenha consciência do seu corpo e do mundo que o envolve. Porém, nem todos têm essa capacidade Algumas pessoas tornam-se tão conscientes de si próprias que desenvolvem uma autoconsciência constrangedora. Outras ficam tão conscientes do que acontece ao seu redor que perdem a noção de si. Isso se dá, quase sempre, com indivíduos hipersensíveis.

Ter consciência do próprio corpo é um dos princípios da bioenergética, pois essa é a única maneira de descobrir quem você é, isto é, conhecer a própria mente. Esta funciona como órgão perceptivo e reflexivo, sentindo e definindo o ânimo, os sentimentos e os anseios do indivíduo. Conhecer de fato a sua mente significa saber o que você quer e sente. Se você não tem sentimentos, não há nada em que concentrar a atenção[21] e, portanto, não há mente. Quando as ações de um ser humano são influenciadas pelos outros, e não por seus sentimentos, esse indivíduo não tem mente própria.

Quando um indivíduo não consegue tomar decisões, significa que tem consciência de dois sentimentos opostos, ambos igualmente fortes. Em tais casos, é impossível decidir a menos que um dos sentimentos torne-se mais forte e prevaleça. Perder a cabeça, como no caso de uma insanidade, é não saber o que se está sentindo. Isso acontece quando a mente se vê subjugada por sentimentos que não pode aceitar ou nos quais não ousa concentrar a atenção. Nesse caso, o indivíduo elimina ou isola de seu corpo a percepção consciente. Poderá tornar-se uma pessoa despersonalizada, indisciplinada e sem presença de espírito.

Se o indivíduo não está atento ao próprio corpo, é porque tem medo de perceber ou experimentar seus sentimentos – e, se estes são ameaçadores, em geral são suprimidos. Isso se processa por meio de tensões musculares crônicas que não permitem que nenhum fluxo de excitação ou movimento espontâneo se desenvolva nas áreas relevantes. As pessoas quase sempre suprimem o medo devido a seu efeito entorpecedor; sua fúria, porque demasiadamente perigosa; e seu desespero, por ser por demais desencorajador. Também é comum suprimirem sua consciência da dor, como a dor de um desejo não satisfeito, por não poderem suportá-la. A supressão do sentimento diminui o estado de excitação do corpo e a capacidade de concentração da mente. Essa é a principal causa de perda do poder da mente. A mente está basicamente preocupada com a necessidade de ter controle em detrimento de ser e estar cada vez mais vivo.

A mente e o espírito também estão ligados. A força de espírito de uma pessoa é determinada por seu grau de vivacidade e vibração – ou seja, literalmente, por quanta energia ela tem. A ligação entre energia e espírito é imediata. Quando a pessoa está excitada e seu nível de energia aumenta, seu espírito se eleva. É nesse sentido que dizemos que uma pessoa é espirituosa. Desse modo, eu definiria espírito como a força vital do organismo manifestada na autoexpressão do indivíduo[22]. A qualidade do espírito de uma pessoa a caracteriza como indivíduo e, quando esta é forte, faz que se sobressaia dentre os demais.

A força de vida ou espírito de um organismo tem sido sempre associada à respiração. Na Bíblia, afirma-se que Deus exalou o Seu espírito sobre um monte de argila, dando-lhe vida. Em teologia, o Espírito de Deus ou Espírito Santo é chamado de *pneuma*, palavra definida pelo dicionário como "alma vital ou o espírito". A palavra *pneuma* vem do grego, que significa vento, sopro ou espírito, sendo semelhante ao termo grego *phein* – soprar, respirar. Muitas religiões orientais dão ênfase especial à respiração como forma de comunhão com o universo. A respiração desempenha importante papel na bioenergética, pois apenas com uma respiração profunda e plena é que obtemos energia para uma vida mais espirituosa e espiritual.

O conceito de alma é ainda mais difícil de ser trabalhado que o de mente ou espírito. Seu significado primário é o de "princípio de vida, sentimento, pensamento e ação do homem, tida como entidade distinta e isolada do corpo"[23]. Está associada a vida após a morte, paraíso e inferno, ideias hoje rejeitadas por pessoas mais sofisticadas. Na realidade, a própria menção a esse termo em um livro como este, que se afirma sério, pode afastar alguns leitores. Tais pessoas não conseguem conciliar a ideia de uma entidade isolada do corpo com o conceito de unidade representado pela bioenergética. Nesse ponto, nem mesmo eu posso alcançar tal conciliação. Felizmente, todos veem a alma como estando no corpo até a morte. O que acontece com a alma no instante da morte e depois dela eu não sei. Mas essa questão não me incomoda, visto que meu interesse principal está no corpo em vida.

O corpo vivo tem alma? Isso depende de como definimos o termo "alma". O *The Random House dictionary* nos fornece um quarto significado da palavra: "A parte emocional da natureza humana; lugar dos sentimentos ou das emoções". Seus sinônimos são espírito e coração. Isso não ajuda muito, pois poderíamos simplesmente dispensar tal termo. Mas ele tem um significado inteiramente diferente para mim, o qual me auxilia na compreensão do ser humano.

Vejo a alma como o sentimento pessoal de fazer parte de uma ordem mais ampla ou universal. Esse sentimento deve advir da experiência real de fazer parte ou de estar em contato com o universo de alguma forma vital ou espiritual. Utilizo o termo "espiritual" não em sua conotação mental ou abstrata, mas no sentido de espírito, *pneuma* ou energia. Acredito que a energia do nosso corpo está em contato e interage com a energia do mundo e do universo que nos envolve. Nós não somos um fenômeno isolado. Entretanto, nem todos sentem essa conexão. Acredito que a pessoa isolada, alienada e sem contato vive como se não tivesse alma, ao contrário daqueles indivíduos que se sentem parte de algo maior que eles próprios.

Nós nascemos conectados, embora a conexão mais evidente – o cordão umbilical – seja desfeita no ato do nascimento. Enquanto esse cordão funcionava, o bebê era, em certo sentido, parte de sua mãe. Além disso, embora desde o nascimento ele venha sendo conduzido a uma existência independente, ainda está ligado a ela emocional e energeticamente. Reage à sua excitação, é afetado pelo seu ânimo. Não tenho dúvidas de que o bebê sente essa ligação e sabe que pertence à mãe. Ele tem alma e seu olhar sempre mostra isso.

Crescimento significa expansão em diversos níveis. Novas conexões são formadas e experimentadas. A primeira, feita com os outros membros da família, gera uma troca de energia entre o bebê e cada um deles e com eles como grupo. As pessoas tornam-se parte do seu mundo tal como o bebê torna-se parte do mundo da família.

À medida que consciência e contato se ampliam, a pessoa desenvolve círculos mais amplos de relacionamento – entre eles, o mundo das plantas e dos animais, no qual é introduzido e com o qual se identifica. Há também a comunidade onde vive, que se torna sua comunidade no instante em que ela passa a ser seu membro. E assim o processo continua com o aumento da idade. Se o indivíduo não for apartado dessa realidade, sentir-se-á parte da grande ordem natural da Terra. Ambos se pertencem. Em outro nível de pensamento, a pequena comunidade se expande para incluir a nação e depois o mundo humano. Mais além, estão as estrelas e o universo. Os olhos das pessoas mais velhas têm às vezes uma aparência distante, como se a sua visão estivesse focalizada nos céus. É como se, ao final da vida, a alma entrasse em contato com o lugar do descanso eterno.

A Figura 3 demonstra a expansão dos relacionamentos de uma pessoa por meio de um conjunto de círculos concêntricos. O desenho é semelhante ao da seção anterior, que ilustra, dentro de outro contexto, os níveis de desenvolvimento da consciência do indivíduo. À medida que a consciência se expande, vai incorporando um maior número de elementos do mundo externo à psique e à personalidade do indivíduo. Tanto energética quanto fisicamente, o organismo recém-nascido é como uma flor que desabrocha devagar e se abre para o mundo. Nesse sentido, a alma está presente ao nascimento, mas de forma incipiente. Por ser um aspecto do organismo, a alma também é submetida ao processo natural de crescimento e maturação, ao fim do qual se torna totalmente identificada com o cosmo e perde a sua qualidade individualista. Podemos conceber a possibilidade de que, no instante da morte, a energia livre do organismo deixa o corpo para se fundir à energia cósmica ou universal. Dizemos que a alma deixa o corpo na hora da morte.

FIGURA 3

A vida chega ao mundo como ser (estar em)[24], embora *ser* não transmita o sentido exato de realização. Isso ficou claro para mim quando um de meus pacientes disse-me: "Ser não é o suficiente; eu quero pertencer (ser no tempo)[25] e não sinto isso". O fato de ser/estar no mundo por meio de identificações e relacionamentos faz surgir o *senso* de pertinência, de *fazer parte*. Ansiar por alguma coisa, dos mais importantes sentimentos do organismo, reflete a necessidade de contato com o ambiente e com o mundo. Ao pertencer, a alma ultrapassa os estreitos limites de si mesma sem perder o sentido de sua individualidade ou de *ser*, que é exatamente o sentido da nossa existência individual.

A VIDA DO CORPO: EXERCÍCIOS BIOENERGÉTICOS

No primeiro capítulo, mencionei que antes de conhecer Reich eu trabalhara com esportes e com calistenia. A vida do corpo sempre exerceu uma atração especial sobre mim, o que normalmente ter-me-ia conduzido a uma existência ao ar livre. Mas eu também estava envolvido com a vida da mente, de modo que não conseguia entregar-me totalmente a um ou outro aspecto da minha personalidade. Sentia-me dividido entre essas necessidades conflitantes, tentando encontrar uma solução adequada para minha vida.

Esse problema, claro, não é somente meu. A maioria das pessoas que vive em culturas civilizadas sofre da mesma dicotomia. E a maior parte das culturas teve de aprimorar formas de manter a vida do corpo vibrante e fluente perante as exigências contraditórias da vida intelectual. Na cultura ocidental, um dos principais caminhos para mobilizar e desafiar conscientemente o corpo tem sido os esportes. Os gregos, que estiveram entre os primeiros a reconhecer a importância da vida do corpo, davam atenção especial aos exercícios físicos.

A necessidade de atividades especiais para engajar e mobilizar o corpo aumenta em proporção direta ao afastamento (ou à total falta de contato) da cultura com a natureza e a vida do corpo. Desse modo, hoje presenciamos um interesse cada vez maior pelos esportes, ao lado da compreensão sempre crescente da importância de exercícios programados e regulares para a saúde física. Vários sistemas de exercício obtiveram grande popularidade na década de 1960, entre eles os da Real Força Aérea Canadense e os exercícios aeróbicos, cujo movimento básico é a corrida controlada com respiração ritmada. Infelizmente, a atitude dos americanos em relação ao corpo é francamente tecida pelas considerações do ego. O resultado dessa posição é que, para a maioria das pessoas, a satisfação egoica de vencer as competições está acima do prazer e da satisfação corporal oriundas dos esportes. A preocupação de vencer traz à atividade um grau de tensão que nega sua capacidade de estimular e liberar o corpo. Todos conhecemos a situação do jogador de golfe que vê sua manhã arruinada por uma tacada ruim. Nossas atividades físicas são guiadas pelo ego, que sempre busca o sucesso e os modismos. Nós as praticamos para melhorar a aparência, para parecermos mais saudáveis ou para desenvolver os músculos. Nosso ideal de corpo tem as qualidades de um cavalo de raça: elegante, esbelto e pronto para vencer.

A vida do corpo é sentimento: sentir-se vivo, vibrante, bem, animado, furioso, triste, alegre e, por fim, contente. É a falta de sentimentos ou a confusão acerca deles que leva as pessoas à terapia. Percebi que os atletas, bailarinos e os viciados em esportes sofrem dessa mesma carência ou confusão tanto quanto qualquer outra pessoa – tal como aconteceu comigo, a despeito de meu envolvimento com os esportes e com a calistenia. Por meio da terapia, fui capaz de alcançar e desvendar meus sentimentos, retomando, assim, parte da vida de meu corpo. Tanto a terapia reichiana quanto a bioenergética visam a esse objetivo.

Apesar de tudo, permaneceu um problema: como manter a vida do corpo fluente e vibrante depois de finda a terapia? Nossa cultura, que nega a vida, não ajuda em nada. Essa foi uma questão que Reich nunca examinou. Ele acreditava que o indivíduo pudesse obter satisfação apenas por externar suas energias. Sua filosofia se expressava no ditado: "Amor, trabalho e conhecimento são a fonte da vida. Deveriam também governá-la". Segundo essa afirmação, a atividade sexual seria o único caminho para a manifestação da vida do corpo – linha de pensamento demasiadamente limitada e restrita.

Minha solução pessoal foi utilizar os exercícios de bioenergética, desenvolvidos inicialmente para promover a terapia, como rotina em casa. Faço-os há cerca de 20 anos. Eles não só me permitem estar em contato com meu corpo e manter a sua vida como também aperfeiçoam o crescimento instituído pela terapia. Percebi que são tão úteis que encorajei meus pacientes a praticá-los em casa como suplemento à terapia. Sua utilidade tem sido confirmada por todos os que os praticam. Agora estabelecemos aulas regulares de exercícios bioenergéticos para pacientes ou quaisquer outras pessoas que tenham algum tipo de compromisso com a vida do corpo. Dado que esse compromisso é vitalício, supomos que o indivíduo também se comprometerá com os exercícios.

A decepção perante a atitude antivida da cultura ocidental levou muitas pessoas a se interessar pela religião, pela filosofia e por disciplinas orientais. Muitas dessas pessoas reconhecem a importância de algum tipo de programa de exercícios físicos para o desenvolvimento espiritual. O grande interesse pela ioga é uma demonstração drástica desse ponto. Pratiquei ioga antes do meu encontro com Reich, mas, devido à minha mentalidade ocidental, não me sentia muito atraído pelos exercícios. Contudo, depois de trabalhar com Reich, fui-me conscientizando de algumas semelhanças existentes entre a prática da ioga e a terapia reichiana. Em ambos os sistemas, a ênfase principal recai na respiração. A diferença entre as duas escolas de pensamento está nas direções; na ioga, a direção é para dentro, visando ao desenvolvimento espiritual; a terapia reichiana dirige-se para fora, objetivando a criatividade e o prazer. Sem dúvida, faz-se necessário reconciliar essas duas correntes – e a minha esperança é que a bioenergética consiga fazê-lo. Muitos dos mais respeitados professores de ioga dos Estados Unidos têm demonstrado pessoalmente sua admiração pela compreensão do corpo promovida pela bioenergética, compreensão essa que os ajuda a adaptar as técnicas da ioga às necessidades ocidentais.

Mais recentemente, tornaram-se populares outras disciplinas orientais do corpo. A mais importante delas é a que compreende os exercícios de *tai chi chuan* utilizados pelos chineses. Tanto a ioga quanto o *tai chi* enfatizam a importância de sentir o corpo, de alcançar a coordenação, a graça e o sentimento espiritual por meio da identificação com o corpo. Nesse sentido, contrastam frontalmente com os exercícios ocidentais que almejam o poder e o controle.

Bioenergética

Como situar os exercícios bioenergéticos nesse panorama? Eles representam uma integração das atitudes ocidentais e orientais. Como as disciplinas orientais, abstêm-se do poder e do controle em favor da graça, da coordenação e da espiritualidade do corpo. Mas também procuram promover a autoexpressão e a sexualidade. Em consequência, servem tanto para explorar a vida interna do corpo quanto para auxiliar na ampliação da vida no mundo. Seu único propósito é ajudar as pessoas a manter contato com as tensões que inibem a vida do corpo. À semelhança das práticas orientais, contudo, funcionarão se se tornarem uma disciplina, isentas da prática mecânica e compulsiva e dotadas de prazer e significado.

Não posso apresentar aqui o repertório completo dos exercícios utilizados na bioenergética, mas espero concretizar esse plano em outro livro. Devo acrescentar que estes não são formalizados e podem ser improvisados de acordo com a necessidade e a situação de cada indivíduo. Descreverei um número suficiente de exercícios para demonstrar suas bases e seus objetivos principais. Um dos exercícios fundamentais foi por mim desenvolvido logo no início, a fim de promover a maior entrega dos pés e das pernas e para sentir-me mais firmemente apoiado no chão. Chamado de arco ou curvatura, é também tido como posição fundamental de tensão.

FIGURA 4

Alexander Lowen

A linha sobreposta à figura indica a curvatura correta do corpo. O ponto médio dos ombros está posicionado diretamente acima do ponto médio dos pés, e a linha que une esses pontos é um arco quase perfeito que passa através do ponto central da articulação do quadril.

Quando o corpo está nessa posição, suas partes estão em perfeito equilíbrio. Dinamicamente, a curvatura (arco) está formada e pronta para agir. Energeticamente, o corpo está carregado da cabeça aos pés. Isso significa que existe um fluxo de excitação através do corpo. Pode-se sentir os pés no chão e a cabeça no ar, ao mesmo tempo que se percebe uma total integração e conexão. Por ser uma posição de tensão energeticamente carregada, as pernas começarão a vibrar.

Utilizamos essa postura para fazer que as pessoas sintam-se integradas e conectadas, com os pés firmemente plantados e a cabeça erguida. Mas também a usamos diagnosticamente, uma vez que revela, de imediato, a falta de integração do corpo – indicando com precisão o local e a natureza das principais tensões musculares. Descreverei a seguir como tais tensões podem afetar o arco.

Temos utilizado essa posição e esse exercício há mais de 18 anos. Imaginem a minha surpresa quando um paciente mostrou-me uma foto (publicada em 4 de março de 1972), da Associated Press, de chineses praticando exatamente o mesmo exercício.

FIGURA 5

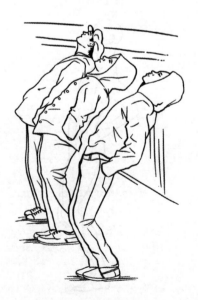

Bioenergética

Esse é o desenho da fotografia que mostra chineses praticando a chamada "curvatura taoista". Diz a legenda: "Três residentes de Xangai praticam a calistenia chinesa do *tai chi chuan*. O exercício tem origem na filosofia taoista e busca alcançar a harmonia com o universo combinando-se movimentos do corpo com a técnica da respiração".

A legenda é o que há de mais importante. *Tao* significa caminho, o qual se trilha pela harmonia tanto interna quanto com o ambiente e o universo. A harmonia com o mundo externo depende, na realidade, da harmonia com o meio interno, que pode ser alcançada "combinando-se movimentos do corpo com a técnica da respiração". A bioenergética busca a mesma harmonia utilizando os mesmos meios. Muitos de nossos pacientes praticaram os vários exercícios de *tai chi* concomitantemente à bioenergética. Os chineses, entretanto, partiram da suposição de que não tinham grandes distúrbios corporais que os impedissem de praticar os exercícios corretamente. Já os ocidentais não podem pressupor algo semelhante – inclusive, pode-se questionar se tal pressuposto se aplicaria aos chineses de hoje em dia.

Um problema que tenho observado nos pacientes é uma rigidez que domina todo o corpo e não os deixa curvar-se. A linha que liga o ponto médio

FIGURA 6

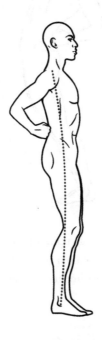

dos ombros ao ponto médio dos pés é reta (Figura 6). Existe uma notória inflexibilidade das pernas: o indivíduo é incapaz de fletir completamente o tornozelo. Uma tensão na região inferior das costas impede a sua curvatura e a pelve fica ligeiramente retraída.

A condição oposta é a hiperflexibilidade da coluna, que se inclina em demasia, indicando fraqueza nos músculos das costas, além de falta de firmeza e determinação. Enquanto o corpo e a personalidade rígidos são excessivamente inflexíveis, esse tipo de corpo e personalidade é por demais maleável. Em ambos os casos, o arco é feito de modo errado, não havendo nenhum senso de integração ou fluxo e nenhuma harmonia interna ou externa. A linha do arco se inclina para o ponto de ruptura. A região inferior das costas não funciona como apoio para o corpo; essa função é assumida pelos músculos abdominais, que se contraem em excesso.

FIGURA 7

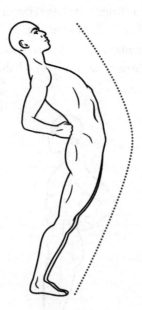

Outro distúrbio comum é a ruptura na linha do arco gerada por uma grave retração da pelve. Esse exemplo contrasta com o problema anterior, no qual a pelve é impelida excessivamente à frente. Tal distúrbio pode ser visto na Figura 8.

Bioenergética

FIGURA 8

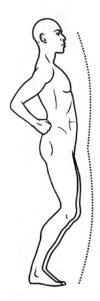

Nessa condição, se a pessoa empurra a pelve para a frente, seus joelhos tornam à posição vertical. Só se consegue dobrar os joelhos se as nádegas forem jogadas para trás. Existe aí uma marcante tensão na região inferior das costas, assim como ao longo da parte posterior das pernas.

Às vezes, quando examinamos o corpo de frente, notamos certas rupturas em seus segmentos. As principais partes, ou seja, a cabeça, o pescoço, o tronco e as pernas, simplesmente não se alinham. A cabeça e o pescoço fazem um ângulo anormal para a direita ou para a esquerda, o tronco inclina-se na direção oposta e as pernas acabam por ir em sentido contrário ao do tronco. Esbocei essa posição na Figura 9, na qual a linha mostra as angulações do corpo.

Tais angulações revelam que o corpo não flui simultaneamente. Representam a fragmentação da integridade da personalidade, típica do esquizoide ou do esquizofrênico. O termo esquizoide denota ruptura, cisão. Se a cisão incide na personalidade, deve existir também em nível corporal, energético. A pessoa é seu corpo.

Há alguns anos, meus colegas e eu fomos convidados a explicar e a demonstrar a bioenergética a um grupo de médicos e estudantes do National Institute of Mental Health (NIMH). Em minha palestra, discuti a relação

Alexander Lowen

FIGURA 9

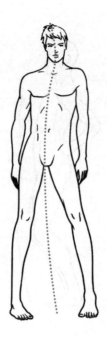

íntima existente entre o corpo e a personalidade. Depois das conferências, pediram-nos que demonstrássemos nossa capacidade de fazer um diagnóstico psiquiátrico do corpo sem saber nada sobre o indivíduo. Fomos apresentados sucessivamente a várias pessoas que estavam sendo estudadas pelo NIMH. Pedi a cada uma delas que assumisse a posição de tensão fundamental descrita anteriormente, a fim de avaliar a forma de alinhamento do seu corpo. Depois de ter observado o corpo por um breve período, meus companheiros e eu fomos colocados em salas separadas e chamados, um por vez, para fornecer o diagnóstico, de modo que não podíamos nos consultar.

Todos nós fizemos o mesmo diagnóstico – o que, por sua vez, coincidiu com os dados do NIMH. Em dois dos pacientes, a ruptura das linhas do corpo era tão clara que a diagnose de personalidade esquizoide fora uma questão simples. No terceiro caso, a rigidez excessiva predominou. Um dos indivíduos esquizoides tinha uma característica estranha: os olhos eram de cores diferentes. Quando ressaltei esse fato, fiquei surpreso ao ver que nenhum dos presentes o havia notado. Como tantos outros psicólogos e psiquiatras, tinham sido treinados para ouvir e não para ver. Estavam interessados na mente e na história do paciente, e não no seu corpo e na sua expressão. Ainda não haviam aprendido a compreender a linguagem do corpo.

Os distúrbios do corpo, tal qual foram esboçados anteriormente, formam a base dos sintomas que levam as pessoas a buscar a terapia. O indivíduo rígido será inflexível e fechado em situações que pedem brandura e generosidade. Ao indivíduo cujas costas são excessivamente flexíveis faltará a agressividade necessária a certas situações. Todos os pacientes sentem-se em desarmonia consigo e com o mundo. Nesses casos, a prática do exercício da curvatura não vai restaurar tal harmonia, dado que eles não podem praticá-lo corretamente, mas os ajudará a sentir as tensões do corpo que não permitem uma execução correta. Tais tensões podem ser relaxadas com outros exercícios bioenergéticos, alguns dos quais serão descritos em capítulos subsequentes deste livro.

Não hesito nem vacilo ao dizer que aquele que pratica corretamente a curvatura está em harmonia com o universo; jamais vi alguém com um sério problema emocional que fosse capaz de executá-la do jeito certo. Não é uma questão de prática, pois tal posição não pode ser aprendida. Não é uma posição estática, pois nela a pessoa tem de respirar profunda e plenamente. Deve-se ser capaz de manter o funcionamento e a integridade do corpo sob pressão. A prática regular do exercício, entretanto, ajuda sobremaneira a pessoa a entrar em contato com seu corpo, a fazê-la sentir seus distúrbios, compreendendo seu significado. Além disso, ajuda-a a manter a sensação de harmonia com o universo, uma vez que *realmente* a tenha alcançado. E esse é um grande desafio numa cultura tecnológica.

3. A linguagem do corpo

O CORAÇÃO DA VIDA: O CERNE DA QUESTÃO

A linguagem do corpo é composta de duas partes: uma delas lida com os sinais e expressões do corpo que transmitem informações sobre o indivíduo; a segunda lida com as expressões verbais que, por seu significado, se referem às funções corporais. Neste capítulo, abordarei ambas as partes da chamada linguagem do corpo, a começar pela segunda. Por exemplo, a expressão "caminhar com os próprios pés" faz parte da linguagem do corpo. Significa ser independente e advém da nossa experiência comum. Quando bebês e em estado de dependência, somos carregados e levados no colo. Quando crescemos, aprendemos a ser independentes e a caminhar com os próprios pés. Muitas dessas expressões fazem parte da nossa linguagem cotidiana. Podemos chamar uma pessoa de "cabeça-dura", querendo dizer inflexível, "mão-fechada", significando mesquinha, ou "boca-mole", no sentido de inexpressividade. Para expressar nossas atitudes psicológicas, usamos termos como "carregar o mundo nos ombros", "manter a cabeça erguida", "manter-se firme".

O psicanalista Sandor Rado sugeriu que a linguagem tem origem na sensação proprioceptiva, isto é, que a base de todas as linguagens é a linguagem do corpo. Creio que essa proposição faça sentido, já que a comunicação é, antes de mais nada, uma troca de experiências, que por sua vez são reações do corpo a situações e fatos. Num mundo onde há outros modelos importantes de referência, entretanto, a linguagem incorpora termos desses modelos. Por exemplo, a expressão "mover-se em alta velocidade" é oriunda da nossa experiência com automóveis. Outro exemplo é a expressão "a todo vapor". Tais expressões fazem parte da chamada linguagem da máquina. Não sabemos quantas delas tornaram-se parte da linguagem e, portanto, do pensamento. Podemos antecipar que o avanço tecnológico introduzirá em nosso vocabulário muitos termos novos que estão bem longe da linguagem do corpo.

Todas as máquinas são, em certo sentido, extensões do corpo humano e funcionam segundo princípios que o governam. Isso é fácil de ser comprovado se tomarmos como exemplo ferramentas: o forcado, que é uma extensão das mãos e dos dedos; a pá, uma grande mão abaulada; a marreta, um prolongamento do punho. Mas até mesmo as máquinas mais complicadas têm relação com o corpo; o telescópio é um prolongamento do olho, assim como o computador o é do cérebro. Contudo, quase sempre menosprezamos esse fato e tendemos a pensar que o corpo deve funcionar segundo os princípios das máquinas, e não o contrário. Identificamo-nos com as máquinas, que, em seu limitado funcionamento, são instrumentos mais poderosos que o corpo. Terminamos por ver o corpo como uma máquina e então perdemos o contato com seus aspectos vitais e sensitivos.

A bioenergética não vê o corpo como máquina, nem mesmo como o mais complexo e belo dos mecanismos jamais criados. É verdade que podemos comparar certos aspectos do funcionamento do corpo com os de uma máquina. O coração, por exemplo, quando isolado do corpo, pode ser visto como uma bomba; em outras palavras, se o coração não estivesse envolvido na vida total do corpo, seria apenas uma máquina. Mas ele está envolvido e isso é o que o torna um coração e não uma bomba. A diferença entre uma máquina e o coração é que a primeira tem função limitada. Uma bomba bombeia e nada mais. O coração também bombeia e, nessa operação, funciona como uma máquina. Mas ele também é parte integral do corpo e, nesse aspecto de seu funcionamento, faz mais do que bombear sangue: faz parte da vida do corpo e contribui para ela. A linguagem do corpo reconhece essa diferença – e é por esse motivo que é tão importante.

As inúmeras expressões ligadas à palavra "coração" demonstram como são importantes os seus aspectos extramecânicos. Aqui apresento algumas deles. Ao dizermos "ir ao coração da questão", igualamos o coração ao conceito de essência. Também na expressão "você tocou fundo meu coração", o termo tem uma conotação de centro ou núcleo, pois para nós significa o aspecto mais central e profundo de um indivíduo. "De todo coração" indica compromisso total, dado que demanda o que há de mais profundo numa pessoa.

Todos sabem que o sentimento de amor está associado ao coração. "Entregar o coração" significa estar apaixonado; "abrir o coração" é o mesmo que acolher o amor de outra pessoa e "em busca de um coração" denota a procura de um amor. O termo é bastante usado também simbolicamente. Mas o coração não se associa apenas ao sentimento; de acordo com nossa linguagem, é um órgão dos sentidos. Quando dizemos "meu coração encolheu dentro do peito", transmitimos a sensação proprioceptiva que o interlocutor também pode sentir: extrema ansiedade e desapontamento. O coração se dilata com a alegria, não sendo essa apenas uma afirmação figurativa, mas literal. Se esse é o caso, a expressão "você partiu meu coração" denota um trauma físico real? Tendo mais a acreditar que sim e penso que os corações partidos reparam-se sozinhos. A palavra "partir" não significa necessariamente "partir em dois ou mais pedaços"; poderia significar uma quebra no sentido da conexão existente entre o coração e a periferia do corpo. O sentimento de amor deixa de fluir livremente do coração para o mundo.

A bioenergética está interessada na forma como lidamos com o amor. A pessoa tem um coração aberto ou fechado? Sua atitude pode ser determinada com base na expressão do seu corpo, mas para tanto é preciso compreender a linguagem do corpo.

O coração está encerrado numa caixa óssea, a caixa torácica, a qual pode ser rígida ou maleável, imóvel ou flexível. Suas características podem ser avaliadas pelo toque, pela palpação, pois é possível perceber que os músculos são rijos e a parede do tórax não cede à pressão nele aplicada. A mobilidade do tórax pode ser avaliada pela respiração. Num grande número de pessoas, a parede do tórax não se movimenta com a respiração. Em tais pessoas, os movimentos respiratórios são sobretudo diafragmáticos, com leve participação do abdome. O tórax está repleto de ar e mantém-se na posição inspiratória. Em alguns indivíduos, o esterno forma uma protuberância, como que para manter as outras pessoas longe do seu coração. Salientar o tórax é uma forma de desafio. Quem o faz deliberadamente poderá senti-lo dizer: "Não vou deixar que ele/ela se aproxime de mim".

O canal de comunicação primário para o coração são a boca e a garganta. É o primeiro canal do bebê, já que com os lábios e a boca ele chega ao seio da mãe. Entretanto, não o faz somente com os lábios e a boca, mas também com o coração. Temos consciência, pelo beijo, de que esse movimento é uma expressão de amor. Porém, um beijo pode ser um gesto forçado de amor ou uma expressão amorosa real; a diferença reside no fato de haver ou não a participação do coração. Por sua vez, tal participação depende de o canal de comunicação entre a boca e o coração estar aberto ou fechado. Garganta fechada e pescoço contraído podem de fato bloquear a passagem de qualquer sentimento. Em tais casos, o coração está relativamente isolado, encerrado.

O segundo canal de comunicação do coração são os braços e as mãos, na medida em que esses membros buscam o contato. Nesse caso, a imagem do amor é o toque doce, suave e carinhoso das mãos da mãe. Aqui também, para que a ação se constitua de fato numa expressão de amor e sentimento, deverá ter origem no coração e fluir para as mãos. Na realidade, mãos que conduzem amor são extremamente carregadas de energia. Seu toque traz certo poder de cura. O fluxo de sentimento ou energia para as mãos pode ser bloqueado por tensões na região dos ombros ou por espasticidades dos músculos das mãos. As tensões nos ombros desenvolvem-se quando existe o medo de se comunicar ou de atacar. As tensões nos pequenos músculos das mãos resultam da repressão de impulsos para pegar ou agarrar, rasgar ou ferir. Acredito que tais tensões sejam responsáveis pela artrite reumática das mãos. Em alguns casos, percebi que a prática do exercício descrito no Capítulo 1 (quando as mãos se pressionam em posição de hiperextensão) ajudou algumas pessoas a superar crises de artrite reumática.

Um terceiro canal de comunicação do coração com o mundo é o que desce da cintura e da pelve até os órgãos genitais. O sexo é um ato de amor; se se trata de exibição ou de afeto verdadeiro depende, mais uma vez, de o coração estar envolvido ou não. Quando o sentimento de amor pelo companheiro é forte, a experiência sexual é intensa e alcança um nível de excitação que faz do clímax ou orgasmo um momento de real êxtase. Como vimos[26], o orgasmo total e satisfatório só é possível quando o indivíduo está entregue por completo. Nesse caso, podemos realmente sentir o coração pular (de alegria) no momento do clímax. Mas também esse canal pode ser cortado ou fechado em diversos níveis por tensões na porção inferior do corpo.

Fazer sexo sem sentimento é como comer sem apetite. Obviamente, a maioria das pessoas tem algum tipo de sentimento; a questão é quanto dele existe e até que ponto o canal de comunicação está aberto. Um dos distúrbios mais comuns do ser humano é a dissociação das metades superior e inferior do corpo. Às vezes, as duas metades não parecem pertencer à mesma pessoa. Em algumas, a porção superior é bem desenvolvida, enquanto a pelve e as pernas são pequenas e subdesenvolvidas, como se pertencessem a uma criança. Em outras, a pelve é cheia e arredondada, porém a metade de cima é pequena, estreita e de aparência infantil. Em qualquer um dos casos, os sentimentos de uma metade não se integram aos sentimentos da outra. Às vezes, a porção superior do corpo é firme, rígida e agressiva, enquanto a inferior parece branda, passiva e masoquista. Onde quer que exista um grau de dissociação, os movimentos respiratórios naturais não fluem livremente através do corpo. A respiração é torácica (envolvendo ligeiramente o abdome) ou diafragmática (com poucos movimentos do tórax). Se pedirmos ao indivíduo que arqueie as costas para fazer a curvatura segundo o modelo do *tai chi* descrito anteriormente, a linha do corpo não formará um verdadeiro arco. A pelve estará mais para diante ou mais para trás, provocando uma ruptura na linha e na unidade do corpo. A falta de unidade indica que a cabeça, o coração e os órgãos genitais não estão integrados.

As tensões musculares crônicas que bloqueiam o livre fluxo de excitação e sentimentos são quase sempre encontradas no diafragma, nos músculos que circundam a pelve e nas coxas. O relaxamento desses músculos por métodos físicos e psicológicos faz que as pessoas comecem a se sentir "conectadas". Essa é a palavra que mais usam. A partir daí, cabeça, coração e órgãos genitais – ou pensamento, sentimentos e sexo – não são mais partes ou funções isoladas. O sexo torna-se cada vez mais uma expressão de amor, assim como aumenta o prazer. Dessa forma, qualquer comportamento promíscuo prévio cessa invariavelmente.

Nas mulheres, o coração tem uma ligação direta e imediata com os seios, que reagem erótica e glandularmente aos impulsos cardíacos. Com a estimulação sexual, os mamilos ficam eretos e cheios de sangue; na amamentação, as glândulas secretam leite. Desse modo, o ato de amamentar em geral é uma das mais claras expressões de amor maternal. Pelo mesmo motivo, é difícil imaginar que o leite de uma mãe não seja adequado a seu filho. A criança foi concebida e desenvolveu-se no mesmo meio em que foi produzido o leite. Apesar disso, alguns pacientes afirmaram ter experimentado certo gosto amargo no leite materno. A despeito de levar tais afirmações a sério, não creio que o leite em si fosse imperfeito. Parece-me mais provável que a mãe estivesse ressentida e desgostosa com a responsabilidade que a criança representava, sentimento que esta sentia e ao qual reagia. A amamentação, como o sexo, é mais que uma reação fisiológica. É uma reação emocional e, portanto, está sujeita ao ânimo e às atitudes da mãe. O fluxo de sentimentos que vai do coração ao seio pode ser aumentado ou reduzido.

Falei sobre o coração por ser ele fundamental a toda terapia. As pessoas chegam à terapia com diferentes queixas: depressão, ansiedade, sentimento de incompetência, de fracasso etc. Mas ao lado de cada queixa existe falta de prazer e de satisfação no viver. É comum hoje ouvirmos falar em autorrealização e em potencial humano. Mas tais termos carecem de sentido, a menos que se pergunte: potencial para quê? Se alguém deseja viver mais plena e ricamente, deve abrir o coração para a vida e para o amor. Sem amor por si próprio, pelos demais, pela natureza e pelo universo, o indivíduo é frio, alienado e cruel. Do nosso coração flui o calor que nos une ao mundo em que vivemos. Essa quentura é o sentimento de amor. O objetivo de toda terapia é ajudar a pessoa a aumentar sua capacidade de dar e receber amor, de ampliar e desenvolver o coração, e não apenas sua mente.

INTERAGINDO COM A VIDA

À medida que nos deslocamos do coração para a periferia do corpo, vamos deparando com os órgãos que interagem com o ambiente. A linguagem do corpo está repleta de expressões derivadas da consciência proprioceptiva das suas funções. Tais expressões são tão ricas em imagens e significados que nenhum estudioso da personalidade humana pode se permitir ignorá-las.

Começaremos pelo rosto ou face, já que essa é a parte do corpo que se apresenta abertamente para o mundo. É também a primeira parte examinada quando uma pessoa olha para outra. Tal como a palavra "coração" significa centro ou essência, o termo "face" ampliou-se e passou a abarcar a aparência externa de objetos e situações. Assim, falamos da face de um edifício ou de uma paisagem. Quando comentamos que "os problemas são velhos mas estão de cara nova", referimo-nos a uma mudança na aparência externa de situações sem a correspondente alteração em sua essência.

A palavra "face" é igualmente empregada para se referir ao conceito de face do ego, na medida em que este, num dos aspectos de seu funcionamento, está ligado à imagem projetada pela pessoa. "Ficar com a cara no chão" é sofrer um golpe no ego; portanto, a maior parte das pessoas se esforça "para manter as aparências". Se "escondemos a cara", demonstramos vergonha e humilhação. A pessoa de ego forte "encara" as situações, ao passo que a mais fraca normalmente "desvia o rosto". A autoexpressão envolve o rosto, e o tipo de expressão facial que adotamos dá fortes indícios de quem somos e de como nos sentimos. Há a face sorridente, a face deprimida, a face iluminada, a tristonha etc. Infelizmente, a maioria das pessoas não tem consciência de sua expressão facial e, nesse sentido, está alienada do contato com seu ser e com seu modo de sentir.

Tais considerações permitem-nos avaliar o ego da pessoa com base em seu rosto. O de um esquizoide em geral tem caráter de máscara – que é justamente um dos sinais diagnósticos desse distúrbio, na medida em que indica o estado precário de seu ego. À medida que vai melhorando durante o tratamento, seu rosto assume um tom mais expressivo. Um rosto grande, cheio, denota um ego forte (essa é a linguagem do corpo), mas não raro vemos uma cabeça e um rosto volumosos sobre um corpo de pequenas dimensões – ou o contrário. Pode-se presumir, nesses casos, certo grau de dissociação entre ego e corpo.

Outra observação interessante é a tendência de muitos rapazes e moças com cabelos longos a ocultar o rosto atrás dos fios. Vejo esse fato como uma manifestação de sua falta de vontade de encarar o mundo. Pode também ser interpretado como rejeição à nossa cultura, que valoriza excessivamente a imagem. Muitos dos jovens de hoje abrigam na personalidade um viés antiego, já que prestígio, status, posição social e os sinais materiais de poder e influência lhe são repugnantes. Podemos compreender essa atitude como uma reação despropositada à importância dada por seus pais à aparência externa à custa de outros valores éticos, como a verdade interior.

Todos os órgãos e traços do rosto têm uma linguagem corporal própria. Os olhos, as sobrancelhas, as maçãs do rosto, a boca e o queixo são usados para expressar inúmeros traços ou qualidades. Consideremos algumas das expressões que envolvem esses segmentos anatômicos. Sobrancelhas erguidas indicam refinamento ou intelectualidade; por sua vez, sobrancelhas baixas denotam indivíduos broncos. Aquele que tem sobrancelhas caídas está desacorçoado por força da intimidação feita por palavras ou olhares dominadores do interlocutor. Quando a pessoa é imprudente, diz-se que é "cara de pau"; as maçãs de seu rosto projetam-se literalmente para o alto à medida que se enchem de sangue e sentimentos.

A função da visão é de tal importância para a consciência que igualamos o verbo "ver" com "compreender". A pessoa "que enxerga longe" não só alcança com os olhos um ponto mais distante como entende mais que os outros. Olhos brilhantes são sinal e símbolo de exuberância. Na função de órgãos expressivos, os olhos desempenham papel crucial na linguagem do corpo. Um olhar pode transmitir tal gama e intensidade de significados que muitas vezes aferimos as respostas dos outros por meio de seus olhos. Com respeito à boca, há expressões como "linguarudo", "fala-mansa", "caladão" etc. A função dos dentes é rica em metáforas, como "osso duro de roer" e "dar com a língua nos dentes". A pessoa que se "defende com unhas e dentes" mostra desespero. Por último, há a expressão "queixo erguido", que significa manter o autocontrole diante de acontecimentos adversos. Deixar cair o queixo é o movimento inicial da pessoa que se entrega aos soluços do choro. Isso se observa com clareza nos bebês, cujo queixo cai e treme imediatamente antes de eles começarem a chorar. Na terapia bioenergética, às vezes, é preciso fazer que o paciente deixe seu queixo cair antes que consiga entregar-se ao choro.

A voz humana é o meio de maior expressão ao alcance do homem. Em seu livro *The voice of neurosis* (A voz da neurose), Paul J. Moses descreve os elementos sônicos da voz e demonstra sua relação com a personalidade. Discutirei, em outro capítulo, os conceitos subjacentes que nos permitem compreender a personalidade por meio da voz. A linguagem corporal reconhece a importância da voz; se uma pessoa "não tem voz" diante de certo assunto, significa que está impotente. Perder a voz poderia, então, significar a perda da própria posição.

Ombros, braços e mãos também contribuem para a linguagem corporal. A pessoa que assume suas responsabilidades "carrega-as nos ombros". Aquele que abre caminho "no cotovelo" é agressivo; quando "prepara o muque", enfrenta a briga. Se é alguém que "conduz bem a própria vida", temos orgulho dessa pessoa. Descreve-se a participação do indivíduo num acontecimento dizendo-se que "deu uma mãozinha".

A mão, que contém mais corpúsculos táteis que qualquer outra parte do corpo, é o instrumento primário do toque. Portanto, tocar é basicamente uma função do contato manual, embora não se trate de uma operação mecânica. Para o ser humano, tocar é um contato sensível entre pessoas. A expressão "você me tocou", nesse sentido, é outro modo de dizer que alguém evocou dentro da pessoa uma reação sentimental; é uma bela maneira de expressá-lo, já que implica também a ideia de proximidade, de intimidade. "Estar em contato" é perceber, estar consciente de. A expressão indica um vínculo entre tocar e conhecer. Os bebês apreendem as características dos objetos pondo-os na boca, local em que o paladar é a modalidade sensorial predominante. Já as crianças aprendem tocando.

A conexão existente entre tocar e conhecer coloca uma questão importante no que concerne à terapia: é possível realmente conhecer outra pessoa sem tocá-la? Em outras palavras: como se pode sentir o outro sem tocá-lo? A psicanálise tradicional e sua evitação de todo e qualquer contato físico entre paciente e analista – fruto do medo de que tal contato possa evocar sentimentos e sensações sexuais –, em minha opinião, coloca um obstáculo entre duas pessoas que precisariam estar em contato uma com a outra de modo mais imediato do que pelas palavras. Ao tocar o corpo do paciente, o terapeuta consegue sentir muitas coisas a respeito dele: a suavidade ou a rigidez de sua musculatura; a secura de sua pele; a vivacidade dos tecidos. Pelo toque, o terapeuta consegue transmitir ao paciente a noção de que o sente e o aceita como um ser corporal, bem como a ideia de que tocar é o modo natural de estar em contato.

Do ponto de vista do paciente, ser tocado fisicamente pelo terapeuta é um sinal de que este se preocupa com ele. É um ato cujas raízes remontam à época em que era carregado no colo e tocado pela mãe, atos estes que demonstravam a natureza terna e amorosa de seus cuidados. Em nossa cultura, a maioria das pessoas sofre a carência de contatos corporais desde a primeira infância. Em consequência dessa privação, elas anseiam por ser tocadas e carregadas no colo, mas têm medo de expressar ou de tentar concretizar esse desejo. Constroem um tabu contra o contato físico – que, em seu corpo e em sua mente, está associado muito de perto à sexualidade. Dado que um tabu dessa natureza dificulta que as pessoas estejam de fato em contato entre si[27], é terapeuticamente importante eliminá-lo. Assim, é incumbência do terapeuta demonstrar que não tem medo de tocar o paciente nem de estar em contato com ele.

Porém, quando o terapeuta finalmente toca o paciente, surge o problema da qualidade de seu toque. Pode-se tocar uma pessoa, sobretudo se for do sexo oposto, de modo tal que o toque assuma um caráter sexual e o contato físico torne-se erótico. Se isso acontecer, as mais profundas ansiedades do paciente com respeito ao contato físico serão confirmadas; os tabus do indivíduo serão reforçados em um nível muito profundo, embora o terapeuta diga que está tudo bem. Não, não está tudo bem. Qualquer envolvimento sexual do terapeuta é uma traição da confiança depositada no vínculo terapêutico que submete o paciente ao mesmo trauma por ele experienciado na sua relação com os pais, quando ainda era criança. Se essa traição for aceita como normal, produzirá um padrão de encenação sexual que oculta a incapacidade de entrar *realmente* em contato por meio do toque.

O toque terapêutico deve ser caloroso, amistoso, confiável e isento de qualquer interesse pessoal para inspirar confiança. Na medida em que o terapeuta também é um ser humano, às vezes seus sentimentos poderão intervir. Quando isso acontecer, ele não deverá tocar o paciente. O terapeuta, portanto, precisa se conhecer, estar em contato consigo antes de tocar seu paciente. Fazer terapia é a condição básica para ser terapeuta de outros indivíduos. Espera-se do terapeuta que entenda a natureza do toque, que reconheça a diferença entre um toque sensual e um que dá apoio, entre o toque firme e o brutal, entre o mecânico e o que é realizado de coração.

O paciente tem imensa necessidade de tocar o terapeuta, pois é precisamente o tabu de tocar que o faz sentir-se isolado. A fim de superá-lo, sempre peço ao paciente que toque meu rosto enquanto está deitado. Uso esse procedimento depois de ter desvelado alguns dos seus temores. Quando estou inclinado sobre o paciente, assumo a posição de uma mãe ou de um pai que o olha como se fosse uma criança. De início, me surpreendiam a hesitação, o gestual vacilante, a ansiedade. Muitos me tocavam apenas com a ponta dos dedos, como se temerosos de usar a mão toda para entrar em contato. Alguns diziam sentir medo de ser rejeitados; outros, que não tinham o direito de tocar-me. Poucos foram os que, sem exortações especiais, sentiram a possibilidade de trazer meu rosto para perto do seu, embora desejassem fazê-lo. Em todos os casos, esse procedimento atingiu as profundezas de um problema que as palavras somente não alcançariam.

Certos pacientes tocavam à guisa de exploração. Deixavam que os dedos vagassem por meu rosto como se fossem um bebê investigando a face de um dos pais. Outros empurravam meu rosto para longe, devolvendo a rejeição sentida havia tantos anos. No entanto, quando o paciente cede ao seu desejo de contato físico, costuma puxar-me para perto, segurar-me com força e sentir meu corpo com as mãos. Sinto seu desejo tanto quanto ele percebe minha aceitação. O fato de entrar em contato comigo capacita-o cada vez mais a entrar em contato consigo mesmo, que é exatamente o objetivo de todo esforço terapêutico.

Um terceiro campo principal de interação reside na relação da pessoa com o chão. Toda postura que adotamos, cada passo dado envolve essa relação. Diferentemente dos pássaros e dos peixes, somos mais de terra firme e, ao contrário de outros mamíferos, ficamos em pé e movemo-nos sobre duas pernas. Essa postura libera os braços, na medida em que a função de carregar o peso se desloca para a coluna vertebral e para as pernas. A mudança para a posição ereta coloca a tensão nos músculos das costas, em especial na região lombossacral. Discutirei num capítulo subsequente a natureza dessa tensão e sua relação com os problemas da região inferior das costas. Neste momento, importa mais a ligação – refletida na linguagem corporal – entre as funções das extremidades inferiores e a personalidade.

Por exemplo, podemos descrever uma pessoa dizendo se tem ou não "posição" dentro da comunidade. Caso não tenha, não conta como indivíduo. Podemos perguntar também: "Qual é a sua posição?" com respeito a determinado acontecimento. Sua postura denunciará sua posição. Pode-se "ficar ao lado" de uma proposição ou contra ela. Se a pessoa "não assume uma posição", "fica de fora". Se assume, pode-se falar de uma "posição sólida", da qual "não se arreda pé". Há uma noção de força no manter-se em pé, evidente em afirmações como "fazer frente" a ataques, destruições ou perdas e "suportar críticas".

O antônimo de "ficar em pé" não é "sentar"; trata-se de um tipo diferente de ação: "estar em pé negligentemente, despencar, mover-se de uma posição para outra". Uma pessoa "instável" não finca pé em nada; aquele que "escorrega" não consegue manter sua posição, enquanto o desleixado abre mão dela. Esses termos são metafóricos quando empregados para a descrição de condutas, mas, ao serem aplicados à personalidade, ganham sentido literal. Algumas pessoas exibem uma postura negligente; outras têm o corpo "despencado", caído. Outras ainda não conseguem ficar em pé sem transferir o tempo todo o peso de um pé para o outro. Quando termos como esses descrevem uma atitude típica do corpo, estão descrevendo a pessoa.

O modo como o indivíduo fica perante a vida, ou seja, sua postura básica como ser humano, revela-se de modo dramático em seu corpo. Tomemos um exemplo comum, a tendência a trancar o joelho. Essa postura transforma a perna num apoio rígido à custa de sua flexibilidade (ação do joelho). Não é essa a postura natural e, quando acontece, sabemos com base nela que a pessoa está precisando de pontos extras de apoio. A postura informa-nos, em consequência, da presença de certa sensação de insegurança na personalidade (senão, por que a necessidade de apoio extra?) – seja tal sensação consciente ou não. Se pedirmos à pessoa que fique em pé com os joelhos levemente fletidos, é comum que haja uma indução de vibração nas pernas capaz de evocar a sensação de que "minhas pernas não aguentam meu peso".

Para ter uma boa postura quando em pé, a pessoa deve estar com os pés bem plantados no chão (*grounded*). Eles deverão estar totalmente apoiados no solo, com os arcos relaxados, mas não caídos. Aquilo que normalmente chamamos de pé chato é um problema de queda do arco, que faz que o peso seja deslocado para a face interna do pé. Um arco alto, por outro lado, é sinal de espasticidade ou de contração nos músculos do pé. O arco alto diminui o contato entre pé e chão e indica que os pés não estão bem plantados. É interessante notar que o arco alto é há tempos considerado mais saudável e de melhor qualidade. Alguns policias eram chamados de "pé chato" porque, suponho, seus pés tinham se tornado chatos de tanto "amansar a fera a pontapés", como ainda dizemos. "Pé chato" era uma expressão depreciativa que denotava uma posição inferior na escala social.

Quando eu era menor, minha mãe vivia preocupada com meus pés chatos. Opunha a mais tenaz das resistências a eu usar tênis porque tinha medo de que esse tipo de calçado acentuasse a tendência de meus pés a ficarem chatos. Já eu desejava ardentemente usar os tênis, porque seria uma maravilha para correr e para jogar bola. Todos os outros meninos usavam-nos. Entrei na briga com ela para valer e, no final, ganhei os tênis. Contudo, minha mãe insistia para que eu usasse palmilhas ortopédicas nos sapatos, o que era uma tortura; levei mais algum tempo para me livrar disso. Era uma aflição: durante toda a infância eu tive calos por causa de sapatos duros e apertados. Jamais tive pés chatos, apesar de não ter o arco tão alto a ponto de deixar minha mãe plenamente feliz. Na verdade, meus pés não eram suficientemente chatos; há anos venho trabalhando bioenergeticamente comigo para ver se meus pés entram mais em contato com o chão, achatando-os mais. Tenho certeza de que, em consequência de um trabalho desse tipo, não tenho mais calos, calosidades, olhos de peixe e quaisquer outros problemas como naquela época.

A relação do pé com a posição física no espaço e com a posição social é ilustrada pelo antigo costume chinês de amarrar os pés das meninas para que permanecessem pequenos e relativamente inúteis. Essa prática apoiava-se em dois motivos. Os pés pequenos eram um sinal de posição social mais elevada, pois todas as mulheres da nobreza, na China, tinham pés pequenos. Isso significava que elas não tinham de fazer serviços pesados nem andar muito, sendo carregadas em liteiras. As camponesas, sem condições de se dar a tais luxos, tinham pés grandes, largos e chatos. O segundo motivo para a imobilização dos pés das mulheres era prendê-las em casa, tirando sua independência. Uma vez, porém, que essa prática era limitada a certas classes, deve ser vista mais como um reflexo das perspectivas culturais e sociais dos chineses.

O estudo de como as atitudes culturais se manifestam nas expressões corporais é chamado de cinética. Na bioenergética, estudamos o efeito da cultura sobre o próprio corpo.

Durante muitos anos tivemos uma piadinha no boletim do Instituto de Análises Bioenergéticas na qual se retratava um professor de anatomia, em pé, diante de um mapa do pé humano, segurando uma varinha e olhando para uma classe de estudantes de Medicina. A legenda dizia o seguinte: "Tenho certeza de que aqueles que estão pensando em se tornar psiquiatras não terão o menor interesse no que tenho a dizer". Talvez o que ele fosse colocar a respeito do pé fosse irrelevante para a psiquiatria. Nós, da bioenergética, sempre acreditamos que os pés do indivíduo nos dizem muito de sua personalidade, à semelhança de sua cabeça. Antes de fazer o diagnóstico de um problema de personalidade, gosto de ver como a pessoa fica em pé e, para tanto, olho para seus pés.

Uma pessoa equilibrada tem os pés equilibrados: o peso é distribuído igualmente entre os calcanhares e a parte arredondada perto dos dedos. Quando o peso se situa nos calcanhares, algo que acontece se a postura é mantida com os joelhos travados, cessa o equilíbrio. Um leve empurrão no peito será o bastante para fazer a pessoa oscilar para trás, sobretudo se estiver desatenta ao movimento. Demonstrei esse aspecto várias vezes em seminários. Pode-se dizer que uma pessoa assim é "maria vai com as outras". A postura é passiva. Já a transferência do peso para a parte redonda da planta do pé prepara o início de um movimento de avanço, o que configura uma postura agressiva. Dado que o equilíbrio não é um fenômeno estático, sua manutenção requer ajustes constantes da posição ereta, além de consciência dos próprios pés.

O comentário "aquela pessoa tem os pés no chão" só pode ser considerado literalmente apenas no sentido de haver um contato sensível entre pés e chão. Tal contato acontece quando excitação ou energia flui para os pés, criando uma tensão vibrante semelhante à descrita para as mãos quando se concentra nelas ou se envia a elas energia. A pessoa toma consciência dos pés e torna-se capaz de equilibrar-se corretamente sobre eles.

É comum dizer que o indivíduo de hoje está alienado ou isolado. É mais raro ouvir dizer que ele não tem base, que está desenraizado. James Michener caracterizou um segmento da juventude contemporânea com o termo *"the drifters"* (os que estão à deriva). Como fenômeno cultural, esse é um assunto para investigação sociológica, mas também se trata de um fenômeno bioenergético: a falta do senso de ter raízes deve advir de algum distúrbio no funcionamento do corpo localizado nas pernas, pois estas são nossas raízes (suportes) móveis. À semelhança das raízes de uma árvore, pernas e pés interagem energeticamente com o solo. Podemos sentir os pés tornando-se carregados e alertas quando andamos descalços na grama molhada ou na areia aquecida. A mesma sensação pode ser vivida praticando um exercício bioenergético de experiência corporal. Em geral, peço para a pessoa curvar-se para a frente, tocando o chão levemente com as pontas dos dedos. Os pés deverão estar a 30 cm um do outro, com os artelhos ligeiramente voltados para dentro. Inicia-se o movimento com os joelhos dobrados e vai-se esticando-os até surgir uma tensão nos tendões das pernas. Os joelhos nunca deverão estirar-se por completo. Essa posição é mantida por um minuto ou mais, enquanto a pessoa continua a respirar fácil e profundamente. Se o sentimento descer até às pernas, estas começarão a vibrar; chegando aos pés, estes passarão a formigar. Às vezes, os pacientes que executam esse exercício relatam ter se sentido "enraizados"; chegam, inclusive, a sentir os pés entrando pela terra.

Ter "raízes", estar "plantado no chão", ter "posição", ou "posicionar-se a favor" de algo são, em minha opinião, qualidades raras nas pessoas de hoje. O carro privou-nos do uso integral de nossos pés e pernas. A viagem de avião tirou-nos completamente do solo. Os principais efeitos sobre o funcionamento corporal, contudo, são mais indiretos que diretos. O impacto cultural de mais relevância para nós é a mudança na natureza da relação mãe-criança, sobretudo no que diz respeito ao decréscimo do contato corporal íntimo entre a mãe e seu filho. Em meu último livro, discuti esse problema em detalhe[28]. A mãe é o primeiro chão do bebê – em outras palavras, o bebê conquista suas raízes por meio do corpo da mãe. Terra e chão identificam-se simbolicamente com a mãe, que representa o solo e o lar. É interessante observar que o termo "enraizar" é empregado também para descrever os movimentos instintivos da criancinha em busca do seio materno. Em consequência da falta de contato prazeroso com o corpo da mãe, meus pacientes não desenvolveram o senso de ter raízes, de ter base. Sem dúvida, essas mesmas mães não haviam se desenvolvido como pessoas completamente dotadas de base. A mãe sem base firme não pode transmitir a segurança e a pertinência de que precisa um bebê. Se deixarmos de considerar esses fatos bioenergéticos, não conseguiremos evitar os efeitos desastrosos de uma cultura extremamente mecanizada e tecnológica na vida humana.

SINAIS E EXPRESSÕES CORPORAIS

A linguagem do corpo é chamada de comunicação não verbal. Hoje, muito se pesquisa sobre o assunto, uma vez que se percebeu a enorme quantidade de informações que é transmitida ou pode ser obtida pela expressão corporal. O tom de voz e o olhar de uma pessoa têm, em geral, impacto maior do que as palavras que ela profere. As crianças do meu tempo costumavam cantar o refrão "paus e pedras quebram-me as pernas, mas palavras não me atingem", sugerindo com isso ser invulneráveis a ataques verbais. Mas também falamos em "olhares mortíferos". Se a mãe se dirigir ao filho com um olhar furioso, este dificilmente será esquecido. As crianças estão mais cônscias da linguagem corporal do que os adultos – que, depois de anos e anos de escolarização, aprenderam a dar mais atenção às palavras e a ignorar a expressão corporal.

Todo estudioso inteligente do comportamento humano sabe que se podem empregar palavras para contar uma mentira. É comum não se ter meios para discernir, nas próprias palavras, se a informação apresentada é verdadeira ou falsa – sobretudo quando se trata de afirmações pessoais. Quando o paciente diz, por exemplo, "Sinto-me bem" ou "Minha vida sexual é ótima, não tem nada de errado", não se sabe, pelas palavras proferidas, se essas colocações são reais ou não. Quase sempre dizemos coisas nas quais queremos que os outros acreditem. Por seu turno, a linguagem corporal não pode ser empregada para enganar se o observador souber lê-la. Se o paciente de fato se sente bem, seu corpo deverá refletir seu estado; nesse caso, é de esperar que seu semblante brilhe, que os olhos sejam luminosos, a voz, dotada de ressonância e os movimentos, animados. Na ausência desses sinais físicos, coloco suas afirmações na berlinda. Pode-se fazer o mesmo tipo de consideração a respeito de comentários sobre a responsividade sexual. Quando o corpo do indivíduo demonstra, por seu padrão de tensão muscular – nádegas tensas e pescoço encolhido –, que ele oculta seus sentimentos, é impossível que tenha uma vida sexual "sensacional", já que é incapaz de deixar-se levar pelo desejo.

O corpo não mente. Mesmo que a pessoa procure omitir seus verdadeiros sentimentos com atitudes ou posturas artificiais, seu corpo denunciará a impostura pelo estado de tensão criado. Ninguém controla o próprio corpo completamente – é por esse motivo que os detectores de mentira são tão eficientes quando usados para distinguir a verdade da falsidade. Quando se conta uma mentira, o corpo fica tenso, o que se reflete na pressão sanguínea, nos batimentos cardíacos e na capacidade de condução elétrica da pele. Uma técnica mais recente consiste na análise da voz para distinguir o joio do trigo. Seu tom e ressonância refletem todos os sentimentos que a pessoa abriga. É lógico, então, que possa ser empregada nas sessões de detecção de mentiras. Estamos familiarizados com o uso da caligrafia para determinar traços de personalidade. Há, também, aqueles que se declaram capazes de conhecer o caráter dos outros pelo modo como andam. Se cada aspecto da expressão corporal revela quem somos, sem dúvida nosso corpo como um todo deve ser ainda mais esclarecedor e completo.

Na realidade, todos nós reagimos à linguagem corporal dos outros. Vivemos comparando corpos, avaliando rapidamente sua força ou fraqueza, sua vivacidade ou morosidade, sua idade, sua atração sexual etc. Com base na expressão corporal, muitas vezes decidimos se podemos ou não confiar em determinado indivíduo, percebemos seu estado de espírito e as atitudes perante a vida que lhe são mais características. Os jovens de hoje falam das vibrações da pessoa, boas ou más, dependendo de como seu corpo afeta o observador. Sobretudo na psiquiatria, as impressões subjetivas advindas do corpo do paciente são os dados mais relevantes para o trabalho, e quase todos os terapeutas usam essas informações a largo. Há, porém, alguma relutância nos meios psiquiátricos – e no público em geral – em considerar tais informações válidas e confiáveis, na medida em que não são passíveis de uma verificação objetiva imediata. Penso que o problema é mais uma questão de quanto a pessoa acredita em sua sensibilidade e em seus órgãos dos sentidos. As crianças, por terem poucos motivos para questionar seus sentidos, confiam mais cegamente nesse tipo de informação do que os adultos. É o caso do conto "A roupa nova do imperador". Hoje, diante da tendência tão acentuada de manipular o pensamento e o comportamento das pessoas com palavras e imagens, a linguagem corporal é crucial.

Quando apresento os conceitos bioenergéticos a profissionais, quase sempre sou confrontado com a exigência de números estatísticos, gráficos, fatos irrefutáveis. Posso compreender o anseio por esse tipo de informação, mas não deveríamos deixar de lado, por insignificantes que sejam, as evidências de nossos sentidos. Estamos biologicamente capacitados com receptores de distância – olhos, ouvidos, nariz – que nos possibilitam avaliar uma situação antes de darmos com o nariz na porta. Se não confiarmos em nossos sentidos, estaremos aniquilando nossa capacidade de sentir e de fazer sentido. Ao sentirmos o outro, compreendemos sua vida, suas lutas e seus problemas. Assim, veremo-no como ser humano – condição básica para sermos capazes de ajudá-lo.

Sentir outra pessoa é um processo empático. A empatia é uma função da identificação: ao identificarmo-nos com a expressão corporal de alguém, podemos apreender seu sentido. Também é possível sentir como é ser a outra pessoa, embora não se possa sentir o que ela sente. Os sentimentos humanos são pessoais, subjetivos; cada um sente o que acontece com o próprio corpo. Não obstante, na medida em que todos os corpos humanos são semelhantes em suas funções básicas, eles encontram uma ressonância recíproca quando operam no mesmo comprimento de onda. Quando isso ocorre, os sentimentos de um corpo ficam parecidos com o de outro.

Na prática, isso quer dizer que, ao assumir a atitude corporal de alguém, pode-se captar o sentido ou ter os sentimentos relativos àquela expressão. Suponhamos que você veja alguém com o peito erguido, ombros levantados e sobrancelhas arqueadas; para compreender o significado dessa atitude, assuma-a. Inspire, erga os ombros, levante as sobrancelhas. Se você estiver conectado a seu corpo, perceberá de imediato ter adotado uma expressão de medo. Talvez você sinta medo, talvez não – isso vai depender de a posição ter evocado ou não tal sentimento –, mas sem dúvida você identificará a expressão. E compreenderá a seguir que, no universo da linguagem corporal, a outra pessoa está dizendo: "Sinto medo".

Essa pessoa, porém, talvez não esteja sentindo medo, a despeito de estar exprimindo-o; nesse caso, está alienado de suas expressões corporais. Em geral isso acontece quando a atitude vem sendo assumida há tanto tempo que se tornou parte da própria estrutura do organismo. A contenção crônica – ou os padrões de tensão – perde sua carga efetiva ou energética, sendo afastada da consciência. Não é percebida nem vivenciada. Essa atitude corporal torna-se uma "segunda natureza" para a pessoa em questão, a ponto que dizermos ser parte de seu caráter. Pode-se, inclusive, chegar a reconhecê-la por sua postura, embora a impressão inicial diga que há algo de estranho. As primeiras impressões que temos das pessoas são reações corporais que vamos ignorando à medida que damos mais atenção às palavras e aos atos.

Tanto as palavras quanto as atitudes estão, em grande medida, submetidas ao controle voluntário. Ambas podem ser usadas para transmitir impressões que contradigam a expressão do corpo. Assim é que a pessoa cuja expressão corporal denota medo poderá falar e agir com ousadia – atitude com a qual seu ego se identifica mais que com o próprio medo declarado pelo corpo. Descrevemos a atitude consciente como compensatória, ou seja, como esforço para superar o medo latente. Por sua vez, quando a pessoa toma atitudes extremas para negar o medo manifesto pelo corpo, seu comportamento será rotulado de contrafóbico. A linguagem do corpo não mente e usa uma fala tal que apenas outro corpo pode compreendê-la.

Em princípio, espelhar a expressão corporal de outra pessoa só é necessário para tornar claro seu sentido, mas depois que seu significado foi estabelecido é associado à expressão toda vez que se manifestar. É assim que sabemos que lábios apertados, comprimidos expressam desaprovação; que a posição projetada do queixo à frente exprime desafio; que os olhos arregalados denotam medo. Para nos convencermos da acurácia de nossas interpretações, podemos assumir tais expressões. Eu pediria agora ao leitor que assumisse a seguinte posição, verificando se consegue acompanhar a interpretação que proponho. Fique em pé e empurre as nádegas para a frente com os músculos contraídos. Deverão ser sentidos dois efeitos: a) a metade de cima do corpo tenderá a cair na região do diafragma; b) o padrão de tensão da região pélvica é do tipo de contenção ou "retenção". A queda implica a perda da estatura corporal e, portanto, da autoafirmação. Se pudéssemos visualizar um ser humano com cauda, a imagem seria a de alguém com o rabo enfiado entre as pernas. O cão que leva uma surra adota a mesma posição. Assim, acredito termos razões de sobra para interpretar essa postura corporal como a de alguém que foi espancado, derrotado, humilhado.

A retenção é sentida como enrijecimento e constrição dos canais pélvicos de saída – anal, urinário e genital. Inúmeros estudos psicológicos têm demonstrado que o colapso do ego, com a sensação concomitante de ter sido humilhado e derrotado e a tendência a conter os próprios sentimentos, são típicos do indivíduo com tendências masoquistas. O passo seguinte aborda a relação entre essa constelação de traços psicológicos e determinada atitude física. Assim que se estabelece uma relação desse gênero, passa-se a verificá-la repetidamente pela observação de outros pacientes e, por fim, a estrutura do caráter torna-se identificada com uma postura corporal definida. Quando vejo alguém de nádegas contraídas à frente e de músculos tensos nessa região, sei da presença de um elemento masoquista em sua personalidade.

Bioenergética

A leitura da expressão corporal costuma ser dificultada pela presença daquilo que denominamos atitudes corporais compensatórias. Por exemplo, alguns indivíduos cuja postura denuncia tendências masoquistas (nádegas contraídas) adotam compensatoriamente uma atitude de desafio na parte superior do corpo (queixo projetado à frente, peito erguido) na tentativa de superar a submissão masoquista declarada pela porção inferior do corpo.

Da mesma forma, a agressividade exagerada poderia servir para encobrir a passividade e a condescendência excessivas. A crueldade ocultaria a sensação de ter sido espancado, enquanto a insensibilidade acentuada estaria negando a humilhação sofrida. Falamos, nesses casos, de sadomasoquismo, já que o comportamento compensatório chama justamente atenção para a fraqueza que teria por fim ocultar.

Para compreendermos a linguagem corporal devemos estar em contato com nosso corpo e ser sensíveis às suas expressões. Os próprios terapeutas da bioenergética submetem-se a um treinamento destinado a pô-los em contato com o próprio corpo. Poucas são as pessoas na nossa cultura isentas de tensões musculares responsáveis pela estruturação de suas reações e pela definição dos papéis que desempenharão na vida. Esses padrões tensionais refletem os traumas vividos durante o crescimento – todas as rejeições, privações, seduções, supressões e frustrações. Cada um de nós passa por tais sofrimentos em intensidade variável. Quando a rejeição foi a experiência de vida predominante de uma criança, por exemplo, sua tendência será o desenvolvimento de um padrão esquizoide de comportamento, que se estruturará tanto física quanto psicologicamente em sua personalidade. Tal padrão tornar-se-á a segunda natureza dessa criança e não poderá ser modificado a não ser pela recuperação da primeira natureza. O mesmo vale para todos os demais padrões de conduta.

A expressão "segunda natureza" é muitas vezes aplicada na descrição de atitudes físicas e psicológicas que, conquanto "não naturais", passaram de tal modo a compor a pessoa que lhe parecem naturais. O termo implica a existência de uma "primeira natureza", isenta dessas atitudes estruturadas. É possível definir tanto positiva quanto negativamente essa primeira natureza; podemos colocá-la como a ausência, em nível corporal, de tensões musculares crônicas que restringem sentimentos e movimentos e, em nível psicológico, de racionalizações negativas e projeções. Segundo uma perspectiva positiva, seria uma natureza que reteve a beleza e a graça que todos os animais normalmente portam ao nascer. É vital reconhecermos a distinção entre as duas etapas da natureza de cada um de nós, pois muitos aceitam as tensões e distorções corporais como "naturais", deixando de perceber que são elementos pertinentes à segunda e só são vividos como tais por força de longos anos de hábito. Tenho a mais profunda convicção de que a vida saudável e a cultura sadia só podem apoiar-se na primeira natureza humana.

4. A terapia bioenergética

A VIAGEM DA AUTODESCOBERTA

A bioenergética não está apenas voltada para a terapia, da mesma forma que a psicanálise não lida exclusivamente com o tratamento analítico de distúrbios emocionais. Ambas as disciplinas interessam-se pelo desenvolvimento da personalidade humana, buscando compreender tal processo nas situações sociais em que ocorre. Não obstante, a terapia e a análise são as pedras angulares sobre as quais se apoia tal compreensão, na medida em que é por meio de um trabalho cuidadoso com todos os problemas individuais da pessoa que se pode atingir algum tipo de esclarecimento a respeito do desenvolvimento de sua personalidade. Além disso, a terapia constitui uma base eficaz para testar a veracidade dos dados obtidos a respeito do indivíduo, sem o que poderiam não passar de mera especulação. Portanto, a bioenergética não pode ser dissociada da terapia bioenergética.

A terapia, a meu ver, é uma viagem de autodescoberta. Não uma jornada curta e simples, tampouco livre das dores e dos tropeços. Há perigos e riscos e nem a própria vida passa sem eles, já que em si constitui uma viagem para o desconhecido, que é o futuro. A terapia retoma o passado esquecido e não se trata de uma época segura e tranquila, pois se o fosse não teríamos as cicatrizes das batalhas nem seríamos defendidos pela impenetrável couraça das tensões musculares. Eu não recomendaria a ninguém que fizesse essa viagem sozinho, apesar da certeza de que houve os corajosos que a empreenderam por si. O terapeuta funciona como guia ou navegador; seu treino levou-o a reconhecer perigos e a aprender a enfrentá-los; além disso, será o amigo que oferecerá a mão compreensiva e encorajadora quando vier o mau tempo.

É necessário que o terapeuta bioenergético tenha feito a sua viagem pessoal – ou esteja a meio caminho disso – e carregue consigo um bom nível de experiências armazenadas para ter construído um senso sólido de si mesmo. Como dizemos, deve estar suficientemente preso à realidade (*grounded*) de sua pessoa para que possa servir de porto ao cliente quando as águas tornarem-se revoltas. Há alguns requisitos indispensáveis para quem deseja trabalhar como terapeuta: deve-se dominar a teoria da personalidade bem o bastante para saber enfrentar problemas como resistência e transferência; além disso, o terapeuta bioenergético deve ter "sensibilidade" para o nível corporal, sendo capaz de compreender sua linguagem com precisão. Não se trata, porém, de um ser humano perfeito (e acaso o seria alguém?), e seria irreal esperar que não tivesse nenhum problema pessoal. Esse aspecto leva-me a uma consideração importante.

A viagem da autodescoberta não acaba nunca; não existe a terra prometida onde, finalmente, poderemos atracar e ficar. Nossa primeira natureza nos escapará continuamente à medida que nos aproximamos dela. Um dos motivos desse paradoxo é o fato de vivermos numa sociedade extremamente civilizada e técnica, que nos leva, a alta velocidade, cada vez mais longe do ambiente em que se desenvolveu nossa primeira natureza. Mesmo quando a terapia é bem-sucedida não nos libertamos de todas as tensões musculares, dadas as condições que a vida moderna nos impõe constantemente e que nos impelem a novas tensões. O poder, que algumas terapias advogam, de eliminar por completo os efeitos de todos os traumas vividos durante o desenvolvimento é algo a ser questionado. Mesmo quando todas as feridas saram, permanecem as cicatrizes como efeitos indeléveis.

É de se perguntar, então, o que se ganha fazendo terapia, já que não há uma liberação completa das tensões nem um término para a viagem. Felizmente, a maior parte dos que buscam esse tratamento não está atrás de nirvanas nem de jardins do éden. As pessoas estão confusas, às vezes desesperadas, e precisam de ajuda para continuar a jornada da vida. Fazê-las remontar a épocas anteriores pode provê-las dessa força se houver uma melhoria em sua autoconsciência, se puderem expressar-se melhor e se seu autodomínio aperfeiçoar-se. Estarão mais bem equipadas para lutar se tiverem um senso mais forte de si mesmas. A terapia pode ajudá-las nesse sentido, pois as liberta de suas restrições e distorções inerentes à segunda natureza, trazendo-as mais perto de sua primeira natureza – fonte de sua força e de sua fé.

Se a terapia não tem condições de nos fazer voltar à primeira natureza, ou estado de graça, pode colocar-nos mais próximos dela, diminuindo a alienação da qual sofremos tantos de nós. Alienação, melhor do que qualquer outra palavra, descreve todo o suor do homem contemporâneo. Este é como o "forasteiro", sempre diante de perguntas tais como: "Por que viver?", "O que é a vida?" Ele luta contra a falta de sentido de sua existência, sentindo a vaga irrealidade de tudo, impregnado da insidiosa sensação de isolamento que vem tentando desesperadamente superar ou negar, preso ao medo abissal de que sua vida lhe escape por entre os dedos antes de ter tido sua chance de vivê-la. Embora, como psiquiatra, eu enfatize os sintomas ou as queixas que o paciente traz no momento, não limito o trabalho terapêutico a essa problemática. Se não consigo ajudá-lo a entrar mais em contato consigo mesmo (ou seja, com seu corpo e, por meio deste, com o mundo que o circunda), sinto que meus esforços para superar sua alienação não tiveram êxito e que a terapia acabou mal.

Apesar de falarmos em alienação como um distanciamento que o homem vive tanto da natureza quanto dos demais seres humanos, a base desse problema é o distanciamento do próprio corpo. Discuti mais profundamente esse tema em outro livro[29] e, se volto a falar dele aqui, é por ser central à bioenergética. Apenas por intermédio do corpo se pode experimentar a vida que o anima e sua existência no mundo. Mas entrar em contato com o corpo não basta: é preciso permanecer dedicadamente em contato com ele. Não se trata de excluir a mente, mas de deixar de lado o compromisso com um intelecto dissociado, com a mente desatenta ao corpo. O compromisso com a vida do corpo é a única certeza de que a viagem culminará no autoconhecimento.

Considerar a terapia um processo interminável levanta uma questão de ordem prática: "Por quanto tempo terei de vir aqui?", perguntam-me os pacientes. Uma resposta prática: "Você ficará em terapia enquanto sentir que o investimento de tempo, esforço e dinheiro vale a pena". Também é interessante notar que muitas terapias terminam em virtude de fatores que ultrapassam o controle do terapeuta ou do cliente – como mudança para outro estado. Posso ainda interromper a terapia se sentir que não está levando a nada, no sentido de impedir o paciente de usá-la como muleta existencial. Já o cliente terminará o vínculo terapêutico quando sentir-se capaz de assumir por si a responsabilidade pela continuidade de sua evolução – em outros termos, quando achar que pode continuar a viagem sem um guia.

O movimento, composto por crescimento e enfraquecimento, é a essência da vida. Não há, em verdade, um meio-termo. Se cessa o crescimento no que respeita à evolução da personalidade, instala-se o declínio – que, imperceptível a princípio, logo mais fica claro. O verdadeiro critério de terapia bem-sucedida é fazer que o cliente inicie e mantenha um processo de desenvolvimento perpétuo, mesmo que não esteja em terapia.

Recordei, no primeiro capítulo, algumas de minhas experiências pessoais com a terapia feita com Reich e com a subsequente, empreendida com John Pierrakos – terapia esta que lançou as bases do método bioenergético. Apesar de ter ampliado incomensuravelmente o senso de mim mesmo (autopercepção, autoexpressão e autodomínio), acho que ainda não cheguei ao fim da minha viagem. Naqueles tempos, meu barquinho navegava tranquilo e não havia nenhuma expectativa de problemas nem de dificuldades; porém, essa previsão não perdurou. No curso dos anos seguintes, atravessei algumas crises pessoais que tive condições de enfrentar positivamente devido à minha terapia. A crise pessoal surge somente quando uma rigidez na personalidade entra em excessiva tensão. Assim, trata-se de um momento tanto arriscado quanto oportuno para uma ainda maior soltura e posterior evolução. Com o desenrolar da minha vida, felizmente provou-se ser o crescimento a consequência do sofrimento. Sem entrar nos detalhes das crises em si, descreverei um conjunto de experiências pessoais pertinentes ao tema da terapia.

Há cerca de cinco anos, tomei consciência de uma dor no pescoço. A princípio, percebi que ela aparecia apenas de vez em quando, mas com o passar do tempo foi ficando cada vez mais evidente toda vez que eu virava a cabeça de repente. Não que eu tivesse ignorado meu corpo depois do término da terapia ativa, já que praticava com certa regularidade os exercícios bioenergéticos que ensino aos meus pacientes. Porém, embora as posturas me ajudassem tremendamente, não eram eficazes contra a dor, que eu suspeitava advir de uma artrite cervical. Jamais fui confirmar minhas suspeitas com raios X, de modo que até hoje se trata de uma hipótese.

Fosse a dor da artrite ou não, consegui palpar alguns músculos relativamente tensos no pescoço, os quais estavam ligados à dor. Havia também outras tensões musculares no terço superior das costas e nos ombros. Percebi também, nos filmes realizados sobre mim em trabalho com os pacientes, que às vezes deixava a cabeça pender para a frente. Essa postura criava um ligeiro encurvamento das costas na região entre as escápulas.

Por cerca de um ano e meio pratiquei regularmente alguns exercícios destinados a aliviar a dor e a endireitar as costas. Submetia-me, ainda, a massagens semanais com um terapeuta bioenergético. Ele também sentia os músculos tensos e os trabalhava com afinco para relaxá-los. As massagens e os exercícios foram paliativos. Eu me sentia melhor e mais solto ao fim das sessões, mas a dor persistia e as tensões eram recorrentes.

Durante esse período vivi outra experiência que, creio, teve papel determinante na resolução do problema. Ao término de um seminário destinado a profissionais, dois dos participantes (terapeutas bioenergéticos já treinados) disseram que agora era a minha vez e ofereceram-se para trabalhar comigo. Não adoto tal prática com frequência, mas naquele momento cedi à tentação. Um deles trabalhou uma tensão na garganta e o outro foi para os pés. De súbito, senti uma dor aguda, como se alguém tivesse cortado minha garganta com uma faca. Tive a nítida sensação de que fora minha mãe – em nível psicológico e não literalmente. Percebi que, em consequência disso, eu não conseguia falar com franqueza nem me lamentar. Sempre tive dificuldade de dar voz a meus sentimentos, embora o problema tenha sido bastante atenuado com o passar dos anos. Em certas situações, esse bloqueio chegou a me provocar dor de garganta, sobretudo quando eu estava cansado. Quando senti a dor, repeli os dois terapeutas e gritei de dor. Então vivenciei um alívio profundo.

Logo depois desse incidente, tive dois sonhos que levaram o problema a seu ponto máximo. Ocorreram em duas noites sucessivas. No primeiro, eu tinha certeza de que morreria de um ataque do coração; por mim tudo bem, pois eu morreria de forma digna; era estranho, mas não senti a mínima ansiedade durante o sonho nem na manhã seguinte – quando, acordado, recordei-o.

Na noite seguinte, sonhei ser o conselheiro admirado de um rei menino que achava que eu o tinha traído. Ele havia mandado me decapitar. No sonho, eu sabia não havê-lo traído e acreditava que ele descobriria o erro e eu seria absolvido e, por fim, reconduzido ao meu posto. Conforme a data da execução se aproximava, eu permanecia confiante na absolvição. Quando chegou o dia e me conduziram até o cadafalso, continuava certo de que a absolvição chegaria, talvez no último minuto. Eu sentia o carrasco em pé, ao meu lado, segurando um enorme machado. Sua figura não estava nítida. Apesar de tudo, continuava esperando a absolvição. Então o algoz inclinou-se para quebrar as correntes que atavam minhas pernas; fê-lo com as mãos porque as correntes que envolviam meu tornozelo eram feitas de um arame muito fininho; de súbito percebi que eu mesmo poderia tê-lo feito e acordei em seguida. Esse sonho também não provocou nenhuma ansiedade, apesar da minha morte iminente.

Diante da ausência de ansiedade, senti que ambos os sonhos tinham um significado positivo. Portanto, não fiz grandes esforços para interpretá-los. O primeiro quase dispensava uma interpretação. Antes dele, eu pensara por algum tempo na possibilidade de ter um ataque cardíaco. Estava chegando perto dos 60 anos, fase em que os enfartos não são raros; sabia também ser esse o meu ponto de maior vulnerabilidade; tomara consciência da rigidez no meu peito desde a primeira sessão terapêutica com Reich e nunca fora capaz de libertá-la por completo. Era também um fumante inveterado de cachimbo, conquanto não tragasse. O sonho não me confortou a respeito da impossibilidade de um ataque cardíaco, mas transformou-a num detalhe menor. O importante de fato era morrer com dignidade, mas isso também significava, como percebi de imediato, viver dignamente. Essa percepção apagou o medo da morte dentro de mim.

De início, não contei esses sonhos a ninguém. Alguns meses mais tarde, porém, falei sobre eles num grupo de terapeutas bioenergéticos, durante um seminário na Califórnia. Era um encontro destinado a discutir os sonhos. Nessa ocasião, não nos aprofundamos muito na interpretação do segundo sonho. Para mim, ele indicava que eu me subordinara por muito tempo a um aspecto infantil de minha personalidade, o que só me traria problemas. Eu precisava assumir meu lugar de direito como senhor de meus domínios (minha personalidade, meu trabalho), já que era o responsável por eles. Senti-me bem ao tomar tal decisão.

Cerca de um mês e meio depois, encontrei-me com outro grupo de terapeutas bioenergéticos da Costa Leste e novamente relatei os sonhos. Nesse ínterim, eu tivera mais algumas ideias referentes ao segundo deles. Achava que existia algum tipo de ligação entre ele e a dor no pescoço. No sonho, eu seria decapitado e o machado estava prestes a cortar meu pescoço. Partindo desse referencial, comecei a descrever a dor crônica do meu pescoço, que me parecia ligada, de certo modo, ao fato de eu não sustentar a cabeça ereta. E, quando eu adotava essa posição, a dor desaparecia. Porém, eu sabia que não tinha condições de fazê-lo conscientemente usando a vontade, pois o gesto pareceria artificial e eu não seria capaz de sustentá-lo na posição. Manter a cabeça erguida deveria ser uma expressão da dignidade que o primeiro sonho apontava como interpretação.

Depois de relatar meus sonhos, recordei algumas impressões da infância. Fui o primogênito e o único varão da família. Minha mãe era-me muito devota;

eu era a menina de seus olhos. De certo modo, eu lhe parecia um pequeno príncipe. Por outro lado, sempre insistia que sabia mais do que eu e por vezes se mostrava cruel quando eu me comportava com rebeldia. Ambiciosa, ela transferiu para mim essa atitude. Meu pai também era muito apegado a mim. Sua personalidade era praticamente oposta à de minha mãe. De fácil convivência, amava o prazer. Apesar de trabalhar muito, tendia a se dar mal em seus pequenos negócios. Eu costumava ajudá-lo com a contabilidade, pois fazia as contas rapidamente. Ao longo de toda minha infância meus pais brigaram entre si, quase sempre por dinheiro, e, não raro, me punham no meio da discussão. De certo modo, eu me sentia superior a meu pai; por outro lado, ele era maior e mais forte e eu tinha medo dele. Não creio que ter medo dele tivesse sido obra sua; não era cruel e me batera em uma única ocasião. Minha mãe, porém, alçara-me à posição de rival paterno – algo que nenhum menino pode realizar a contento.

Percebi que nunca conseguira resolver por completo essa situação obviamente edípica. Meu pai era o rei menino que eu não conseguia destronar, de modo que me restava permanecer como o pequeno príncipe, pleno de promessas, mas inexoravelmente preso a um papel secundário.

Quando relatei a situação e descrevi-me nesses termos, soube de repente que tudo tinha acabado. Era passado. Tudo de que eu precisava para me libertar era desamarrar aquele arame que unia meus tornozelos. Meu pai falecera havia vários anos. Sem que tivesse pensado a esse respeito, sabia que, daquele momento em diante, eu seria o rei – e, como é natural aos monarcas, poderia tranquilamente andar de cabeça erguida.

A interpretação terminava nesse ponto, e não dei mais atenção ao assunto porque então sabia onde tinha os pés. Sem também pensar mais nisso, descobri que a dor no pescoço havia desaparecido e nunca mais voltara.

A partir daquela época, notei que eu tomei uma atitude diferente nas relações com as pessoas. Algumas pessoas também perceberam. Segundo elas, tornei-me mais delicado, mais fácil de lidar, menos questionador, menos insistente para que minhas ideias fossem aceitas. Antes disso, minha luta era por reconhecimento: eu queria ser reconhecido como homem e não como menino; como rei e não como príncipe. Mas ninguém poderia prestar-me as honras devidas a um reconhecimento que eu mesmo não me dava. Agora não havia mais nenhuma necessidade de lutar.

Fiquei muito feliz com esse desenlace, mas isso não significava que tivesse concluído minha viagem. Depois da liberação da tensão em meu pescoço, tomei ainda mais consciência da tensão em meus ombros e no peito. Embora elas não provocassem dor, continuei meus exercícios bioenergéticos de respiração e de *grounding*. Também passei a dar socos num saco de areia a fim de soltar os ombros. *Grounding* significa fazer os sentimentos passarem pelos pés. Conforme meu sonho, eu estava atado pelos tornozelos.

Outra experiência tem relevância para essa história. Há cerca de dois anos, conheci uma professora de canto familiarizada com conceitos de bioenergética e com o papel que a voz desempenha na autoexpressão. Mencionei há pouco que tinha a sensação de que minha mãe havia cortado minha garganta. Isso me criava problemas ao falar, chorar e, principalmente, cantar. Eu sempre desejara cantar, mas jamais o fizera. Tinha medo de que minha voz fraquejasse e eu começasse a chorar. Ninguém em minha família cantava quando eu era criança. Assim, decidi tomar aulas de canto com essa professora para ver o que aconteceria. Ela assegurou-me de compreender meus problemas e, já que as aulas seriam particulares, eu poderia chorar quanto quisesse caso sentisse vontade.

Fui à aula com grande empolgação. Ela começou fazendo-me emitir um som qualquer, espontâneo, livre. Depois, cantei uma palavra – "diabolo" –, algo que me permitiu abrir a garganta e vocalizar de modo pleno. Deixei-me ir sem reservas. Comecei a andar pela sala e a encenar o canto. Minha voz ficou mais solta. Em certo momento, emiti um som que saiu tão naturalmente, tão cheio, que parecia que eu era o som, que o som era eu. O som reverberou através de todo meu ser. Meu corpo permaneceu num estado contínuo de vibração.

Para minha surpresa, não senti vontade de chorar nem uma vez. Simplesmente me abri e deixei a coisa acontecer. Eu sabia que poderia cantar, pois alguns sons tinham uma qualidade musical muito bonita. Quando a aula terminou, senti uma alegria intensa, só vivida em pouquíssimas ocasiões. Evidentemente, continuei frequentando as aulas. Menciono essa experiência porque estou certo de que ela foi fundamental para o próximo passo. No decurso do ano seguinte, não dei muita atenção a meus sonhos, embora eles não estivessem muito afastados da minha consciência. Pensava neles – e também em meus pais – de vez em quando. Então, certo dia, aconteceu: eu soube quem era o rei menino. Era o meu coração. O segundo sonho assumiu um significado inteiramente diverso: eu traíra meu coração. Deixando de confiar nele, havia-o encerrado em uma rígida caixa torácica. O "eu" do meu sonho era meu ego, minha mente consciente, meu intelecto. Assim, "eu", o intelecto, era o conselheiro sábio que organizava tudo em prol do pequeno rei aprisionado. Quando entendi que era o rei, não tive mais dúvidas da exatidão dessa interpretação. É óbvio que o coração é o rei, ou deveria sê-lo. Durante anos eu advogara a ideia de que devemos ouvir nosso coração e segui-lo. O coração é o centro ou essência da vida, sendo o amor sua regra principal. É também um bebê, pois não envelhece. Os sentimentos do coração de um bebê e os do coração de uma pessoa mais velha são os mesmos – o amor ou a dor de ser incapaz de amar. Mas, apesar de proclamar esse princípio, eu mesmo não o seguia por completo. Tinha usado a expressão "rei menino" de maneira depreciativa, como se a maturidade fosse a função do intelecto. Além disso, ainda não tinha perdoado a minha mãe pela dor que me causara e que meu coração teria desculpado sem hesitações. Sem dúvida, eu tinha traído o rei e ele havia assumido toda sua autoridade: "Fora com esse coração", ordenou, "não preciso de um conselheiro falso como esse".

Porém, de alguma maneira eu também estava certo. Não tinha de fato traído meu coração, pois o protegia e agia em seu interesse. A exemplo de – como vejo hoje – minha mãe. Há, contudo, uma verdade nisso tudo. Eu provara a dor do coração partido por uma traição quando ainda era criança. Vi minha mãe voltar-se contra mim cheia de raiva, quando tudo que eu lhe pedia era para ficar ao seu lado. Eu estivera então protegendo meu coração para que ele não fosse magoado outras vezes com tanta intensidade. Infelizmente, essa proteção assumiu a forma de um aprisionamento, de um fechamento no canal de comunicação entre o coração e o mundo; meu pobre coração estava definhando até morrer. Eu estava fadado a sofrer um ataque cardíaco.

No entanto, não perdi a cabeça nem meu coração sofreu um ataque. Fiquei livre quando percebi, no sonho, que a corrente que me prendia não era senão um arame muito fino – apenas uma ilusão me atava pelos pés. Eu poderia ter-me libertado quando quisesse. Porém, enquanto não distinguimos ilusão de realidade, a primeira sobrepuja a última.

Todo rei precisa de conselheiros. Todo coração precisa de uma cabeça que lhe dê olhos e ouvidos para que entre em contato com a realidade. Mas não permita que a cabeça pense que domina; isso é trair o seu coração.

Essa nova interpretação dos meus sonhos pode ser denominada *interpretação bioenergética*, pois se refere à interação dinâmica das partes do meu corpo que compõem minha personalidade. A interpretação anterior era mais freudiana. Considero ambas corretas, mas a última é mais abrangente que a primeira. Reconheço e admito que os sonhos encontram-se submetidos a várias interpretações e que todas são válidas na medida em que esclareçam os comportamentos e as atitudes do sonhador.

O *insight* derivado dos meus sonhos deixou-me ainda com o problema da rigidez no peito. As tensões musculares tinham de ser descontraídas para que eu pudesse soltar meu coração. O *insight* decorrente do sonho não abriu meu coração, mas sem dúvida desobstruiu o caminho para tal mudança.

Uma das teses mais importantes da bioenergética diz que as mudanças de personalidade são condicionadas pelas mudanças nas funções corporais, a saber: respiração mais profunda, motilidade acentuada, autoexpressão mais plena e livre. Com respeito a essas funções, a rigidez do meu peito representava uma limitação à existência. Eu tomara consciência dessa rigidez já havia algum tempo e inclusive a trabalhara. Meu massagista, além disso, era treinado em bioenergética e tinha tentado soltar os músculos da caixa torácica. Os resultados foram quase nulos. Meu peito se tensionava à menor pressão que lhe fosse aplicada; independentemente de toda a minha vontade de ceder, não conseguia render-me. Tal situação começou a mudar ao longo do último ano.

Essa mudança consistiu na percepção de que a resistência diminuíra. Sentia que, se a pressão fosse exercida agora, eu teria condições de entregar-me. Assim, orientado por essa sensação, pedi a um terapeuta bioenergético que fizesse uma pressão suave, rítmica sobre a parede torácica, enquanto eu me inclinava sobre o banquinho. Quando ele procedeu conforme as instruções, comecei a chorar; o choro foi aos poucos se aprofundando até tornar-se um som agonizante que saía cheio pela garganta. Senti que aquele som vinha da dor do meu coração, do desejo de amar e de ser amado que, ao longo de todos esses anos, eu viera controlando. Para minha surpresa, os soluços agonizantes não duraram muito. Subitamente, comecei a rir e um sentimento de felicidade espalhou-se por todo meu corpo. Essa experiência fez-me sentir a incondicional proximidade existente entre as lágrimas e o riso. A alegria indicava que, ao menos naquele instante, meu peito estava solto e meu coração, aberto.

Contudo, assim como uma andorinha só não faz verão, uma única experiência não transforma o indivíduo; o processo teve de ser repetido muitas vezes. Pouco tempo depois dessa experiência, tive uma reação semelhante a outro procedimento. Certo domingo de manhã, minha esposa e eu estávamos

Bioenergética

praticando alguns exercícios de bioenergética; meus ombros estavam presos, então pedi a ela que trabalhasse neles um pouco. A área mais dolorida situava-se no ângulo entre o pescoço e os ombros, perto do ponto em que os músculos escalenos inserem-se nas costelas superiores. Eu me sentei no chão e ela se debruçou sobre mim. Pressionou a área com os punhos e a dor foi insuportável. Rompi em soluços de profunda intensidade. E novamente, depois de um minuto mais ou menos, irrompeu a risada da descontração e o sentimento de alegria retornou.

Resumindo minhas experiências dos últimos cinco anos, sou levado a tirar algumas conclusões. A primeira confirma a ideia já expressa de que a terapia é um processo de crescimento e de desenvolvimento interminável. O trabalho com o terapeuta lança as bases desse evoluir constante, ao mesmo tempo que põe em marcha forças intrínsecas à personalidade, cuja função é ampliar e expandir todos os aspectos do eu (autopercepção, autoexpressão e autodomínio). Tais forças atuam tanto em nível consciente quanto inconsciente. Os sonhos são uma manifestação da atuação delas em nível inconsciente. Em nível consciente, a pessoa deve se comprometer com as mudanças, ou seja, manter-se crescendo e evoluindo.

Uma segunda conclusão é que o compromisso de crescer demanda um compromisso com o corpo. Hoje, muitas pessoas estão fascinadas pela ideia de crescer; o movimento a favor do potencial humano baseia-se nesse princípio e adota um grande número de atividades que têm por objetivo a evolução da personalidade. Essas atividades podem ser benéficas; porém, se o corpo for ignorado, talvez elas se transformem em jogos interessantes, até mesmo divertidos, mas não em processos sérios de crescimento. O eu não pode divorciar-se do corpo e a autopercepção não pode separar-se da consciência corporal. Para mim, pelo menos, o caminho do crescimento é estar em contato com meu corpo e entender o que ele diz.

A terceira conclusão introduz uma nota de humildade a esta discussão. Não podemos nos transformar por um esforço da vontade. Seria o mesmo que tentar sair do chão puxando os cordões dos sapatos. A mudança acontecerá quando estivermos prontos para tal, desejosos e capazes de mudar. Não pode ser algo forçado. O processo de mudança começa pela autoaceitação[30] e pela autopercepção – e, claro, com o desejo de mudar. Porém, o medo de mudar é avassalador. Exemplo disso era meu medo de morrer de um ataque do coração. Devemos aprender a ser pacientes e a adquirir tolerância; estes são fenômenos corporais. Aos poucos, o corpo desenvolve a tolerância para levar uma vida mais cheia de energia, com sentimentos e sensações mais fortes e uma autoexpressão mais livre e plena.

A ESSÊNCIA DA TERAPIA

Minha experiência pessoal de autodescoberta – da minha primeira sessão terapêutica com Reich até o presente – abrange um período de 30 anos. Diante das experiências descritas na sessão anterior, eu poderia dizer que levei cerca de três décadas para chegar ao meu coração. Porém, não se trata de uma verdade absoluta. Meu coração foi atingido muitas vezes no decurso desse período. Estive profundamente apaixonado – na verdade, ainda estou. Eu experimentara as alegrias do amor antes, mas agora havia algo diferente. No passado, meu coração fora tomado por algo ou alguém fora de mim: uma pessoa, uma canção, uma história, a Nona Sinfonia de Beethoven e assim por diante. Meu coração se abria, mas tornava a se fechar em seguida, pois eu sentia medo e achava que deveria protegê-lo. Agora esse temor desapareceu e meu coração permanece relativamente aberto.

Durante os 30 anos em que venho praticando terapia bioenergética, também aprendi bastante a respeito das pessoas, sobretudo ao trabalhar com elas. De algum modo, a luta pessoal de cada paciente se assemelhava à minha; ao ajudá-los, eu também ajudava a mim mesmo. Buscávamos o mesmo objetivo, embora poucos de nós tivessem ciência dele. Falávamos de nossos temores, de nossos problemas e de nossos bloqueios sexuais, mas não fazíamos nenhuma menção ao nosso medo de abrir o coração e de mantê-lo assim. Minhas perspectivas reichianas orientavam-me a atingir a potência orgástica – algo relevante, sem dúvida –, mas as ligações entre um coração aberto, a capacidade de amar profundamente e a potência orgástica não eram enfatizadas.

Porém, tais conexões já eram minhas conhecidas. A tese central de *Amor e orgasmo*[31], publicado em 1965, é que o amor é a condição *sine qua non* para uma resposta orgástica plena. Amor e sexo eram equivalentes, na medida em que o sexo é entendido como demonstração de amor. Não obstante, o livro abordava especificamente problemas sexuais e apenas de modo casual tocava nos medos das pessoas e na sua dificuldade de abrir o coração ao amor. Não tenho dúvida de que meu medo impediu que eu abordasse esse tema de forma mais profunda. Somente depois de ter solucionado meu medo pude chegar ao âmago do problema terapêutico.

Bioenergética

A essência é o coração. Em latim, *cor* significa coração. O termo "coronário" reflete esse significado.

Devemos admitir que o coração é, talvez, o órgão mais sensível do corpo. Nossa existência depende de sua atividade estável, rítmica. Quando esse ritmo apresenta alterações, mesmo que momentâneas – por exemplo, uma breve parada cardíaca ou taquicardia –, a ansiedade se manifesta no centro de nosso ser. Aquele que passa por tal ansiedade no início da vida desenvolverá um grande número de defesas para proteger o coração de outros eventuais perigos. Não permitirá que seu coração seja atingido facilmente nem reagirá ao mundo com base no seu coração. Essas defesas vão-se elaborando no decurso da vida até formarem, por fim, uma forte barreira contra qualquer tentativa de vê-lo tocado. Na terapia levada a bom termo, essas defesas são estudadas, analisadas de acordo com as experiências do indivíduo e trabalhadas até que seu coração seja finalmente alcançado.

Para tanto, as defesas têm de ser entendidas como um processo de desenvolvimento. A Figura 10 ilustra as camadas defensivas como círculos concêntricos:

FIGURA 10

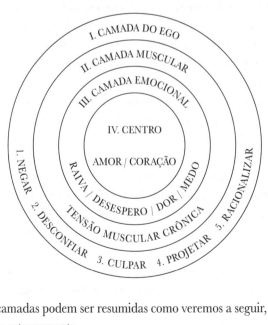

Essas camadas podem ser resumidas como veremos a seguir, partindo da situada mais externamente.

A *camada do ego* contém as defesas psíquicas e constitui a camada mais aparente da personalidade. As defesas típicas do ego são:

1. Negar
2. Desconfiar
3. Culpar
4. Projetar
5. Racionalizar e intelectualizar

Na *camada muscular* ficam localizadas as tensões musculares crônicas que apoiam e justificam as defesas do ego e, ao mesmo tempo, protegem o indivíduo da camada subjacente de sentimentos reprimidos que ele não ousa expressar.

A *camada emocional* de sentimentos é composta pelas emoções reprimidas de raiva, pânico ou terror, desespero, tristeza e dor.

Do *centro* ou *coração* decorrem os sentimentos de amar e de ser amado.

A abordagem terapêutica não pode limitar-se apenas à primeira camada, conquanto ela seja importante. Embora possamos ajudar o indivíduo a tomar consciência de sua tendência a negar, projetar, culpar e racionalizar, tal consciência em nível intelectual pouco afetará as tensões musculares ou libertará os sentimentos reprimidos. Essa é exatamente a fraqueza de uma abordagem meramente verbal – que, por natureza, limita-se à primeira camada. Se as tensões musculares não são afetadas, a percepção consciente pode degenerar muito rápido num tipo diferente de racionalização, com uma forma concomitante e alterada de negações e projeções.

O fracasso de terapias verbais em produzir alterações significativas na personalidade é responsável por um interesse cada vez maior pelas abordagens não verbais e corporais. A tendência comum a muitas dessas novas formas de terapia é evocar e liberar sentimentos reprimidos. O objetivo, quase sempre, é conseguir que o paciente grite. Não raro o indivíduo sente tristeza e raiva e consegue exprimir seus desejos.

O ato de gritar tem um forte efeito catártico sobre a personalidade. Durante muito tempo, essa foi a técnica-padrão da bioenergética. O grito se assemelha a uma explosão dentro da personalidade que, por um momento, destrói a rigidez criada pelas tensões crônicas musculares e mina as defesas do ego contidas na primeira camada. Chorar e soluçar profundamente produzem efeitos semelhantes, uma vez que suavizam e desfazem a rigidez do corpo. A liberação da raiva é positiva quando esta está sob controle e na situação terapêutica. Nessas condições, não se trata de uma reação destrutiva e pode ser integrada ao ego do indivíduo, ou seja, torna-se egossintônica. Já o medo é mais difícil de evocar e mais importante de eliciar. Se o pânico e o terror não forem trazidos à luz e trabalhados a fundo, o efeito catártico de liberar os gritos, a raiva e a tristeza terá curta duração. Enquanto o paciente não conseguir enfrentar o medo e entendê-lo, continuará a gritar, a chorar e a ter raiva sem que sua personalidade se transforme. Assim, ele substituirá um processo catártico por outro de natureza inibidora sem atingir o crescimento. Permanecerá, desse modo, aprisionado entre as forças inibidoras – que não terá compreendido, muito menos elaborado – e o desejo de obter uma liberação catártica momentânea.

Porém, é fundamental para a terapia que tais sentimentos reprimidos tenham permissão para se exprimir. Os leitores familiarizados com meus outros livros sobre bioenergética sabem que um de nossos princípios é desvelar e descarregar tais sentimentos – processo que disponibiliza a energia necessária para o processo de mudança. É preciso retomar esses sentimentos repetidamente para liberar a energia necessária ao crescimento.

Do meu ponto de vista, trabalhar com a terceira camada por si só não produzirá os resultados desejados. Ignorar a primeira e a segunda camadas não as elimina. Enquanto durarem os efeitos catárticos, elas estarão inoperantes por um momento. No entanto, quando o indivíduo precisa encarar a vida como um adulto responsável, ele restabelece suas defesas. Não poderia ser diferente, já que os caminhos regressivos ou catárticos não seriam adequados fora da situação terapêutica. Parece lógico trabalhar tanto com a primeira como com a terceira camadas, uma vez que estas se complementam: a primeira lida com as defesas intelectuais e a terceira, com as emocionais. Mas tal amálgama é difícil de obter, pois sua única ligação se estabelece por intermédio da camada das tensões musculares.

Se o trabalho for empreendido na segunda camada, é possível adentrar a primeira ou a terceira sempre que necessário. Assim, a abordagem das tensões musculares pode auxiliar o indivíduo a entender como suas atitudes psicológicas são condicionadas pela couraça ou rigidez do corpo. E, nos momentos oportunos, será possível atingir e liberar os sentimentos reprimidos ao mobilizar os músculos contraídos que restringem e bloqueiam sua manifestação. Por exemplo, tensões musculares na garganta estão impedindo a pessoa de gritar. Se seus músculos escalenos anteriores, que correm ao longo do pescoço, forem pressionados firmemente com os dedos, ela emitirá um som alto que, quase sempre, se transforma num grito. Em geral, este perdura mesmo depois que a pressão foi interrompida, sobretudo quando há necessidade de gritar. Depois do grito, deve-se pesquisar a primeira camada para determinar a que ele estava relacionado e por que havia sido preciso reprimi-lo. Desse modo, todas as três camadas ficam envolvidas na análise e na elaboração da posição defensiva. Ao manter o foco sobre o problema corporal – neste caso, uma garganta tensa e contraída –, sai-se de uma manobra meramente catártica para um processo de abertura dirigida ao crescimento.

Não preciso ressaltar que trabalhar apenas com as tensões musculares, sem a análise das defesas psíquicas nem a evocação dos sentimentos reprimidos, não compõe um processo terapêutico. Trabalhos corporais como massagem e ioga têm valor, mas não são especificamente terapêuticos em si. No entanto, a nosso ver, é tão importante que cada pessoa se mantenha em contato com seu corpo e reduza seu nível de tensão que encorajamos todos os nossos pacientes a praticar os exercícios bioenergéticos individualmente ou em grupo, e também a submeter-se a massagens.

Presumamos, para os propósitos desta discussão, que seja possível eliminar todas as posições defensivas da personalidade. Como viveria um indivíduo saudável? Como nosso diagrama ficaria?

Continuariam existindo as quatro camadas, com a diferença de que agora não seriam mais defensivas e sim coordenadas e expressivas. Todos os impulsos fluiriam do coração, ou seja, a pessoa poria o coração em tudo que fizesse. Significa que gostaria de fazer tudo que fizesse – fosse trabalho, lazer ou sexo. Assim, ela reagiria emocionalmente a todas as situações, tendo sempre essas reações uma base sentimental. Poderia mostrar-se zangada, amedrontada ou alegre, dependendo da situação. Tais sentimentos representariam reações genuínas, já que estariam isentos da contaminação provocada por emoções reprimidas na infância. E, uma vez que a camada muscular estivesse livre das tensões crônicas, as ações e os movimentos seriam graciosos e eficientes. De um lado, refletiriam os sentimentos e, de outro, estariam submetidos ao controle do ego, sendo tanto corretos quanto harmônicos. Dessa maneira, a característica básica da pessoa seria a saúde e não o mal-estar; seu estado de espírito demonstraria satisfação. A pessoa mostrar-se-ia alegre ou triste, conforme ditassem as circunstâncias, mas todas as suas reações viriam do coração.

FIGURA 11

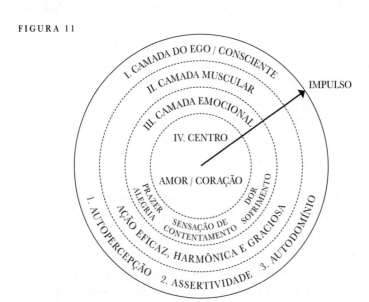

Falo de um ideal quando descrevo alguém assim. Embora não seja possível atingir esse estado, não estamos assim tão enclausurados em nós mesmos a ponto de o coração não sentir felicidade quando ganha liberdade. Quando o coração estiver absolutamente fechado para o mundo, parará de bater e a pessoa morrerá. É uma pena observarmos a quantidade de cadáveres que perambulam à nossa volta.

A ANSIEDADE

As defesas psíquicas e somáticas discutidas no tópico anterior têm como função primordial resguardar o indivíduo dos ataques de ansiedade. A ansiedade mais severa está associada a distúrbios no funcionamento do coração. Já mencionei antes que qualquer irregularidade do ritmo cardíaco em geral tem esse efeito. Também é verdade que qualquer obstrução do processo respiratório produzirá ansiedade. Aquele que já observou um asmático lutando para tomar ar pode avaliar a ansiedade extrema resultante de um problema respiratório. Podemos postular, em termos amplos, que qualquer conjunto de circunstâncias que interfira nas funções vitais de um organismo dará margem à ansiedade. A respiração é praticamente tão importante para o organismo quanto a circulação.

A ligação entre problemas respiratórios e ansiedade já era conhecida por Freud. Em *O corpo em depressão*[32] cito uma observação do biógrafo de Freud, Ernest Jones, que indica isso: "Numa carta escrita um ano depois, Freud também observou que a ansiedade, sendo uma reação às obstruções na respiração – atividade que não tem elaboração física –, poderia se tornar a expressão de qualquer acúmulo de tensão". Traduzindo a linguagem técnica da psicanálise, isso significa dizer que o acúmulo de tensão obstruiria a respiração e geraria ansiedade. Infelizmente, nem Freud nem os psicanalistas tradicionais trilharam esse caminho – que poderia ter conduzido a uma compreensão biológica dos distúrbios de personalidade. Essa ligação, descoberta por Reich e por ele apenas estudada, tornou-se a base da bioenergética.

Outra pista a respeito da natureza da ansiedade foi fornecida por Rollo May, o qual buscou as origens da palavra na raiz germânica *Angst*, que significa "sufocar nos estreitos". Os estreitos podem se referir, por exemplo, ao canal de parto – pelo qual todos passamos para ter uma existência independente. Talvez essa passagem se dê sob forte ansiedade, dado que o novo organismo terá de fazer a transição para uma respiração autônoma. Qualquer dificuldade que um mamífero tenha para estabelecer uma respiração independente põe sua vida em risco e produz um estado fisiológico de ansiedade. Por outro lado, os estreitos podem estar relacionados ao pescoço, essa passagem apertada entre a cabeça e o resto do corpo pela qual o ar chega aos pulmões e o sangue, à cabeça. Um estrangulamento na região também constitui ameaça direta à vida e resulta em ansiedade.

Tive a oportunidade de presenciar um incidente dramático de estrangulamento espontâneo e de verificar a ansiedade extrema por ele gerada. Aconteceu durante a primeira consulta de uma paciente; ela estava deitada sobre o banquinho, deixando que sua respiração se tornasse cada vez mais profunda e plena. De repente, sentou-se de um pulo só, em estado de pânico absoluto, dizendo com voz sufocada: "Não consigo respirar, não consigo respirar". Assegurei a paciente de que logo ela se sentiria melhor; em menos de um minuto, a moça irrompeu em soluços profundos e agoniados. Assim que começou a chorar, sua respiração voltou ao normal. Era óbvio para mim o que acontecera. Sem que houvesse antecipado uma liberação de emoções, a paciente havia relaxado o peito e aberto a garganta, o que resultou num forte impulso de chorar que se avolumou no local. Tal impulso provinha de uma profunda tristeza encerrada no tórax. Inconscientemente, ela tentou sufocá-lo, o que acabou por obstruir sua respiração.

No primeiro capítulo, mencionei como libertei um grito, sob circunstâncias similares, em minha terapia com Reich. Se tivesse procurado, naquela ocasião, bloquear o grito, tenho certeza de que teria me estrangulado com isso e entrado em profunda ansiedade. Depois de liberar o choro – que persistiu por certo tempo –, a respiração da moça ficou mais profunda e solta do que antes do incidente. Já vi inúmeros pacientes sufocando sentimentos que se avolumam quando a garganta se abre e a respiração torna-se mais profunda. Essa sufocação corrobora a definição dada por May à ansiedade, demonstrando ainda o mecanismo pelo qual a tensão no pescoço e na garganta cria obstáculos à respiração que culminam em ansiedade.

Um conjunto semelhante de tensões musculares localizado no diafragma e ao redor da cintura pode obstruir a respiração, na medida em que limita o movimento desse órgão, processo amplamente documentado em estudos radiológicos[33]. O diafragma é o principal músculo respiratório, estando sua ação em grande medida submetida à tensão emocional; reage a situações de medo contraindo-se. Se as contrações se tornam crônicas, está criada a predisposição para a ansiedade – a que chamo de "ansiedade da queda" e da qual tornarei a falar.

O diafragma situa-se exatamente acima da cintura, isto é, acima de outra passagem ou estreito. A cintura, por sua vez, une o tórax ao abdome e este à pelve. Os impulsos para a metade inferior do corpo passam através desse estreito. Qualquer obstrução dessa área estancaria o fluxo de sangue e de sentimentos para o aparelho genital e para as pernas, produzindo ansiedade ao gerar um medo de cair e a suspensão do fluxo respiratório.

Surge assim a seguinte questão: quais são os impulsos bloqueados na cintura? A resposta, por certo, remete-nos aos impulsos sexuais. As crianças aprendem a controlá-los contraindo a barriga e erguendo o diafragma. As mulheres da era vitoriana atingiam o mesmo objetivo usando espartilhos, que comprimiam a cintura e impediam os movimentos diafragmáticos. Desse modo, a ansiedade sexual está intimamente relacionada à obstrução da respiração – ou, nas palavras de Rollo May, a "um sufocamento nos estreitos".

Uma premissa básica de Reich era que a ansiedade sexual está presente em todos os problemas neuróticos. Na bioenergética, temos encontrado fatos que validam essa premissa em inúmeros casos. Numa época de sofisticação sexual como esta, são poucos os pacientes que buscam terapia queixando-se de ansiedade sexual. No entanto, os distúrbios sexuais são uma queixa comum. Eles vêm acompanhados de uma profunda ansiedade, que não chega ao nível da consciência a menos que se reduza a tensão que circunda a cintura. Da mesma forma, a maioria dos pacientes não tem consciência de sua ansiedade respiratória. A paciente que mencionei há pouco não tinha percebido que a ansiedade relacionava-se à respiração; conseguira mantê-la oculta porque não abria a garganta e nem respirava de modo pleno. Só quando tentou fazê-lo a ansiedade apareceu. As pessoas em geral defendem-se dessa mesma forma da ansiedade sexual, na medida em que não permitem que os sentimentos sexuais inundem a pelve. Por intermédio de uma constrição na cintura, limitam o amor ao coração, impedindo que estabeleça contato direto com a excitação dos órgãos genitais. Os sentimentos de natureza sexual limitam-se aos genitais. Essa dissociação é então racionalizada pelo ego, gerando a ideia de que o sexo deve ser apartado do amor.

Às vezes, sentimentos sexuais fortes, oriundos do coração, desenvolvem-se de modo espontâneo, enquanto as defesas ainda parecem intactas – tanto na situação terapêutica quanto fora dela. No primeiro capítulo afirmei que, em circunstâncias extraordinárias, a pessoa pode pisar "em outro mundo" ou "sair de si". Essa irrupção de sentimentos e energia produz uma experiência transcendental. As defesas abrandam-se temporariamente, permitindo que os sentimentos sexuais fluam livres. Isso resulta numa descarga orgástica completa, acompanhada de intenso prazer e enorme satisfação. Na maioria dos casos, porém, o indivíduo tenta sufocar tais sentimentos, posto que é incapaz de baixar a guarda. Caso isso aconteça, surge um estado de ansiedade muito grave, denominado por Reich ansiedade orgástica.

Iniciei esta seção dizendo que as defesas destinam-se a proteger a pessoa contra a ansiedade. Discuti também a natureza dessa ansiedade e associei-a à percepção sensorial de algum tipo de distúrbio no funcionamento normal do corpo; à obstrução respiratória (quase sempre, um "sufocamento nos estreitos"); e ao medo de cair. Vimos, por fim, que na ausência de defesas ou no momento em que elas cedem não há ansiedade, apenas prazer. Devemos concluir, portanto, que a presença de defesas predispõe as pessoas à ansiedade – ou, em outras palavras, cria as condições para que esta surja.

Mas como as defesas agem dessas duas maneiras aparentemente paradoxais, evitando que a ansiedade surja e, ao mesmo tempo, permitindo que apareça? A fim de resolver esse dilema, devemos supor que a postura defensiva não se desenvolveu no intuito de proteger o indivíduo contra os ataques da ansiedade (que, mais tarde, se torna sua função predominante), mas, antes, para protegê-lo de uma mágoa, seja ataque ou rejeição. Se a pessoa tiver sido exposta a ataques repetidos, erigirá suas defesas para se proteger de investidas futuras. O mesmo fazem os países com seu aparato militar. Com o tempo, tanto em nível individual como nacional, a manutenção das defesas torna-se parte do cotidiano. Contudo, manter as defesas é manter acesa a chama do medo de novos ataques, o que acaba justificando um posterior fortalecimento da posição defensiva. Esta também aprisiona aquele que se defende, que termina enclausurado em sua estrutura de defesa. Caso a pessoa não faça esforço nenhum para sair dali, conseguirá manter-se relativamente livre da ansiedade, ainda que atrás das grades.

O perigo surge – sendo a ansiedade um sinal – apenas quando a pessoa tenta abrir, abandonar ou destruir suas defesas. Talvez o perigo não seja real e a pessoa saiba disso conscientemente, mas ela o *sente* como tal. Todo paciente que se abre ou deixa a defesa desmoronar comenta: "Sinto-me vulnerável". É evidente que ele é vulnerável – todos somos –, pois essa é a natureza da vida; no entanto, não *nos sentimos* vulneráveis se não somos atacados. Todos somos mortais, mas não *sentimos* que estamos a ponto de morrer a menos que percebamos a falta de algo crucial para o funcionamento do corpo. A ansiedade pode aumentar no momento em que se vivencia a vulnerabilidade. Se a pessoa entra em pânico, se retrai e tenta retomar as defesas, enfrenta uma grave ansiedade.

Analisemos esse processo bioenergeticamente. Os principais canais de comunicação que partem do coração passam pelo estreito do pescoço e da cintura em direção aos pontos periféricos de contato com o mundo. Se esses canais estiverem abertos, a pessoa será aberta, bem como seu coração. As defesas que erguemos circundam justamente essas passagens estreitas sem, no entanto, cortar por completo a comunicação e o contato, já que isso significaria a morte. As defesas dão margem a uma conexão limitada, a um acesso restrito. Enquanto a pessoa conseguir conter-se nesses limites, estará livre da ansiedade. Porém, trata-se de uma existência confinada e restrita; todos queremos nos abrir mais à vida.

Estamo-nos referindo a níveis ou intensidades de sentimento. Na medida em que a quantidade de sentimento que flui do corpo para o mundo mantiver-se dentro dos limites prescritos pelas tensões musculares, não há ansiedade.

Esta surgirá quando os sentimentos mais intensos tentarem atravessar essa barreira e forem abafados em pânico. O pânico leva o indivíduo a se contrair de tal forma que toda a vida do organismo fique seriamente comprometida.

Nessa perspectiva, qualquer manobra terapêutica eficaz resulta, de início, na experiência de ansiedade. Por isso, quando ela surge no ambiente terapêutico, é vista como sinal positivo, uma vez que força a pessoa a considerar suas defesas de modo mais objetivo, facilitando a elaboração de seus medos tanto em nível psíquico quanto em nível muscular. O progresso terapêutico é caracterizado por mais sentimentos, mais ansiedade e, por fim, mais prazer.

Essas ideias relativas à natureza da ansiedade podem ser retratadas pela Figura 12, que mostra o fluxo de sentimentos que sai do coração e chega pelos estreitos até os órgãos da periferia do corpo. Nota-se que o fluxo de sentimentos corre junto com o fluxo de sangue, responsável pelo suprimento de oxigênio, indispensável à vida, e pelo transporte de substâncias nutritivas para todas as células do corpo.

FIGURA 12

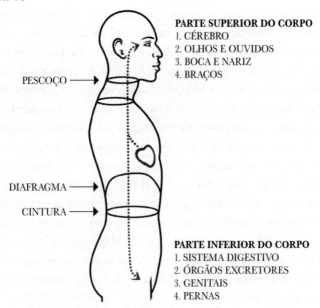

Os principais órgãos da cabeça são o cérebro, os receptores sensoriais, o nariz e a boca. Afora o que diz respeito ao cérebro, as funções mais importantes desses segmentos do corpo estão voltadas para a recepção – sobretudo os braços. O oxigênio, o alimento e a estimulação sensorial entram pela cabeça. O baixo ventre e a pelve estão voltados para a entrega, a saber, a eliminação de excrementos e a descarga sexual. Na visão bioenergética, consideramos as pernas órgãos de descarga, na medida em que põem o organismo em movimento ou o ligam ao chão. Essa polaridade das funções corporais é a essência do conceito de que parte superior do corpo está ligada a processos que conduzem ao incremento da carga ou excitação energética, ao passo que a extremidade inferior volta-se para processos que promovem a descarga de energia.

A manutenção da vida depende tanto de um constante influxo energético (na forma de alimento, oxigênio e estímulos) quanto de uma descarga equivalente de energia. A saúde, ressalto, é um estado de equilíbrio relativo, que leva em conta a energia extra necessária ao crescimento e às funções reprodutoras. A ingestão insuficiente de energia provoca um esvaziamento de suas reservas e a retração dos processos vitais. Por outro lado, quando o nível de descarga é baixo, logo se instala a ansiedade. Às vezes, isso acontece na terapia; em função de uma respiração mais profunda, a energia ou excitação do organismo cresce a um ponto tal que a pessoa teria de descarregá-lo, mas não consegue fazê-lo devido a inibições da autoexpressão que criam obstáculos à descarga emocional. A pessoa ficará nervosa e inquieta; esse estado desaparecerá, porém, assim que ela conseguir liberar o excesso de energia por meio do choro ou do acesso de raiva. Quando confrontada com a própria incapacidade de realizar essa descarga, acaba por restringir a respiração.

Para a maioria das pessoas, a ansiedade é um estado passageiro produzido por determinada situação que excita o corpo de forma desmesurada. Tendemos a manter certo equilíbrio relativo, que infelizmente apresenta um nível de energia muito baixo – por isso tantos se queixam de fadiga crônica e esgotamento. Por sua vez, aumentar o nível de energia sem o auxílio de algum tipo de terapia pode precipitar o surgimento da ansiedade. Assim, a ajuda terapêutica consiste em auxiliar o indivíduo a compreender sua ansiedade e a descarregar a excitação por meio da expressão dos sentimentos. Quando o caminho da autoexpressão está desobstruído, é possível manter um alto nível energético, que resulta em um corpo vibrantemente vivo e aberto à vida.

É preciso enfatizar ainda outro aspecto. A vida não é um processo passivo. O organismo precisa *se abrir e sair em busca* daquilo de que necessita, seja oxigênio, seja alimento. No bebê, ambas as funções (respiração e ingestão de alimento) utilizam o mesmo mecanismo fisiológico: a sucção. O bebê suga o ar para os pulmões do mesmo modo que suga o leite para a boca e depois para o aparelho digestivo. Portanto, como ambas as funções utilizam o mesmo mecanismo, qualquer distúrbio numa delas afetará a outra.

Pensemos no que acontece com o bebê que é desmamado muito precocemente. A maioria dos bebês não aceita de bom grado a perda de seu primeiro objeto de amor. Choram e procuram pelo seio tanto com as mãos quanto com a boca. É assim que expressam amor. À medida que forem frustrados nessa tentativa, ficarão inquietos e inseguros, chorando com raiva. Esse comportamento do bebê evoca uma reação hostil na mãe; assim, ele logo percebe que deve restringir seus desejos. Tal restrição é concretizada pela sufocação dos impulsos de buscar o seio e de chorar. Os músculos do pescoço e da garganta tornam-se contraídos a fim de conter a abertura e assim bloqueiam o impulso. A seguir, a respiração fica comprometida, pois a garganta fechada bloqueia igualmente os impulsos de procurar ar e de sugá-lo. A forte relação entre distúrbios da amamentação e da respiração foi documentada por Margaret A. Ribble em seu livro *Os direitos da criança – As necessidades psicológicas iniciais e sua satisfação*[34].

Usei a amamentação como exemplo do processo ativo de descoberta e de busca. Descobrir algo e buscá-lo são dois movimentos expansivos do organismo em direção a uma fonte de energia ou de prazer. É a mesma ação que subjaz aos movimentos de um bebê que busca contato primeiro com a mãe, depois com um brinquedo e então com o ser amado, já na fase adulta. O mesmo vale para um beijo afetuoso. Quando a criança se vê forçada a obstruir essas ações, forma defesas em nível psíquico e muscular que inibem tais impulsos. Com o passar do tempo, tais defesas tornam-se estruturadas no corpo, formando tensões musculares crônicas, e na psique, configurando as atitudes caracterológicas. Ao mesmo tempo, a lembrança da experiência é reprimida e cria-se um ego ideal, que coloca a pessoa acima do desejo de contato, de intimidade, de sucção e de amor.

Por meio desse exemplo, podemos observar a conexão existente entre os diversos níveis da personalidade. Na superfície, ou seja, no nível do ego, a defesa assume a forma de um eu ideal que diz: "Homem não chora"; e de uma negação: "Eu não queria mesmo isso". Esse tipo de defesa está intimamente vinculado às tensões musculares da garganta e dos braços, as quais impedem a abertura e o ímpeto de buscar algo. Quando essas tensões são muito graves, é quase impossível que a pessoa chore. Encontram-se tensões semelhantes nos ombros, as quais dificultam a extensão total dos braços. No nível emocional mais profundo, há sentimentos suprimidos de tristeza, de desespero, de raiva, de ódio, ao lado de impulsos de morder, do medo e dos anseios mais íntimos. Tudo isso deve ser elaborado antes que o coração da pessoa consiga abrir-se de novo por completo.

Apesar disso, ela não está morta; seu coração anseia por amor, seus sentimentos exigem exprimir-se, seu corpo quer soltar-se. Fazendo, porém, qualquer movimento mais decidido nesse sentido, suas defesas vão estrangular os impulsos e lançá-la na ansiedade. Na maioria dos casos, esta é tão aguda que a pessoa foge e se encerra em si mesma, ainda que isso leve ao rebaixamento do nível de energia, à manutenção de seus desejos em nível mínimo e a uma vida automatizada. Viver com medo de estar totalmente vivo é o estado natural da grande maioria.

5. Prazer: a meta primordial da vida

O PRINCÍPIO DO PRAZER

O objetivo essencial da vida é o prazer, nunca a dor. Trata-se de uma meta biológica, uma vez que, no corpo, o prazer gera a vida e produz bem-estar. Já a dor, como sabemos, é vivida como ameaça à integridade do organismo. Nós nos abrimos ao prazer e o buscamos, ao passo que nos contraímos e fugimos de situações dolorosas. E, quando a situação contém uma promessa de prazer, associada a uma ameaça de dor, sentimos ansiedade.

Esse conceito de ansiedade não depõe contra nossa colocação anterior, pois a promessa de prazer impulsiona o organismo a buscar sua fonte, enquanto a ameaça da dor força o corpo a sufocar esse impulso, criando um estado de ansiedade. O trabalho de Pavlov sobre os reflexos condicionados em cães demonstrou claramente que a ansiedade pode ser produzida pela combinação de estímulos dolorosos e prazerosos. O experimento de Pavlov era muito simples: primeiramente, ele condicionou o cão a reagir a uma campainha oferecendo-lhe comida logo depois de soá-la. Em pouco tempo, o som da campainha, por si, conseguia fazer que o cão se agitasse e salivasse, antecipando o prazer de comer.

Quando esse reflexo estava bem estabelecido, Pavlov alterou a situação dando um choque elétrico no cão toda vez que a campainha tocava. Na mente do cão, o som da campainha associou-se à promessa de comida e à ameaça da dor. O cão viu-se num beco sem saída: queria aproximar-se do alimento, mas temia fazê-lo, o que o lançou num estado gravíssimo de ansiedade.

Esse padrão de ser encurralado por sinais contraditórios é a causa da ansiedade latente em todos os distúrbios neuróticos e psicóticos da personalidade. Esse padrão se estabelece na infância entre pais e filhos. Bebês e crianças veem os pais como fonte de prazer e buscam seu amor. Esse é o padrão biológico normal do ser humano, já que os pais são a fonte de alimento, de contato e de estímulos sensoriais de que os filhos necessitam. Enquanto não deparar com frustrações e privações, a criança será o próprio coração. Porém, esse estado não dura muito numa cultura em que a falta de contato emocional e a frustração são comuns na infância, vindo acompanhadas de punições e ameaças. Os pais, infelizmente, não são apenas uma fonte de prazer: na mente da criança, eles logo são associados à possibilidade de sofrimento. A ansiedade que disso resulta é, em minha opinião, a causa da agitação e da hiperatividade que tantas crianças demonstram. Mais cedo ou mais tarde, as defesas surgem para diminuir a ansiedade, mas também reduzem a vida e o vigor do organismo.

Essa sequência – busca do prazer – privação, frustração ou punição – ansiedade – defesa – explica de modo geral todos os problemas de personalidade. Para entender cada caso, é preciso conhecer as situações específicas que geraram ansiedade e as defesas erigidas para lidar com ela. O tempo é outro fator importante: quanto mais cedo a ansiedade se manifesta, mais insidiosa ela se torna e mais estruturadas ficam suas defesas. A natureza e a intensidade da dor esperada desempenham papel fundamental na determinação da posição defensiva.

Quase todos nós erguemos defesas contra a busca do prazer, pois no passado ela foi fonte de grande ansiedade. Tais defesas não bloqueiam por completo todos os impulsos de busca do prazer, pois se o fizessem resultariam na morte do indivíduo. Em última instância, a morte é a maior defesa contra a ansiedade. Porém, como toda defesa acaba por limitar a vida, trata-se de uma morte parcial. As barreiras permitem que, em determinadas condições e em certos níveis, alguns impulsos as perpassem. No entanto, como já vimos, as defesas variam de um indivíduo para outro, embora possam ser reunidas em vários grupos.

Segundo a bioenergética, os diversos tipos de defesa são agrupados sob o título de "estruturas de caráter". Define-se caráter como um padrão fixo de comportamento, como o modo típico do indivíduo de conduzir sua busca do prazer. Estrutura-se no corpo na forma de tensões musculares crônicas, generalizadas e inconscientes, as quais bloqueiam ou limitam os impulsos em seu trajeto até o objeto ou fonte. O caráter é também uma atitude psíquica respaldada por um sistema de negações, racionalizações e projeções voltado para um ego ideal que confirme seu valor. A identidade funcional do caráter psíquico, ao lado da estrutura corporal ou atitude muscular, é a chave da compreensão da personalidade, já que nos permite decifrar o caráter partindo do corpo e explicar uma atitude corporal por meio de seus componentes psíquicos – e vice-versa.

Bioenergética

Nós, terapeutas bioenergéticos, não abordamos o paciente com base num catálogo de tipos de personalidade. Nós o encaramos como um indivíduo único no qual a busca do prazer foi bloqueada pela ansiedade, contra a qual ele erigiu certas defesas. Ao determinar sua estrutura de caráter, seremos capazes de conhecer seus problemas mais profundos e, assim, ajudá-lo a se libertar das limitações impostas por experiências prévias. Porém, antes que eu descreva física e psicologicamente os tipos de personalidade, gostaria de discutir a natureza teórica do prazer.

O prazer pode ser definido de muitas maneiras. Quando o organismo funciona suave e harmonicamente, surge o prazer, da mesma forma que a ansiedade ou o sofrimento são vivenciados quando o corpo está desequilibrado ou ameaçado. Outra situação que nos gera prazer é a busca de algo. De modo natural, vamos em busca daquilo que é prazeroso, mas repito que o ato de procurar é, por si só, a base da experiência prazerosa. Representa a expansão de todo o organismo, um fluxo de sentimentos e energia que ruma para a periferia do corpo e para o mundo. Em última instância, os sentimentos são a percepção de movimentos no organismo. Assim, quando dizemos que a pessoa irradia bem-estar, significa que os movimentos de seu corpo, sobretudo os internos, são ritmados, soltos e abertos.

Em consequência, podemos definir prazer como a percepção de um movimento expansivo que leva o corpo a se abrir, buscar algo, fazer contato. Já os atos de fechar-se em copas, fugir, conter e reter, longe de ser experimentados como prazer, podem inclusive ser vividos como dor ou ansiedade. Como a dor deriva da pressão gerada quando a energia do impulso é bloqueada, a única maneira de evitá-la é construir uma defesa contra tal impulso. Se este é reprimido, não há dor nem ansiedade, mas também não há prazer. Pode-se determinar o que está acontecendo pela expressão do corpo.

Quando a pessoa sente prazer, seus olhos tornam-se brilhantes, a pele, rosada e quente, os gestos, fáceis e vivos; toda sua postura fica suave e solta. Esses sinais visíveis são a manifestação do fluxo de sentimentos, sangue e energia pra a periferia do corpo – o equivalente psicológico de um impulso expansivo e aberto no corpo. A falta desses sinais indica que a pessoa não vivencia o prazer e experimenta a dor, esteja ou não consciente disso. No livro *Prazer*, afirmei que a dor é ausência de prazer, e certos sinais corporais corroboram essa tese. O embotamento dos olhos denota que eles estão sem vida. A pele pálida e rígida, fruto da constrição dos capilares e das arteríolas, mostra que o sangue não chega à superfície do corpo. A rigidez e a falta de espontaneidade sugerem que a carga energética não flui livremente pelo sistema muscular. Tudo isso se soma a um estado de contração do organismo que revela o aspecto somático da dor.

Devo ressaltar que alguns indivíduos apresentam uma mistura desses sintomas: parte de seu corpo é tépida, macia e brilhante, enquanto outra porção mostra-se fria, tensa e pálida. A linha que separa tais sintomas nem sempre é nítida, mas pode ser vista e sentida. Um exemplo desse problema é o do indivíduo que apresenta cor e tônus na parte superior do corpo enquanto na parte inferior acontece o oposto: falta de cor (tonalidade acastanhada), baixo tônus muscular e um peso desproporcional em relação à parte de cima. Isso significa que o fluxo de sentimentos – sobretudo sexuais – não chega até os membros inferiores, que vivem presos ou contraídos. Há também os casos de tronco quente e extremidades frias; isso denota que a tensão está contida nos membros periféricos, os quais fazem contato com o mundo externo. O ditado "mãos frias, coração quente" corrobora essa interpretação.

Ao considerarmos um corpo, nosso objetivo fundamental é determinar até que ponto o organismo é capaz de se expandir ou de ter uma reação favorável ao ambiente. Tal reação, como vimos, implica um fluxo de sentimento, excitação ou energia do núcleo ou coração da pessoa para as estruturas e os órgãos periféricos. A reação prazerosa é também calorosa e amorosa, pois o coração está em comunicação direta com o mundo exterior. Aquele cuja tensão muscular crônica bloqueia os canais de comunicação do coração e limita o fluxo de energia para a periferia do corpo sofre de várias maneiras. Talvez ele se sinta frustrado e insatisfeito com a vida; talvez experimente ansiedade e depressão, retração e alienação. Pode ser que desenvolva certos distúrbios somáticos. Uma vez que essas são as principais queixas no consultório psiquiátrico, fica claro que sua eliminação só pode ocorrer se a plena capacidade de sentir prazer for restabelecida.

O corpo humano tem seis regiões principais de contato com o mundo exterior: o rosto, incluindo os órgãos sensoriais aí localizados; as mãos; o aparelho genital; e os pés. Há áreas de importância secundária, como os seios, a pele em geral e as nádegas. Essas seis áreas principais configuram uma forma interessante que se visualiza bem quando a pessoa está em pé com pernas e pés afastados e braços e mãos abertos e estendidos. O corpo assemelha-se à Figura 13, que ilustra os seis pontos mencionados:

Bioenergética

FIGURA 13

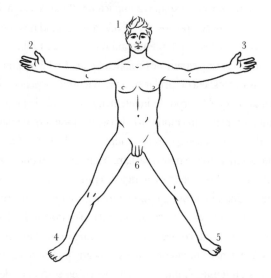

Convertendo essa figura num diagrama dinâmico, como a Figura 14, as seis áreas representam as partes mais prolongadas do corpo, energeticamente falando.

O ponto 1 representa a cabeça, local das funções egoicas e base dos órgãos sensoriais de audição, gustação, visão e olfato; os pontos 2 e 3 representam as mãos, que tocam e manipulam o ambiente; os pontos 4 e 5 representam os pés, responsáveis pelo contato básico com o chão, enquanto o ponto 6 indica o aparelho genital, principal órgão de contato e de relacionamento com o sexo oposto.

FIGURA 14

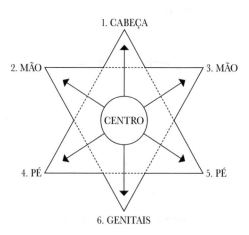

Uma reação prazerosa e expansiva implica um fluxo de carga do centro do organismo para todos os seis pontos; estes podem ser entendidos como extensões do organismo, como se fossem os pseudópodos da ameba. Embora sejam estruturas fixas, existe certa capacidade de prolongamento. Os lábios podem estirar-se ou se retrair e os braços, encompridar-se ou se encurtar, dependendo da amplitude da extensão daquele corpo. Evidentemente, os genitais tanto do homem quanto da mulher funcionam como verdadeiras extensões do organismo quando estão repletos de sangue, carregados de sentimento e dilatados. Os membros inferiores são menos maleáveis e pouco variam. Na medida em que o pescoço é um segmento flexível, a cabeça pode estar rígida, erguida em excesso ou afundada entre os ombros. Quando o contato com o ambiente é forte, o intercâmbio energético nesses pontos mostra-se intenso. Por exemplo, dois indivíduos excitados estabelecem contato visual, conseguem sentir a carga que passa por entre seus olhos. Da mesma forma, é muito diferente ser tocado por mãos carregadas e por mãos frias, secas ou tensas. A interação energética no sexo é, evidentemente, a forma mais intensa de todos os contatos, mas a qualidade e o teor dessa troca dependem de quanta energia está fluindo para essa área de contato.

O EGO E O CORPO

O adulto atua simultaneamente em dois níveis: no mental ou psíquico e no físico ou somático. Isso não significa que estejamos negando a unidade organísmica. Uma das teses básicas da bioenergética, que tomamos emprestado de Reich, diz que todos os processos biológicos, sem exceção, são caracterizados pela antítese e pela unidade. A dualidade e a unidade são integradas por um conceito dialético, como vemos na Figura 15.

FIGURA 15

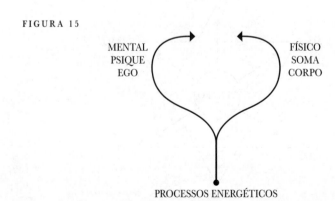

PROCESSOS ENERGÉTICOS

Num indivíduo de personalidade saudável, os níveis físico e mental cooperam entre si para promover o bem-estar. Na pessoa perturbada, há áreas de sentimento e de comportamento nas quais esses dois níveis – ou aspectos da personalidade – estão em conflito, o que cria bloqueios à livre manifestação de impulsos e de sentimentos. Não estou me referindo à inibição voluntária de determinadas manifestações sujeitas ao controle consciente. Refiro-me às restrições inconscientes de movimentos e de expressões. Esses bloqueios limitam a capacidade do indivíduo de buscar a satisfação de suas necessidades; assim, representam uma redução da capacidade de sentir prazer.

Coloquemos agora a antítese com relação a ego e corpo, e não dos aspectos mental e físico. Isso nos permitirá introduzir os conceitos de ego ideal e de autoimagem como forças que podem opor-se à luta corporal em busca do prazer. Estes derivam do papel do ego como agente sintetizador. Ele é a instância mediadora entre os mundos interior e exterior, entre si e os outros. Sua função de síntese origina-se de sua posição na superfície do corpo e na superfície da mente[35]. Ele forma uma imagem do mundo externo à qual todo organismo deve se adaptar, e, ao fazê-lo, molda a autoimagem do indivíduo. Por sua vez, essa autoimagem dita que sentimentos e impulsos podem ser expressos. Na personalidade, o ego é o representante da realidade.

Mas o que é a realidade? A imagem mental que temos dela nem sempre corresponde à situação real. Fomos desenvolvendo tal imagem ao longo do nosso processo de crescimento, tendo ela refletido muito mais nossas experiências infantis e familiares do que aquelas da fase adulta e social. Esses dois universos não são totalmente diversos, uma vez que a família reflete a vida mais ampla em sociedade; de qualquer maneira, o mundo social oferece muito mais possibilidade de relacionamento do que a apresentada pelo familiar. Por exemplo: quando crianças, talvez tenhamos aprendido que pedir ajuda é sinal de fraqueza e de dependência. Se esse ensinamento veio associado ao ridículo de sentir-se desamparado e dependente, dificilmente conseguiremos pedir auxílio – mesmo em situações nas quais esse préstimo esteja à nossa disposição. O indivíduo desenvolve uma imagem do ego segundo a qual ele deve ser independente e fazer as coisas sempre sozinho, sentindo-se ridicularizado e humilhado se trair essa imagem. E, de modo inconsciente, escolherá relações em que sua falsa independência será admirada e estimulada, reforçando assim uma autoimagem irreal.

Para compreender a formação do caráter, devemos levar em conta o processo dialético ativo que permeia o ego e o corpo. A imagem egoica molda o corpo por meio do controle exercido pelo ego sobre os músculos voluntários. Inibimos, por exemplo, o impulso de chorar impelindo o queixo, contraindo a garganta, prendendo a respiração e enrijecendo a barriga. A raiva, manifesta em socos, pode ser inibida contraindo-se os músculos da cintura escapular, o que empurra os ombros para trás. De início, a inibição é consciente e objetiva poupar a pessoa de mais conflitos e dores. No entanto, a contração consciente e voluntária dos músculos requer um grande investimento de energia e não pode, portanto, ser mantida indefinidamente. Quando a inibição de um sentimento deve ser mantida por tempo indeterminado porque sua expressão não é aceita no mundo da criança, o ego abandona seu controle sobre a ação proibida e retira sua energia do impulso. A retenção contra o impulso torna-se assim inconsciente, e o(s) músculo(s) permanece(m) contraído(s) por falta de energia para expandir-se e relaxar. Essa energia pode então ser investida em outras ações consideradas aceitáveis, processo que dá origem à imagem do ego.

Duas consequências resultam dessa rendição: 1) A musculatura da qual a energia é retirada entra em um estado de contração crônica ou espasticidade que impede que o sentimento inibido seja expresso. O impulso é, assim, efetivamente suprimido, e a pessoa já não sente o desejo inibido. Porém, o impulso suprimido não desapareceu. Encontra-se dormente sob a superfície do corpo, onde não afeta a consciência. Sob estresse intenso ou com provocação suficiente, o impulso pode se tornar tão carregado que rompe a inibição ou o bloqueio. É o caso da explosão histérica ou da raiva assassina. 2) Ocorre uma diminuição no metabolismo energético do organismo. As tensões musculares crônicas impedem a respiração natural plena, levando à queda do nível de energia. A pessoa talvez consiga obter oxigênio suficiente para atividades comuns, de modo que seu metabolismo basal pareça normal. No entanto, sua dificuldade respiratória aparecerá em situações tensas, quer como incapacidade de obter ar em quantidade suficiente, quer, mais provavelmente, na forma de incapacidade de enfrentar a tensão.

Nessas circunstâncias, a condição do corpo força a dialética a trabalhar em sentido inverso. A situação física molda o pensamento e a autoimagem do indivíduo. Um nível de energia mais baixo o obriga a fazer certos ajustes em seu estilo de vida. Ele necessariamente evitará situações que possam evocar seus sentimentos reprimidos e justificará essa evitação desenvolvendo racionalizações sobre a natureza da realidade. Tais manobras são dispositivos do ego para evitar que o conflito emocional se torne consciente. Por essa razão eles são chamados de defesas do ego. Além da evitação, as outras defesas do ego são negação, projeção, provocação e culpa. Estas são apoiadas pela energia retirada do conflito. O indivíduo está, assim, blindado caracterologicamente contra os impulsos suprimidos. No nível físico, ficará protegido por tensões musculares crônicas. Enclausurado por esse processo, ele só conseguirá viver e agir de modo limitado e em áreas bastante restritas.

Depois de alcançar certa estabilidade e segurança, o ego orgulha-se de suas realizações. A pessoa obtém uma satisfação egoica de seus ajustes e compensações. O homem que não pode chorar considera essa incapacidade um sinal de força e coragem, talvez até ridicularizando homens ou meninos que choram facilmente; assim, seu traço neurótico acaba se tornando uma virtude. O indivíduo que não consegue zangar-se nem ter gestos agressivos poderá transformar esse déficit em qualidade, afirmando que levar sempre em conta a opinião do outro é o mais correto a fazer. A mulher que não consegue se abrir para o amor usará o sexo e a submissão como meio de obter o contato necessário, sentindo-se com isso particularmente sensual e feminina.

Toda tensão muscular bloqueia a busca individual do prazer. Diante de tais restrições, o ego manipula o ambiente em prol da necessidade do corpo de contato e prazer. Justifica tal manipulação como necessária e normal, pois perdeu o contato com o conflito emocional que o forçou a essa postura. O conflito tornou-se estruturado no corpo, estando fora do alcance do ego. A pessoa até poderá dar certa atenção à ideia de mudar, mas enquanto não encarar seu problema no nível do corpo a mudança real é bastante improvável.

Para compreender a relação complexa entre o ego e o corpo, devemos integrar dois pontos de vista opostos da personalidade humana[36]. O primeiro sai do chão e, segundo este, a hierarquia das funções de personalidade aparece como uma pirâmide, como mostra a Figura 16.

A base da pirâmide consiste nos processos do corpo que mantêm a vida e sustentam a personalidade. Eles descansam e estão em contato com a terra ou o ambiente natural. Tais processos dão origem a sentimentos e

FIGURA 16

emoções, que, por sua vez, levam a processos de pensamento. No ápice está o ego, que na bioenergética é identificado com a cabeça. As linhas pontilhadas mostram que todas as funções estão conectadas umas às outras, numa relação de interdependência.

O ego e o corpo podem ser comparados com a relação existente entre um general e suas tropas. Sem o general ou um oficial encarregado de dar ordens, as tropas constituem não um exército, mas uma multidão. Sem tropas, um general é apenas uma figura decorativa. Quando o Estado-Maior e as tropas agem em conjunto harmoniosamente e em contato com a realidade, temos um exército coordenado e eficiente. Quando estão em conflito, há desordem e problemas. Isso pode acontecer quando o general vê suas tropas como números ou peões num jogo de tabuleiro. Talvez ele tenha esquecido que na guerra se luta não só usando tropas, mas em benefício delas, e não pela glória dos comandantes. Da mesma forma, o ego pode perder de vista o fato de que é o corpo que conta e não a imagem que dele se pretende apresentar.

Do ponto de vista do general, a hierarquia normal de autoridade dentro de um exército seria invertida. Não há general que trabalhe sozinho, a menos que se sinta o todo-poderoso. Vale o mesmo quando se trata de ego e corpo. Segundo a figura a seguir – ou seja, do ponto de vista do ego –, a pirâmide das funções da personalidade seria invertida. A perspectiva superior mede o grau de consciência ou de controle. O ego recebe o maior investimento de consciência do que as outras funções. Temos mais consciência de nossos pensamentos do que de nossos sentimentos, e menos consciência ainda de nossos processos corporais. Essa é a visão geral da hierarquia do exército em termos de poder. Pode ser equiparada à posição segundo a qual as funções da personalidade são vistas pela ótica do conhecimento, que é uma operação do ego. Por outro lado, o corpo tem uma sabedoria particular que antecipa e precede a aquisição de conhecimento.

FIGURA 17

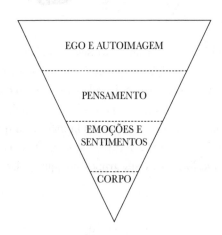

Ambas as formas de considerar a personalidade humana podem ser integradas pela superposição dos dois triângulos, configurando, assim, uma figura de seis pontas, usada na seção anterior para representar o corpo todo. A linha pontilhada serve para indicar em que ponto o conflito é mais intenso: na região do diafragma ou na cintura, onde as duas metades do corpo se encontram.

Os dois triângulos podem representar ainda inúmeras outras relações de polaridade na vida: céu e inferno, dia e noite, macho e fêmea, fogo e água. Curiosamente, os chineses usam um diagrama diferente para descrever a dualidade das forças vitais, que na filosofia chinesa são chamadas de *yin* e *yang*. A diferença entre os dois diagramas sugere dois estilos de vida diferentes. O símbolo chinês, circular, enfatiza o equilíbrio. Já o diagrama de seis pontas, também conhecido como estrela de Davi, acentua a interação, como mostram as figuras 18A e 18B.

Essas forças não só interagem no organismo para produzir o ímpeto característico das atividades ocidentais como o obrigam a interagir agressiva-

FIGURAS 18A E 18B

mente com o ambiente. O termo "agressivo", aqui, não é usado em seu sentido destrutivo, em oposição a "passivo". A agressividade ocidental tem seus aspectos positivos e negativos. Seja qual for o aspecto predominante, seu objetivo é a mudança, em contraste com a atitude oriental, que visa à estabilidade. Para simplificar, divido as atividades humanas em quatro grupos: intelectual, social, criativo e físico, inclusive sexual. O conceito de interação torna-se claro se localizarmos esses grupos nos quatro lados do diagrama, como na Figura 19.

FIGURA 19

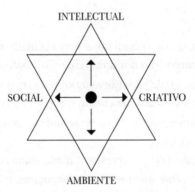

Agora, se combinarmos a Figura 19 com a Figura 13 (página 119), teremos uma imagem das forças dinâmicas envolvidas na personalidade humana.

A força dos impulsos que constituem a base da interação de uma pessoa com o mundo depende da força dos processos bioenergéticos em seu corpo. Além disso, a eficiência desses impulsos para obter a satisfação das necessidades depende de sua liberdade para expressá-las. Padrões reprimidos ou tensões musculares crônicas que bloqueiam o fluxo de impulsos e

FIGURA 20

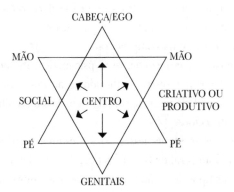

sentimentos não só enfraquecem a eficiência da pessoa em si como limitam seu contato e suas interações com o mundo. O sentido de pertinência e de participação no mundo é reduzido, o que, em última análise, restringe o nível de espiritualidade.

Não é minha intenção argumentar contra ou a favor do modo de vida ocidental. Ao sermos excessivamente agressivos, ou seja, portando-nos como exploradores e manipuladores, perdemos o senso de equilíbrio, tão importante. Permitimos ao ego subverter o corpo e usamos o conhecimento para negligenciar a sabedoria do corpo. É preciso recuperar um equilíbrio adequado tanto dentro de nós mesmos quanto em nossas relações com o mundo que habitamos. Porém, duvido que tal equilíbrio possa ser reconquistado rejeitando as atitudes ocidentais em favor das orientais. Afinal, o Oriente agora tenta com afinco adotar caminhos ocidentais.

CARACTEROLOGIA

Na bioenergética, as diferentes estruturas de caráter são classificadas em cinco tipos básicos. Cada tipo tem um padrão especial de defesa nos níveis psicológico e muscular que o distingue dos outros. É importante notar que se trata de uma classificação não de pessoas, mas de posições defensivas. Reconhece-se que nenhum indivíduo é um tipo puro e que cada pessoa em nossa cultura combina em diferentes graus, dentro de sua personalidade, alguns ou todos esses padrões defensivos. A personalidade de um indivíduo, como algo distinto da sua estrutura de caráter, é determinada por sua vitalidade – isto é, pela força de seus impulsos e pelas defesas erguidas para controlá-los. Não há dois indivíduos iguais no que se refere à vitalidade inerente do organismo ou aos padrões de defesa decorrentes de sua experiência de vida. No entanto, falaremos aqui em tipos por uma questão de clareza na comunicação e na compreensão.

Os cinco tipos são: esquizoide, oral, psicopático, masoquista e rígido. Utilizamos tais termos por serem conhecidos e aceitos como definições de distúrbios da personalidade no meio psiquiátrico. Nossa classificação não viola os critérios estabelecidos.

A descrição que se segue desses tipos é esquemática, uma vez que é impossível, nesta visão geral da bioenergética, discutir detalhadamente cada distúrbio. Como os tipos de caráter mostram-se bem complexos, serão mencionados apenas os aspectos mais amplos de cada um.

ESTRUTURA DE CARÁTER ESQUIZOIDE

Descrição

O termo "esquizoide" deriva de "esquizofrenia" e denota um indivíduo em cuja personalidade há tendências ao estado esquizofrênico. Essas tendências são: 1) Cisão no funcionamento unitário da personalidade. Por exemplo, os pensamentos tendem a dissociar-se dos sentimentos; os pensamentos parecem ter pouca conexão com a forma como o indivíduo se sente ou se comporta. 2) Refúgio dentro de si mesmo, rompendo ou perdendo contato com a realidade externa. O indivíduo esquizoide não é esquizofrênico e talvez nunca o seja, mas essas tendências estão presentes em sua personalidade, em geral bem compensadas.

O termo "esquizoide" descreve uma pessoa cujo senso de si está diminuído, cujo ego é fraco e cujo contato com seu corpo e seus sentimentos mostra-se bastante reduzido.

Situação bioenergética

A energia está retida aquém das estruturas periféricas do corpo, ou seja, dos órgãos que fazem contato com o mundo externo: o rosto, as mãos, os genitais e os pés. Tais órgãos mostram-se em parte desconectados energicamente do centro, isto é, a excitação do centro não flui livremente para eles, mas é bloqueada por tensões musculares crônicas na base da cabeça, dos ombros, da pelve e das articulações do quadril. Assim, as funções desempenhadas por esses órgãos tornam-se dissociadas dos sentimentos no núcleo da pessoa.

Bioenergética

A carga interna tende a endurecer-se na área central. Em consequência, a formação de impulsos é fraca. No entanto, a carga é de matiz explosivo (dada sua compressão) e pode irromper em violência ou em assassinato. Isso acontece quando a defesa não consegue conter o organismo e este se vê inundado com uma quantidade de energia que não consegue manipular. A personalidade se cinde e um estado esquizofrênico se desenvolve. Não são incomuns os assassinatos nessa situação.

A defesa consiste em um padrão de tensões musculares que mantêm a personalidade unida, evitando que as estruturas periféricas se inundem de sentimento e energia. Tais tensões musculares são as mesmas que apontamos como responsáveis pelo rompimento do contato entre os órgãos periféricos e o centro. Assim, a defesa é o problema.

Há, energeticamente, uma cisão do corpo na altura da cintura; resulta daí a falta de integração entre as partes superior e inferior, como vemos na Figura 21.

FIGURA 21 — As linhas duplas indicam os limites energéticos contraídos do caráter esquizoide. As linhas pontilhadas denotam a falta de carga nos órgãos periféricos e sua falta de contato com o núcleo. A linha pontilhada no centro da estrutura esquizoide aponta a cisão das duas metades do corpo.

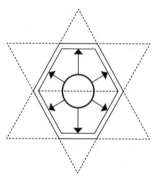

Aspectos físicos

Na maioria dos casos, o corpo é estreito e contraído. Diante da existência de elementos paranoides na personalidade, o corpo fica mais cheio e mais atlético.

As principais áreas de tensão localizam-se na base do crânio, nas articulações dos ombros, nas articulações pélvicas e no diagrama. Neste último caso, é tão grave que tende a cindir o corpo em duas partes. As espasticidades predominantes estão situadas nos pequenos músculos que circundam as articulações. Pode-se ver, nesse tipo de caráter, tanto uma rigidez extrema como hiperflexibilidade nas articulações.

O rosto lembra uma máscara. Os olhos, embora não sejam vagos como nos esquizofrênicos, não têm vivacidade nem fazem contato. Os braços pendem como apêndices mais do que como extensões do corpo. Os pés estão contraídos e frios; é comum que sejam voltados para dentro. O peso do corpo é jogado para as bordas externas dos pés.

Com frequência, há uma discrepância marcante entre as duas metades do corpo. Em muitos casos, é como se elas não pertencessem à mesma pessoa.

Em situações de tensão, por exemplo, quando a pessoa adota uma postura recurvada, a linha do corpo parece muitas vezes estar quebrada. A cabeça, o tronco e as pernas formam ângulos entre si, tal como ilustramos no Capítulo 2.

Correlações psicológicas
Pela falta de conexão com o corpo, o senso de si é deficitário. A pessoa não se sente conectada nem integrada.[37]

A tendência à dissociação, representada no nível corporal pela falta de conexão energética entre a cabeça e o resto do corpo, cinde a personalidade em atitudes opostas. Assim, a pessoa pode ter atitudes arrogantes e também depreciativas; talvez aja como uma virgem e se sinta uma prostituta. Esse último exemplo também reflete a cisão do corpo em duas metades, inferior e superior.

O caráter esquizoide apresenta-se hipersensível devido a um limite precário em torno do ego, o qual é a contrapartida psicológica da falta de carga periférica. Essa fraqueza reduz sua resistência a pressões externas e obriga-o a vindas de fora, forçando a pessoa a fugir em legítima defesa.

O caráter esquizoide, além disso, tem forte tendência a evitar relacionamentos íntimos e afetuosos. Na verdade, tais relações são muito difíceis de estabelecer devido à falta de energia nas estruturas periféricas de contato.

Usar a vontade para motivar ações dá ao comportamento esquizoide uma tonalidade artificial; trata-se do assim chamado comportamento "como se", quer dizer, como se estivesse fundado em sentimentos, embora as ações em si não os expressem.

Fatores históricos e etiológicos

É importante apresentarmos aqui alguns dados históricos sobre a origem da estrutura esquizoide. Os comentários a seguir resumem observações de estudiosos do problema que trataram e analisaram muitas pessoas portadoras desse distúrbio.

Em todos os casos, há evidências de rejeição materna logo no início da vida do paciente, a qual foi sentida como ameaça à sua existência. A rejeição é acompanhada de uma hostilidade encoberta – e muitas vezes também manifesta – por parte da mãe.

A rejeição e a hostilidade criam no paciente o medo de que toda busca, toda tentativa de autoafirmação conduza a esse aniquilamento.

Seu histórico revela a falta de qualquer sentimento positivo de segurança ou de alegria. São comuns, durante a infância, os terrores noturnos.

Tanto a conduta impassível quanto o retraimento e as crises de raiva fazem-se presentes; é o que se denomina comportamento autista.

Se algum dos pais tiver protegido em excesso a criança, durante o período edípico, por motivos sexuais – algo bastante comum –, acrescenta-se um elemento paranoico à personalidade. Essa situação dá margem a um pouco de "acting-out"[38] no final da meninice e durante a fase adulta.

Dado esse histórico, a criança não tem alternativa senão dissociar-se da realidade (intensa vida de fantasia) e de seu corpo (inteligência abstrata) para sobreviver. Como os sentimentos predominantes foram o terror e uma fúria assassina, a criança encarcera todos os sentimentos para se defender a si mesma.

ESTRUTURA DE CARÁTER ORAL

Descrição

Descrevemos como estrutura de caráter oral a personalidade que carrega muitos traços típicos da primeira infância (fase oral). Esses traços implicam pouca independência, tendência a "grudar" nos outros, agressividade precária e uma sensação interna de precisar ser carregado, apoiado, cuidado. Denotam uma falta de satisfação no período da infância e representam um grau de fixação nesse nível de desenvolvimento. Em certas pessoas, estes traços são disfarçados por atitudes compensatórias adotadas conscientemente. Algumas personalidades com essa estrutura demonstram uma independência exagerada que, no entanto, não se sustenta em situações de tensão. A experiência subjacente ao caráter oral é a privação, ao passo que a experiência correspondente do esquizoide é a rejeição.

Situação bioenergética
A estrutura oral tem baixa carga energética. A energia não está fixada no centro, como na condição esquizoide, mas flui fracamente até a periferia do corpo.

Por motivos ainda não totalmente claros, o crescimento linear é favorecido, resultando num corpo longo e esguio. Uma explicação possível é que o atraso na maturação permite aos ossos de grande comprimento crescer mais do que o normal. Outro fator pode ser a incapacidade dos músculos subdesenvolvidos de conter o crescimento ósseo.

A falta de energia e de força é mais notória na parte inferior do corpo, uma vez que o desenvolvimento do organismo infantil se processa em direção céfalo-caudal.

Todos os pontos de contato com o ambiente têm uma carga menor do que a necessária. A vista é fraca e tende à miopia, e o nível de excitação genital é reduzido. Essa situação bioenergética é ilustrada na Figura 22.

FIGURA 22

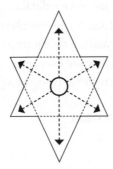

Características físicas
O corpo tende a ser esguio e fino, correspondendo ao tipo ectomórfico de Sheldon. Difere do corpo esquizoide por não mostrar-se excessivamente enrijecido.

A musculatura é subdesenvolvida mas não fibrosa como no corpo esquizoide. A falta de desenvolvimento é mais perceptível nos braços e nas pernas. Pernas compridas e finas são um sinal comum dessa estrutura. Os pés são também finos e estreitos. As pernas não dão a impressão de sustentar o corpo. Os joelhos ficam quase sempre travados, fornecendo um apoio rígido extra.

O corpo evidencia uma tendência a escorregar, devido, em parte, à fraqueza do sistema muscular.

É comum encontrarmos sinais físicos de imaturidade. A pelve é menor do que o normal em ambos os sexos e há poucos pelos no corpo. Em algumas mulheres, todo o processo de crescimento é retardado, conferindo-lhes corpo de criança.

A respiração é superficial, o que explica o baixo nível energético em seu corpo. A privação sofrida durante a fase oral reduziu a força do impulso de sugar. Uma boa respiração depende da capacidade de sugar o ar.

Correlações psicológicas
O indivíduo de caráter oral tem dificuldades para ficar sobre os pés – literal e figuradamente. Tende a apoiar-se em ou a agarrar-se aos outros. Mas, como já mencionei, essa tendência pode ser mascarada por uma atitude exagerada de independência. O apego também se reflete na incapacidade de ficar sozinho. Há uma necessidade excessiva de estar em companhia de outras pessoas, para receber seu calor e seu apoio.

A pessoa de caráter oral sofre de uma sensação de vazio. Procura constantemente os outros para que preencham essa lacuna, embora por vezes aja como se fosse autossuficiente. O vazio interno reflete a supressão de sentimentos intensos, de desejos que, caso fossem expressos, resultariam num choro profundo e numa respiração mais completa.

Devido a seu baixo nível de energia, o indivíduo de caráter oral está sujeito a alternâncias de humor, indo da depressão à elação. A tendência à depressão é característica aos traços orais na personalidade.

Outra característica oral típica é achar que todo mundo lhe deve alguma coisa. Pode manifestar-se pela ideia de que o mundo deve sustentá-lo e deriva diretamente da experiência inicial de privação.

Fatores etiológicos e históricos
A privação precoce pode ser devida à perda real de uma figura materna calorosa e presente, seja por morte, doença ou ausência determinada pela necessidade de trabalhar. A mãe deprimida não tem condições de estar disponível para seu filho.

O histórico revela muitas vezes um desenvolvimento precoce, como aprender a falar e a andar mais cedo que o normal. Explico esse adiantamento como uma tentativa de superar o sentimento de perda tornando-se independente. É comum ter havido outras experiências de decepção no início da vida, quando a criança tentou buscar contato, calor humano e apoio com o pai e os irmãos, mas sem sucesso. Tais frustrações podem deixar um sentimento de amargura na personalidade.

Surtos depressivos no final da infância e no início da adolescência são comuns. A criança oral não mostra, porém, o mesmo comportamento autista da criança esquizoide. Devemos reconhecer que pode haver elementos esquizoides na personalidade oral, assim como pode haver elementos orais na estrutura esquizoide.

ESTRUTURA DE CARÁTER PSICOPÁTICO

Descrição

Esta estrutura requer algumas palavras de introdução. Trata-se de um tipo de caráter que não analisei nem descrevi em meus estudos anteriores. Pode ser uma estrutura bastante complexa, mas, por uma questão de brevidade e de clareza, descreverei uma forma simples desse distúrbio.

A essência da atitude psicopática é a *negação* dos sentimentos. Essa atitude contrasta com o caráter esquizoide, que *se dissocia* deles. Na personalidade psicopática, o ego, ou a mente, volta-se contra o corpo e seus sentimentos, sobretudo os de natureza sexual. Esse é o motivo pelo qual o termo "psicopatologia" surgiu. A função normal do ego é dar apoio às tentativas do corpo de encontrar prazer e não de subvertê-las a favor de uma imagem do ego. Há em todos os caracteres psicopáticos um grande investimento de energia na própria imagem, além da busca de poder e da necessidade de dominar e controlar.

O motivo de esse tipo de caráter ser complexo é o fato de existirem dois modos de controlar os outros: a) pela opressão e pela intimidação, caso em que, se a pessoa oprimida não se opuser ao tirano, torna-se, em certo sentido, sua vítima; b) pela deslegitimação do outro, feita por meio de uma abordagem sedutora que é bastante eficaz contra indivíduos ingênuos; estes caem direitinho nas redes do poder psicopata.

Situação bioenergética

Há dois tipos de corpo que correspondem às duas estruturas psicopáticas. Como o tipo tirânico é mais facilmente explicável em termos bioenergéticos,

Bioenergética

decidi empregá-lo para ilustrar a seção. A dominação acontece quando um indivíduo ultrapassa o outro. Nesse tipo, há um deslocamento nítido de energia para a extremidade cefálica do corpo, com a redução concomitante de carga na parte inferior do organismo. Os dois segmentos do corpo mostram-se desproporcionais, sendo o superior mais largo e predominante na aparência.

Há, em geral, uma constrição muito clara ao redor do diafragma e da cintura que bloqueia a descida do fluxo de energia e de sentimentos.

A cabeça comporta uma carga de energia acima do normal, o que indica uma hiperexcitação da capacidade mental; daí resulta uma contínua atenção aos meios de conseguir controlar e dominar as situações.

Os olhos são atentos ou desconfiados e não estão abertos para as inter-relações. Essa "cegueira" diante da percepção e da compreensão é marca distintiva de todas as personalidades psicopáticas.

A necessidade de controle também é dirigida contra si. A cabeça mantém-se muito erguida (não se deve perder a cabeça) mas, por sua vez, o indivíduo mantém o corpo rijo nos limites de seu controle. A Figura 23 ilustra essas relações energéticas.

FIGURA 23

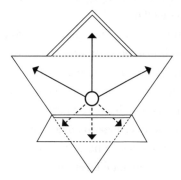

Características físicas

O corpo do tipo tirânico mostra um desenvolvimento desproporcional da metade superior, dando a impressão de estar cheio de ar – o que corresponde à imagem de ego da pessoa, toda cheia de si. Pode-se dizer que a estrutura pesa no topo, sendo também rígida. A parte inferior do corpo é mais estreita e poderá evidenciar a fraqueza típica da estrutura oral de caráter.

O corpo do segundo tipo, que denominei sedutor ou debilitador, é mais regular e não tem aparência inflada. Em geral, as costas são hiperflexíveis.

Em ambos os casos há um distúrbio do fluxo entre as duas metades do corpo. No primeiro tipo, a pelve tem carga reduzida, sendo sustentada de maneira rígida; no segundo, a carga é excessiva, mas isolada. Ambos apresentam uma espasticidade acentuada do diafragma.

Há também tensões nítidas no segmento ocular, o qual inclui os olhos e a região occipital.

Da mesma forma, tensões musculares graves podem ser palpadas ao longo da base do crânio, na região do segmento oral; elas representam uma inibição do impulso de sucção.

Correlações psicológicas
O indivíduo de personalidade psicopática precisa de alguém para controlar e, embora possa aparentemente controlar essa pessoa, também depende dela. Portanto, há certa dose de oralidade em todos os indivíduos psicopáticos. A literatura psiquiátrica os descrevem como portadores de uma fixação oral.

A necessidade de controlar está intimamente relacionada ao medo de ser controlado. Ser controlado significa ser usado. Veremos que, na história dos indivíduos com essa estrutura de caráter, houve uma luta pela dominação e por controle entre pais e filho.

A motivação para estar por cima, para ter êxito é tão imperiosa que a pessoa não pode admitir nem permitir a ocorrência de um fracasso. A derrota a coloca na posição da vítima; portanto, ela deve vencer todas as disputas.

A sexualidade é invariavelmente empregada nesse jogo de poder. O psicopata seduz com seu jeito dominador ou impele a vítima de modo insidioso e astuto. O prazer no sexo é secundário ao desempenho ou à conquista.

A negação dos sentimentos é basicamente uma negação das necessidades. A estratégia do psicopata é fazer que os outros precisem dele para que ele não precise expressar sua necessidade. Assim, ele está sempre acima dos demais.

Fatores etiológicos e históricos
Como em qualquer outra estrutura de caráter, a história da pessoa explica seu comportamento. Aliás, eu diria que ninguém pode entender o próprio comportamento se não conhecer sua história. Assim, uma das principais tarefas de toda terapia é elucidar as experiências de vida do paciente. No caso do indivíduo psicopático isso é bastante difícil, pois ele tende a negar os sentimentos

e a própria experiência. Apesar desse obstáculo, a bioenergética já conseguiu apreender muitas coisas a respeito das origens desse problema.

O fator mais importante na etiologia dessa condição é a presença de um pai sexualmente sedutor. A sedução é encoberta e realizada para satisfazer às necessidades narcisistas do progenitor, tendo por objetivo vincular a criança ao pai (ou à mãe) sedutor(a).

O pai sedutor é sempre alguém que rejeita as necessidades de apoio e de contato físico da criança. A falta de contato e suporte é responsável pelo elemento oral dessa estrutura de caráter.

O relacionamento sedutor cria um triângulo que leva a criança a desafiar o pai de mesmo sexo. Cria-se assim uma barreira à identificação necessária com o genitor de mesmo sexo, aprofundando a identificação com o genitor sedutor.

Nessa situação, qualquer tentativa de buscar contato deixa a criança em posição de extrema vulnerabilidade. Ela sublimará a necessidade (deslocamento ascendente) ou a satisfará manipulando os pais (tipo sedutor).

A personalidade psicopática apresenta ainda um traço masoquista, resultante da submissão ao genitor sedutor. A criança não tinha, na ocasião, condições de rebelar-se ou de afastar-se da situação. Suas defesas eram unicamente internas. A submissão é apenas aparente; apesar disso, quanto mais abertamente a criança submeter-se, mais perto do genitor conseguirá ficar.

O elemento masoquista é mais forte na variante sedutora dessa estrutura de caráter. A manobra inicial consiste em entrar na relação de forma masoquistamente submissa. Depois, quando a sedução tiver funcionado e o vínculo com a outra pessoa mostrar-se firme, o papel é invertido e características sádicas emergem.

ESTRUTURA DE CARÁTER MASOQUISTA

Descrição

Diz o senso comum que masoquismo é o desejo de sofrer. Não creio que isso seja válido para um indivíduo com essa estrutura de caráter. Ele realmente sofre e, como se mostra incapaz de alterar a situação, deduz-se que deseja permanecer nela. Não estou falando de uma pessoa com perversões masoquistas, aquela que procura ser espancada para conseguir sentir prazer sexual. A estrutura masoquista de caráter descreve aquele que sofre, lamenta ou se queixa, mas permanece submisso. A tendência masoquista predominante é a submissão.

Quando o indivíduo de caráter masoquista exibe uma atitude submissa socialmente, por dentro ocorre justamente o contrário. No nível emocional mais profundo, ele guarda despeito, negatividade, hostilidade e superioridade. Contudo, tais sentimentos estão fortemente bloqueados por medo de que irrompam num comportamento violento. O medo de explodir é contraposto a um padrão muscular de contenção. Músculos densos e fortes restringem qualquer afirmação categórica e fazem que apenas lamúrias ou queixas se manifestem.

Situação bioenergética
Em contraste com a estrutura de caráter oral, a masoquista é dotada de um alto nível de energia – que, no entanto, está fortemente contida no organismo, mas não imobilizada.

Devido à severa contenção interna, os órgãos periféricos estão pouco carregados, o que impede tanto a descarga quanto a liberação energética; assim, as ações expressivas são limitadas.

A contenção é tão grave que resulta na compressão e no colapso do organismo. Tal colapso se dá na cintura, já que o corpo se verga sob o peso de suas tensões[39].

Os impulsos que se movem para cima e para baixo são obstruídos no pescoço e na cintura, o que explica o fato de os masoquistas sentirem ansiedade. A extensão do corpo, no sentido de ampliar-se ou de buscar algo fora de si, é gravemente limitada, o que produz um encurtamento da estrutura descrita. A Figura 24 ilustra essa situação.

FIGURA 24

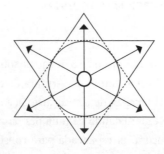

Características físicas

O corpo típico do masoquista é curto, grosso, musculoso. Por motivos desconhecidos há, em geral, um crescimento acentuado de pelos no corpo. É particularmente característico um pescoço curto e grosso, que denota um atarracamento da cabeça. Da mesma forma, a cintura é mais curta e mais grossa.

Outra característica importante é a projeção da pelve à frente, que seria bem descrita como um esmagamento para dentro e um achatamento das nádegas. A postura recorda a figura do cão com o rabo entre as pernas.

O achatamento dos glúteos, junto com o peso da tensão logo acima, é o responsável pela produção de uma dobra na cintura.

Algumas mulheres combinam a rigidez na metade superior do corpo com masoquismo na metade inferior: têm nádegas e coxas pesadas, assoalho pélvico puxado para cima e pele escurecida, fruto da estagnação da carga energética.

A pele de todas as pessoas de estrutura masoquista tende ao tom acastanhado devido à estagnação da energia.

Correlações psicológicas

Como a contenção é grave, a agressão e a autoafirmação mostram-se bem reduzidas.

Em vez de assertividade, a pessoa masoquista apresenta queixumes e lamentos – única expressão vocal que consegue sair com facilidade de uma garganta estrangulada. Em lugar da agressividade, há um comportamento provocativo que visa produzir uma reação contundente na outra pessoa, de modo que o masoquista possa reagir violenta e explosivamente em situações sexuais.

A estagnação da carga energética provocada pela violenta contenção leva à sensação de "estar preso num atoleiro", incapaz de movimentar-se livremente.

Atitudes de submissão e de cordialidade são traços característicos do comportamento masoquista. Em nível consciente, o indivíduo se identifica com a vontade de agradar, mas inconscientemente essa atitude é negada por despeito, por negativismo e por hostilidade. Esses sentimentos reprimidos devem ser liberados antes que ele possa reagir livremente às situações da vida.

Fatores etiológicos e históricos

A estrutura de caráter masoquista é fruto de um lar em que amor e aceitação combinam-se com a repressão severa. A mãe é dominadora e abnegada; o pai, passivo e submisso.

A mãe dominadora e capaz de sacrificar-se sufoca literalmente a criança, que é levada a sentir-se culpada por qualquer tentativa de declarar sua liberdade ou de afirmar atitudes negativas.

É comum enfatizar de modo exagerado a alimentação e a defecação, fator que se soma à pressão já mencionada: "Seja um bom menino, faça isso pela mamãe. Coma toda a comida... Faça cocô direitinho. Deixe a mamãe ver", e assim por diante.

Todas as investidas de resistência, inclusive os acessos de birra, foram esmagadas. Todos os portadores de uma estrutura de caráter masoquista fizeram birra e foram forçados a deixar esse comportamento de lado.

A sensação de aprisionamento acaba gerando despeito, que por sua vez culmina em autodestruição. Do ponto de vista da criança, não há saída.

Quando criança, o paciente lutava contra o sentimento de humilhação sempre que "se liberava" vomitando, sujando as calças ou desafiando os outros.

O masoquista tem medo de meter-se em situações delicadas (ficar sobre um pé só) ou de intrometer-se (espichar o pescoço; vale o mesmo para os genitais) por medo de ser rejeitado. A ansiedade de castração, nesse tipo de estrutura, é muito acentuada. O medo mais significativo é o de ser afastado das relações parentais, que geram afeto desde que respeitadas certas condições. Na seção seguinte examinaremos melhor o significado desse aspecto.

ESTRUTURA DE CARÁTER RÍGIDA

Descrição

O conceito de rigidez deriva da tendência dessas pessoas de se manter orgulhosamente eretas. Assim, a cabeça fica bem erguida e a coluna, reta. Esses traços seriam positivos não fosse o fato de ser o orgulho um sentimento defensivo e a rigidez, inflexível. O indivíduo de caráter rígido tem medo de ceder, pois considera esse ato semelhante a submeter-se e a desmoronar. A rigidez torna-se uma defesa contra uma tendência masoquista subjacente.

O indivíduo de caráter rígido está sempre alerta contra situações em que possam aproveitar-se dele, em que seja usado ou enganado. Suas estratégias defensivas assumem a forma de uma contenção de todos os impulsos de abrir-se. A contenção significa ainda "segurar-se nas costas", daí a rigidez. A capacidade de se conter deriva de uma forte posição do ego e de um controle severo do comportamento. Essa retenção é também defendida por uma posi-

Bioenergética

ção genital igualmente forte, que consegue então encarar a personalidade em ambas as extremidades do corpo, permitindo-lhe um bom contato com a realidade. Infelizmente, a ênfase na realidade é empregada como meio de defesa contra os impulsos que buscam o prazer – ceder –, sendo justamente esse o conflito básico de sua personalidade.

Situação bioenergética

Há nessa estrutura de caráter uma carga bastante forte em todos os pontos periféricos de contato com o ambiente, o que favorece a capacidade de testar a realidade antes de agir.

A contenção é periférica, o que permite que os sentimentos fluam, mas limita sua expressão.

As principais áreas de tensão são os músculos longos do corpo. As espasticidades dos extensores e dos flexores combinam-se para produzir a rigidez.

Evidentemente, há vários graus de rigidez; quando a contenção é moderada, a personalidade é ativa e vibrante.

A Figura 25 ilustra essa condição bioenergética:

FIGURA 25

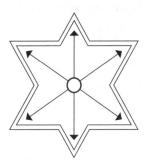

Características físicas

O corpo do indivíduo de caráter rígido é proporcional e mostra harmonia entre as partes. A pessoa se sente integrada e conectada. Apesar disso, verifica-se a presença de alguns distúrbios e distorções descritos para os outros tipos. Uma característica importante é a vivacidade do corpo: olhos brilhantes, boa cor de pele, leveza de gestos e movimentos.

Se a rigidez for grave, haverá uma redução correspondente no número de elementos positivos; a coordenação e a graça dos movimentos serão diminuídas, os olhos perderão um pouco de seu brilho e a pele adotará uma tonalidade pálida ou acinzentada.

Correlações psicológicas

Os indivíduos com essa estrutura de caráter são geralmente mundanos, ambiciosos, competitivos e agressivos. A passividade é vivenciada como vulnerabilidade.

A pessoa assim pode ser teimosa, mas dificilmente será despeitada. Em certa medida, a teimosia vem de seu orgulho: tem medo de, cedendo, parecer imbecil, de modo que se contém. Por outro lado, teme que a submissão leve à perda de sua liberdade.

O termo "caráter rígido" foi adotado, na bioenergética, para descrever o fator comum a várias personalidades diversamente denominadas. Assim, inclui os tipos fálicos, narcisistas (masculinos) – nos quais o elemento central é a potência eretiva – e o tipo vitoriano da mulher histérica, como o descreveu Reich em seu *Análise do caráter*[40], a qual usa o sexo como defesa contra a sexualidade. O tão conhecido caráter compulsivo também faz parte dessa ampla categoria.

A rigidez desse caráter é extremamente forte, sendo também encontrada nas estruturas esquizoides. Nestas, dado o estado enrijecido de seu sistema energético, assemelha-se ao gelo, com sua mesma natureza quebradiça. O indivíduo de caráter rígido em geral enfrenta de modo bem-sucedido o ambiente.

Fatores etiológicos e históricos

O histórico que engendra este tipo de estrutura é interessante no sentido de não ter fornecido à pessoa os traumas graves que deram margem a posições defensivas mais complexas.

O trauma relevante desse caso é uma frustração na busca da gratificação erótica, sobretudo genital. Em geral, a masturbação infantil foi proibida e o progenitor do sexo oposto rejeitava a criança. A rejeição das suas buscas de prazer erótico e sexual é considerada pela criança uma traição de sua ânsia de amar. O prazer erótico, a sexualidade e o amor são termos sinônimos em sua mentalidade infantil.

Devido ao forte desenvolvimento egoico da pessoa, o caráter rígido não abandona sua consciência. Conforme mostra a Figura 25 (p. 141), o coração não está isolado da periferia. A pessoa rígida age com o coração, mas debaixo de restrições e sob o controle do ego. O estado desejável seria abandonar o controle e deixar o coração assumir a direção da vida.

Dado que a manifestação aberta do amor como desejo de intimidade física e de prazer erótico foi rejeitada pelos pais, o caráter rígido move-se de modo indireto e dentro dos limites de sua guarda para obter esse fim. Ele não usa da manipulação como o faz o caráter psicopático; suas manobras objetivam a proximidade.

A importância de seu orgulho reside no fato de a pessoa estar vinculada a esse sentimento de amor. A rejeição de seu amor sexual é um ataque ao seu orgulho e, da mesma forma, a rejeição de seu amor insulta seu orgulho.

Tenho apenas mais um comentário final. Não discuti o tratamento desses problemas porque os terapeutas não tratam de tipos de caráter e sim de pessoas. A terapia enfoca a pessoa e seus relacionamentos imediatos: com o corpo, com o chão onde pisa, com os indivíduos com quem está envolvido, com o terapeuta. Estes compõem o primeiro plano da abordagem terapêutica. Ao fundo, no entanto, situa-se o conhecimento do caráter daquela pessoa em particular, sem o qual não seria possível compreendê-la e a seus problemas. Um terapeuta treinado e habilidoso pode movimentar-se facilmente da retaguarda para a vanguarda sem perder de vista nem uma nem outra.

HIERARQUIA DOS TIPOS DE CARÁTER E UMA DECLARAÇÃO DE DIREITOS
A estrutura de caráter define o modo como a pessoa lida com sua necessidade de amar, sua procura de intimidade e proximidade e sua busca de prazer. Segundo essa perspectiva, os diversos tipos de caráter formam um espectro ou hierarquia: num extremo coloca-se a posição esquizoide, que é a fuga da intimidade e do contato, vistos como ameaçadores; e, no outro, a saúde emocional, na qual os impulsos de sair abertamente em busca de amor, do contato e da intimidade não são contidos. Os vários tipos de caráter encaixam-se nessa hierarquia segundo o grau de intimidade e contato que se permitem ter. Usarei uma ordem paralela à empregada na apresentação dos tipos de caráter.

O indivíduo de *caráter esquizoide* evita a proximidade íntima.

O indivíduo de *caráter oral* estabelece a proximidade somente partindo de sua necessidade de calor humano e apoio, ou seja, em bases infantis.

O indivíduo de *caráter psicopático* só consegue relacionar-se com os que precisam dele. Enquanto for necessário e detentor de uma posição de controle, pode permitir um grau limitado de intimidade.

O indivíduo de *caráter masoquista*, surpreendentemente, é capaz de estabelecer um relacionamento íntimo com base em sua atitude submissa. É claro que essa relação pode ser descrita como superficial, mas é mais íntima que qualquer outra estabelecida pelos três tipos anteriores. O masoquista teme afirmar os sentimentos negativos ou proclamar sua liberdade, pois crê que assim perderia os relacionamentos íntimos.

O indivíduo de *caráter rígido* estabelece relacionamentos razoavelmente íntimos, pois se mantém em guarda, apesar da intimidade e do compromisso aparente com outras pessoas.

Cada estrutura de caráter apresenta um conflito inerente porque há, em sua personalidade, ao mesmo tempo, a necessidade de intimidade, de aproximação e de autoexpressão e o medo de que essas necessidades sejam mutuamente excludentes. A estrutura de caráter é o melhor arranjo que a pessoa teve condições de propor a si mesma no início de sua situação existencial. Infelizmente, o indivíduo fica preso a essa situação, apesar de o meio ter-se modificado na fase adulta. Vejamos tais conflitos mais de perto e também, com base nessa análise, como cada estrutura de caráter tornou-se uma defesa contra a posição imediatamente inferior na hierarquia dos tipos de caráter.

Esquizoide – Se eu expressar minha necessidade de estar próximo de alguém, minha existência entra em perigo. Em outras palavras, teríamos: "Só posso existir se não desejar a intimidade". Portanto, a pessoa deve permanecer em estado de isolamento.

Oral – O conflito poderia ser expresso do seguinte modo: "Se sou independente, devo desistir de toda necessidade de apoio e calor humano". Contudo, essa colocação força o indivíduo a permanecer na posição de dependência. Por isso, a declaração muda para: "Posso exprimir minhas necessidades na medida em que não sou independente". Se ele deixar de lado sua necessidade de amor e de proximidade, cairá na esquizoidia, que é ainda mais antitética à vida.

Psicopata – Nessa estrutura de caráter, o conflito reside entre os polos de independência/autonomia, de um lado, e intimidade, de outro. Poderia ser expresso da seguinte maneira: "Posso aproximar-me se eu deixar você me controlar ou usar-me". Isso não é permitido na medida em que demanda a entrega total do eu; por outro lado, o psicopata não consegue livrar-se de sua necessidade de proximidade como o faz o esquizoide, tampouco arriscar-se a ser independente como o oral. A criança, presa nesse círculo vicioso, é forçada a inverter os papéis e, nos relacionamentos posteriores, torna-se controladora e sedutora (como o fora um de seus genitores) quando em contato frontal com outra pessoa, que se vê reduzida a uma posição oral. Mantendo então o controle sobre o outro, consegue permitir a si certa intimidade. Poderíamos dizer do seguinte modo: "Você pode ficar ao meu lado enquanto olhar-me de baixo para cima". O elemento psicopático vê de forma inversa: "Você pode ficar perto de mim" em lugar de "Eu preciso estar perto de você".

Masoquista – O conflito neste caso é entre amor, proximidade e liberdade. Em poucas palavras: "Se eu for livre, você não me amará". Diante do conflito, o masoquista diz: "Serei seu menininho bem comportado e você, em troca, me amará".

Rígido – O indivíduo de caráter rígido é relativamente livre, pois está sempre protegendo sua liberdade dos ataques; sua guarda consiste em não deixar que os sentimentos prevaleçam sobre a razão. Seu conflito poderia ser descrito nos seguintes termos: "Posso ser livre se não perder a cabeça nem me entregar por completo ao amor". Para tal pessoa, entregar-se é o mesmo que submeter-se – o que, a seu ver, o rebaixaria ao nível do masoquista. Portanto, seus desejos e seu amor estão sempre resguardados.

Podemos simplificar ainda mais essa análise das estruturas de caráter destacando seus conflitos do seguinte modo:

- *Esquizoide*: existência *versus* necessidades
- *Oral*: necessidades *versus* independência
- *Psicopático*: independência *versus* intimidade
- *Masoquista*: proximidade *versus* liberdade
- *Rígido:* liberdade *versus* entrega amorosa

A resolução de qualquer um desses conflitos implica o fim do antagonismo entre os dois conjuntos de valores. A pessoa esquizoide descobre que existir e ter necessidades não são mutuamente excludentes. A pessoa de caráter oral descobre que é possível sentir necessidades e mesmo assim ser independente, e assim por diante.

O crescimento e o desenvolvimento pessoais são processos nos quais a criança, aos poucos, toma consciência de seus direitos humanos. São eles: o *direito de existir*, ou seja, de estar no mundo como organismo único. Esse direito é normalmente adquirido durante os primeiros meses de vida. Se isso não acontecer, cria-se uma predisposição para a estrutura esquizoide. No entanto, toda vez que esse direito for seriamente ameaçado a ponto de a pessoa não ter mais certeza dele, surgirá a tendência esquizoide.

Direito de ter segurança das próprias necessidades, derivado do apoio e da nutrição materna durante os primeiros anos de vida. Uma insegurança básica nesse nível determina a estrutura oral.

Direito de ser autônomo e independente, ou seja, de não estar subjugado às necessidades dos outros. Tal direito é perdido – ou nem chega a ser estabelecido – quando o pai do sexo oposto é sedutor. Ceder a essa sedução colocaria a criança sob o jugo desse genitor. Assim, ela rebate a ameaça sendo sedutora, por sua vez, para exercer poder sobre aquele. Em geral, a situação resulta na estrutura psicopática de caráter.

Direito de ser independente, que a criança estabelece por meio da autoafirmação e da oposição ao pai ou à mãe. Se essas tentativas forem malogradas, a pessoa desenvolverá uma personalidade masoquista. A autoafirmação começa normalmente aos 18 meses de idade, quando a criança aprende a dizer *não*, e continua a se desenvolver ao longo do ano seguinte. Esse período coincide com o desfralde, e o problema criado por um treino forçado associa-se ao problema da autoafirmação e da oposição.

Direito de ter desejos e de procurar satisfazê-los direta e abertamente. Marcado por um forte componente egoico, trata-se do último direito natural a ser adquirido. Ele surge e se desenvolve entre 3 e 6 anos de idade e está fortemente vinculado aos primeiros sentimentos sexuais da criança.

Quando esses direitos básicos e essenciais não são convenientemente estabelecidos, ocorre uma fixação na idade e na situação que bloqueou o desenvolvimento bem-sucedido.

Dado que todos têm certo nível de fixação em cada um desses estágios, cada conflito precisará de certa elaboração. Neste momento, desconheço se há uma ordem específica para tal processo terapêutico. Parece que o melhor procedimento seria acompanhar o paciente à medida que for enfrentando os dilemas de sua vida. Quando isso é feito de modo correto, o paciente termina sua terapia consciente de seu direito de ser e estar no mundo com necessidades e independência; livre, mas também amoroso e comprometido.

6. Realidade: uma busca secundária

REALIDADE E ILUSÃO

No final da seção sobre os tipos de caráter, mencionei que estes devem ser mantidos como pano de fundo para o terapeuta. Em primeiro plano, coloca-se a situação específica de vida do paciente. Isso incluiria as queixas apresentadas, o modo como a pessoa se vê no mundo (como encara o relacionamento entre sua personalidade e suas dificuldades), em que grau relaciona-se com seu corpo (nível de percepção de suas tensões musculares que possam contribuir para seu problema particular), suas expectativas em relação à terapia e, a todo momento, como se relaciona com o terapeuta como outro ser humano. O foco inicial recai sobre as metas da pessoa dentro da realidade. Devo acrescentar que esse foco nunca é abandonado no decurso da terapia, embora seja continuamente ampliado à medida que mais aspectos de sua vida pessoal vêm à tona.

Embora o foco inicial incida sobre a realidade, considero-a uma busca secundária. Porém, é secundária no sentido temporal, ou seja, a orientação da pessoa dentro da realidade desenvolve-se aos poucos, conforme for chegando mais perto da maturidade, ao passo que a busca pelo prazer está presente desde o início da vida. Quanto mais bem orientado na realidade estiver o indivíduo, mais eficientemente suas ações satisfarão suas necessidades de prazer. É inconcebível, em minha opinião, que alguém consiga atingir o prazer, a satisfação e a realização que deseja tão ansiosamente se estiver alienado da sua própria realidade.

Mas o que é a realidade? Como dizer se alguém é realista ou não a respeito da própria vida? Para a primeira pergunta, não creio que eu tenha uma resposta satisfatória. Há algumas verdades que penso ser fundadas na realidade, tais como a importância de uma boa respiração, o valor de viver sem tensões musculares crônicas, a necessidade de identificar-se com o próprio corpo, o potencial criativo do prazer e assim por diante. A propósito de algumas coisas, portei-me de modo irrealista. Achava que poderia lucrar sem muito esforço e perdi dinheiro no mercado de ações. E há também certos assuntos a respeito dos quais estou confuso. Até que ponto é realista eu atender a tantos pacientes assim? E carregar uma carga de responsabilidade tão pesada? Não creio que alguém conheça todas as respostas para a primeira questão, de modo que me voltarei para a segunda.

Felizmente, a pessoa que vem à terapia admite que está em apuros, que de alguma forma sua vida não saiu conforme o esperado, que tem dúvidas acerca da realidade de suas expectativas. Dados esse conhecimento e o fato de que é mais fácil ser objetivo a respeito de outra pessoa, o terapeuta, em geral, consegue discernir os aspectos do pensamento e da conduta do paciente que parecem irrealistas; pode dizer que são baseados mais em ilusões que na realidade.

Por exemplo, fui procurado por uma jovem que estava deprimida devido ao fim de seu casamento. Ela descobrira que o marido tinha outra mulher e tal descoberta esfacelou em mil pedaços sua imagem de "esposa pequena e perfeita". Os dois adjetivos que ela empregou estavam adequados. Era uma mulher vivaz e pequena, que acreditava dedicar-se ao marido e ser-lhe indispensável ao sucesso profissional. É fácil imaginar seu choque quando descobriu que ele se interessava por outra mulher. Quem poderia oferecer mais ao seu marido do que a própria esposa?

Com essa história, fica claro que minha paciente via a vida de modo irrealista. A ideia de que se possa ser a "esposa ideal" é certamente uma ilusão, sendo a própria natureza humana algo ainda longe da perfeição. Acreditar que um homem seria grato à esposa por ser bem-sucedido também não se fundamenta na realidade, pois o efeito de tal atitude é negar o homem e castrá-lo. O colapso das ilusões sempre resulta em depressão[41], que oferece à pessoa a oportunidade de pôr a nu suas ilusões e de restabelecer seu raciocínio e seu comportamento em bases mais sólidas.

O que primeiro me chamou a atenção para o papel das ilusões foi meu estudo sobre a personalidade esquizoide[42]. A situação desesperadora desse tipo de caráter força o indivíduo a criar ilusões que mantenham seu espírito ativo na luta pela sobrevivência. Numa situação em que a pessoa se sente incapaz de mudar ou de escapar de uma realidade ameaçadora, o recurso à ilusão impede que esta se deixe levar pelo desespero. Todo indivíduo esquizoide tem ilusões secretas que ele estima e pensa concretizar. Quando se sente rejeitado em sua natureza humana, desenvolve a ilusão de ser superior aos seres humanos comuns por meio de virtudes especiais; é o mais nobre dos homens ou então a mais pura das mulheres. Tais ilusões muitas vezes são opostas à vida real daquelas pessoas. Por exemplo, uma jovem cujo comportamento sexual era desregrado e promíscuo acreditava ser pura e virtuosa. A ideia por trás dessa ilusão era a de que um dia seria descoberta por um príncipe que enxergaria através de sua imagem externa, vendo dentro dela um coração de ouro.

O perigo da ilusão, porém, é perpetuar o desespero. Para explicar essa afirmação, cito um trecho de *O corpo traído*:

> À medida que uma ilusão ganha força, exige concretização, forçando assim o indivíduo a entrar em conflito com a realidade, o que culmina em sua conduta desesperada. A busca da realização de uma ilusão requer o sacrifício de sentimentos bons no presente, e a pessoa que vive na ilusão é, por princípio, incapaz de fazer exigências de prazer. Em seu desespero, ela está disposta a ignorar o prazer e deixar a vida em estado de latência, na esperança de que sua ilusão a ser realizada a livre do desespero.[43]

Uma de minhas pacientes expressou claramente essa ideia quando disse: "As pessoas estabelecem para si próprias metas irreais e depois se mantêm em desespero constante na tentativa de concretizá-las"[44].

O tema dos objetivos irreais voltou à tona quando eu pesquisava a depressão. Um dado essencial era que toda pessoa deprimida tem ilusões que acrescentam um aspecto de irrealidade a suas ações e condutas. Assim, ficou claro que a reação depressiva se segue invariavelmente à perda de uma ilusão. Em meu livro *O corpo em depressão*, há um parágrafo significativo que gostaria de citar:

> Aquele que, durante a infância, sofreu um trauma ou uma perda que abalou sua segurança e sua autoaceitação projeta para sua imagem futura a exigência de inverter as experiências do passado. Por exemplo, o indivíduo que foi rejeitado quando criança imagina o futuro pleno de promessas de aceitação e aprovação. Se tiver enfrentado o desamparo e a impotência, tentará naturalmente compensar esse insulto ao ego elaborando uma imagem de futuro em que se torne poderoso e controlador. Os devaneios e as fantasias que a mente tece buscam inverter o sentido de

uma realidade desfavorável e rejeitadora criando imagens e sonhos. Esse indivíduo perde o contato com a origem infantil de suas experiências e sacrifica todo o seu presente para satisfazê-las. Essas imagens são metas irreais e não podem se concretizar.[45]

Esse parágrafo é importante porque amplia o papel da ilusão para todos os tipos de caráter. Toda estrutura de caráter é o resultado de experiências infantis que, até certo ponto, abalaram os sentimentos pessoais de "segurança e autoaceitação". Em qualquer estrutura de caráter, portanto, encontraremos imagens, ilusões ou ideais de ego que compensam os danos causados ao *self* (si mesmo). Quanto maior tiver sido o trauma, maior será o investimento de energia na imagem ou ilusão, mas em todos os casos o investimento é considerável. Qualquer energia que for desviada para a ilusão ou para os objetivos inalcançáveis não fica disponível no presente, no cotidiano. Assim, o indivíduo perde a capacidade de compreender sua realidade.

A ilusão ou ego ideal de cada pessoa lhe é tão peculiar quanto sua personalidade. Porém, para aprofundar nossos conhecimentos a respeito de cada estrutura de caráter, podemos tentar uma descrição ampla dos tipos de ilusão ou de ego idealizado típicos de cada uma.

Caráter esquizoide: mencionei o fato de que o indivíduo esquizoide sente-se rejeitado como ser humano. Sua resposta a tal rejeição é sentir-se superior. Na realidade, ele é um príncipe disfarçado que não pertence nem mesmo a seus pais. Alguns indivíduos chegam inclusive a imaginar que foram adotados. Um de meus pacientes, por exemplo, disse-me: "De repente, percebi que havia idealizado uma imagem de mim como um príncipe exilado. Relacionei tal imagem ao sonho de que um dia meu pai, o rei, dissesse que eu era seu único herdeiro... Percebo que ainda sustento a ilusão de vir a ser descoberto um dia. No mais, tenho de manter minhas 'pretensões'. Um príncipe não pode rebaixar-se fazendo serviços comuns. Tenho de demonstrar minha natureza especial".

Diante da rejeição de sua natureza humana, a pessoa pode chegar ao extremo de tornar-se esquizofrênica (estado descompensado do caráter esquizoide) para se sentir especial. É comum encontrarmos esquizofrênicos que creem ser Jesus Cristo, Napoleão, a deusa Ísis e assim por diante. No estado esquizofrênico, a ilusão assume o caráter de delírio. A pessoa não tem mais condições de discernir a realidade da fantasia.

Caráter oral: o trauma sofrido pela pessoa com esse tipo de estrutura foi a perda do direito de ter necessidades e, em consequência, de satisfazer o desequilíbrio de seu organismo. Assim, a ilusão que se desenvolve como compensação é a imagem de que pessoa está cheia de vigor e repleta de energia e sentimentos, que esbanja sem constrangimento. Quando o humor do indivíduo de caráter oral oscila para o polo da elação, algo típico de sua estrutura, a ilusão é viabilizada. A pessoa torna-se excitável, volúvel, espalha turbilhões de pensamentos e ideias em um mar de sentimentos. Este é seu ego ideal: constituir-se no centro das atenções como alguém que se dedica por inteiro ao que faz. Essa relação, todavia, não é muito mais sólida do que a imagem da pessoa e não pode ser defendida porque a pessoa não tem energia suficiente. Desestruturam-se ambos e o caráter oral entra num estado depressivo, igualmente típico.

Há muitos anos tratei de um paciente cuja história é interessante. Certo dia, ele propôs que eu abrisse mão de tudo que tinha, pois estava preparado para fazer a mesma coisa. "Tenho vontade de compartilhar tudo que tenho", disse. "Por que você não faz o mesmo?" Perguntei-lhe quanto tinha. Respondeu-me: "Dois dólares". Dado que eu possuía muito mais do que ele, a coisa não me parecia real. Não obstante, ele estava convencido da generosidade que permeava sua oferta.

Caráter psicopático: o indivíduo carrega uma ilusão a respeito do poder, acreditando tê-lo em segredo e ser todo-poderoso. Compensa, assim, a experiência de ter sido indefeso e fraco nas mãos de um genitor sedutor e manipulador. No intuito, porém, de concretizar a ilusão em sua mente, tem também de mostrar-se detentor de riquezas ou poder. Quando o psicopata adquire poder, como acontece com frequência, a situação torna-se perigosa, pois ele não tem condições de ser poderoso. Assim, o poder de que dispõe não será empregado de modo construtivo, mas em benefício de sua imagem egoica.

Um paciente comentou comigo que, durante anos, tivera de si a imagem de alguém que carregava uma mala contendo oito mil dólares, o que o fazia sentir-se poderoso e importante. Quando me procurou, já havia amealhado vários milhões de dólares e começara a perceber a falta de importância e de poder que caracterizava tanto dinheiro. A palavra "perceber" denota certo modo de enfrentar a realidade. A ilusão do poder – daquilo que o poder faz por alguém – é muito comum em nossa cultura. No livro *Prazer*[46], discuto a antítese poder-prazer.

Caráter masoquista: todo indivíduo de caráter masoquista sente-se inferior. Trata-se de uma pessoa que foi humilhada e envergonhada durante a infância mas, no fundo, sente-se superior em relação aos demais. Essa imagem é consubstanciada por sentimentos suprimidos de desprezo pelo terapeuta, pelo patrão e por todos os que, na realidade, estão em posição superior.

Um dos motivos pelos quais é tão difícil tratar desse problema é o fato de que o paciente com tal estrutura de caráter não se pode dar ao luxo de permitir que a terapia seja bem-sucedida. Se a terapia tiver êxito, prova-se que o terapeuta é mais competente do que ele. Que círculo vicioso! Essa ilusão explica em parte por que o masoquista investe tanto em seus fracassos. Estes são sempre explicados com base na falta de esforço suficiente para sair-se bem em determinada situação, o que significa que ele poderia de fato ter sucesso se quisesse. De modo paradoxal, o fracasso sustenta sua ilusão de superioridade.

Caráter rígido: esta estrutura decorre da rejeição apresentada por um dos pais ao amor demonstrado pela criança. Esta se sente traída e de coração partido. Sua autodefesa constitui-se no processo de encouraçamento ou de elaboração de uma defesa contra a manifestação inequívoca do amor, por medo de ser novamente traída. Seu amor está represado. Porém, embora esse seja seu modo de estar no mundo, a pessoa de caráter rígido não se enxerga desse modo. Sua ilusão, ou autoimagem, é a de que é *ela* quem ama sem ser amada.

A análise do indivíduo de caráter rígido suscita um pensamento interessante. Ele *é* amoroso. Seu coração está pronto para o amor; a expressão desse sentimento é que está bloqueada, contida. Se alguém retém a expressão do amor, seu valor fica reduzido. O indivíduo rígido, portanto, é amoroso nos sentimentos, mas não nas condutas. O mais incrível é que sua ilusão não é falsa de modo nenhum; há nela um traço de realidade que nos leva a indagar: "Será que todas as ilusões são assim?" Embora eu não tenha pensado muito a fundo no problema, minha resposta imediata é positiva. Deve existir algum vestígio de realidade ou de verdade em toda ilusão que nos permita compreender por que alguém se aferra tão tenazmente a ela. Vejamos alguns exemplos.

Há certa verdade no fato de a imagem do indivíduo esquizoide configurá-lo como um ser especial. Alguns deles tornam-se verdadeiramente únicos e notórios durante a vida. A genialidade não está tão distante da insanidade, como bem o sabemos. Seria possível dizermos que o fato de *serem rejeitados* pela própria mãe tem relação com o fato de serem especiais aos olhos dela? Creio haver certo fundamento nisso.

O indivíduo de caráter oral é generoso. Infelizmente, pouco tem a dar. Assim, pode-se considerar que sua ilusão baseia-se nos sentimentos e não nos comportamentos. No universo adulto, apenas as condutas se revestem de valor de realidade.

A pessoa de caráter psicopático *teve* algo desejado pelo genitor, caso contrário não haveria se tornado objeto de sedução e de manipulação. Enquanto criança, deve ter percebido esse jogo e dele derivou seu gosto por poder. Tratava-se de alguém de fato desamparado, estando o poder apenas em sua mente. Aprendeu, contudo, algo sobre a vida que usou mais tarde: "Sempre que alguém precisar de você para alguma coisa, você tem poder sobre essa pessoa".

É difícil encontrar as bases da ilusão de superioridade do masoquista, embora haja ao menos uma. O único pensamento que me vem à cabeça, e proponho com algumas reservas, é o seguinte: o masoquista é superior em sua capacidade de suportar uma situação dolorosa. "Ninguém aguenta uma coisa dessas, só mesmo um masoquista", é o que se diz em geral. Ele suporta dada situação e mantém uma relação social que outras pessoas já teriam há muito abandonado. Há alguma virtude nessa atitude? Em algumas circunstâncias, talvez. Quando outra pessoa é absolutamente dependente de você, sua submissão à situação poderá ser nobre. Suspeito de que tenha sido essa a experiência do masoquista em relação ao vínculo com a mãe, o que acabou fazendo-o sentir-se com algum mérito.

O perigo de uma ilusão ou imagem de ego é cegar a pessoa para a realidade. O indivíduo de caráter masoquista não pode dizer quando é válido submeter-se a uma situação dolorosa e quando isso tem caráter de autoflagelação. Da mesma forma, a pessoa rígida não consegue discernir se sua conduta é ou não amorosa. O que nos cega não são apenas as ilusões; somos obcecados pelas imagens egoicas que elas contêm. Estando obcecados, não conseguimos pôr os pés no chão nem descobrir nosso verdadeiro eu.

OBSESSÕES[47]

Diz-se que alguém está obcecado quando se vê preso num conflito emocional que o imobiliza e impede qualquer ação que possa transformar a situação. Tais conflitos carregam dois sentimentos opostos que se impedem mutuamente de se manifestar. A moça que está extremamente apaixonada por um rapaz é um bom exemplo. De um lado, sente atração por ele e que precisa dele; de outro, teme a rejeição e sente que vai se magoar se aproximar-se dele. Incapaz de ir adiante devido ao medo e de recuar por causa do desejo, está completamente perdida, obcecada. O mesmo vale para o indivíduo que não gosta do emprego mas teme deixá-lo devido à segurança que este lhe proporciona. Fica-se perdido em qualquer situação na qual sentimentos contraditórios impedem uma boa resolução.

Essas obsessões podem ser conscientes ou inconscientes. Se a pessoa tem consciência do conflito mas não consegue resolvê-lo, *sente-se* presa interiormente. Não obstante, talvez se veja atada a conflitos que surgiram na infância e dos quais não mais se recorda. Nesse caso, ela não tem consciência de estar "obcecada".

Toda obsessão, seja consciente ou inconsciente, limita a liberdade do indivíduo em seu movimento pelos diversos setores da vida, não apenas na área de conflito. A moça que está apaixonada por um rapaz verificará que seu trabalho ou estudo e suas relações familiares também sofrerão. O mesmo acontece, embora em menor proporção, com as obsessões inconscientes – que, à maneira de todos os conflitos emocionais ainda não solucionados, assumem uma estrutura corporal na forma de tensões musculares crônicas. Estas efetivamente mantêm o corpo em suspenso, configurando certas formas que descreverei de modo breve.

Em geral, não se leva em conta que toda ilusão deixa a pessoa obcecada. Ela fica presa a um conflito não resolvido entre as demandas da realidade, de um lado, e as tentativas de realizar essa ilusão, de outro. A pessoa não está disposta a deixar sua ilusão de lado, visto que isso significaria um golpe para o ego. Ao mesmo tempo, não pode eximir-se totalmente de encarar as exigências da realidade. E, na medida em que está fora de sintonia com a realidade, esta assume um aspecto muitas vezes ameaçador e atemorizante. O indivíduo vê a realidade com os olhos de uma criança desesperada.

A situação fica ainda mais complicada porque as ilusões têm uma vida secreta – ou, em outras palavras, porque ilusões e devaneios fazem parte da vida íntima da maioria dos indivíduos. Talvez o leitor se surpreenda se eu disser que tal vida raramente é revelada ao psiquiatra de modo espontâneo. Ao menos, essa tem sido minha experiência, e não creio que seja única. Também não acredito que o fato de ocultar essas informações seja deliberado; a maioria dos pacientes simplesmente não vê sua relevância. Eles se concentram no problema imediato que os levou a buscar auxílio e não pensam que suas imagens, ilusões e fantasias tenham importância. Assumimos, então, a existência de uma negação inconsciente, que visa manter a informação oculta. Cedo ou tarde, todavia, esta vem à tona.

Tratei de um rapaz que sofria de depressão havia muito tempo. Sua terapia consistia num intensivo trabalho de corpo, respiração, movimentação e manifestação de sentimentos, aos quais reagia de modo favorável. Ao mesmo tempo, falava bastante de sua infância, revelando detalhes que pareciam explicar sua condição. Porém, a depressão perdurava, apesar de a cada sessão haver uma leve melhora em suas atitudes. Isso continuou por vários anos. O paciente acreditava firmemente que a bioenergética o ajudaria e eu estava preparado para ficar a seu lado.

Um dos fatos significativos de sua infância fora a morte da mãe, ocorrida quando ele tinha 9 anos. Ela morrera de câncer e, antes disso, ficara vários anos acamada. O paciente disse que pouco se emocionou quando do falecimento da mãe, embora esta tivesse sido dedicada a ele. Negava qualquer sofrimento, o que era difícil de entender. Podia-se ver que a negação era a causa de sua posterior depressão, mas a barreira que isso representava era impenetrável.

O rompimento das comportas deu-se num seminário clínico, quando apresentei o rapaz aos colegas presentes. Durante a apresentação do caso, analisamos seu problema usando a linguagem do corpo e revimos sua história. Ele admitiu que ainda se sentia deprimido. De súbito, uma das minhas colegas fez uma observação surpreendente: "Você acreditava que conseguiria fazer sua mãe retornar do reino dos mortos". O paciente olhou-a com uma expressão acovardada, como se dissesse: "Como é que você sabe?", e depois respondeu: "Sim".

Não sei como ela percebeu isso. Foi uma intuição maravilhosa e pôs a nu uma ilusão que havia mais de vinte anos mantinha meu paciente em suspenso. Não creio que ele fosse revelar essa ilusão de modo voluntário. Talvez, por vergonha, tivesse tentado ocultá-la de si mesmo. O fato de tal problema ter vindo à tona, no entanto, configurou um ponto de significativa transformação no curso de seu tratamento.

Toda terapia precisa de *insights* intuitivos por parte do terapeuta, bem como de sua compreensão a respeito do momento existencial do paciente. Se não conseguimos descobrir qual é a ilusão de um paciente, embora alguns a exponham sem problemas, podemos ao menos determinar que a pessoa está presa à obsessão e verificar alguns de seus mecanismos. Isso é possível porque a obsessão manifesta-se na expressão física do corpo. Quando vemos a obsessão, podemos inferir a ilusão, saibamos ou não qual é sua natureza exata.

Há dois modos de se determinar, pela expressão corporal, se a pessoa está ou não subordinada a uma ilusão: primeiro, verificando até que ponto ela mantém contato com o chão (*grounding*). Tal contato é o oposto de estar em suspenso, preso a uma ilusão. Da ótica da linguagem corporal, estar com os pés no chão indica que o indivíduo mantém contato com a realidade e age sem a pressão da ilusão (consciente ou inconsciente). Em sentido literal, todos temos os pés no chão, mas no nível energético isso nem sempre acontece. Se a energia não flui vigorosamente até os pés, o contato sensitivo ou energético com o chão fica limitado ao extremo. Um contato superficial, como nos circuitos elétricos, nem sempre é suficiente para assegurar o fluxo da corrente.

A fim de observarmos devidamente a perspectiva energética, consideremos o que se passa quando a pessoa está embriagada, por exemplo. Há muitas maneiras de o indivíduo ficar "alto", sendo o elemento comum a todas elas a sensação de ter os pés fora do chão. Quando a pessoa está embriagada, sente dificuldade de perceber a terra sob os pés e o contato com o chão torna-se instável. Nesse caso, o álcool é responsável pela falta de coordenação, mas a mesma sensação se manifesta quando alguém se sente "alto" devido a boas notícias. A pessoa parece flutuar. E, quando apaixonada, dança sozinha, leve, seus pés mal tocando o solo. O fato de ficar "alto" pela ingestão de drogas ilegais confere ao indivíduo uma sensação de flutuar que, às vezes, também é vivenciada por personalidades esquizoides. Quando a pessoa está em seu ambiente sem fazer contato com o que a cerca, dizemos que está "desligada".

Segundo a bioenergética, o indivíduo fica "alto" quando a energia sobe pelo organismo, afastando-se dos pés e das pernas. Quanto mais pronunciado for esse afastamento, mais "alto" ele se sentirá. Quando ficamos "altos" em virtude de uma boa notícia – como a realização de um grande sonho –, a subida da energia dos pés para a cabeça faz parte de uma onda ascendente de excitação e de energia para a extremidade cefálica. A onda é acompanhada por um fluxo de sangue que deixa o rosto rosado e vivaz, animando a pessoa toda. A "alta" por drogas, por outro lado, suscita de início o mesmo fluxo ascendente, que depois desaparece; a energia sai tanto da cabeça quanto da parte inferior do corpo. O rosto perde a cor, os olhos ficam parados ou vidrados e há uma diminuição na vivacidade. Não obstante, persiste a sensação de estar "alto" devido à movimentação ascendente da energia, do chão para cima. Na outra extremidade do corpo, a descida de energia da cabeça para a parte inferior do organismo produz uma dissociação da mente – que parece flutuar livre de seus limites corporais.

A segunda maneira como podemos visualizar fisicamente a obsessão está na postura da metade superior do corpo. Existem diversos modos de ficar obcecado por uma ilusão; o que vi em maior número de casos é o que chamo de "cabide". Praticamente só os homens o apresentam: ombros erguidos e ligeiramente achatados, pescoço e cabeça inclinados à frente; os braços pendem soltos desde a articulação escapular e o peito fica erguido. Tem-se a impressão de que existe um cabide invisível no corpo do indivíduo:

FIGURA 26

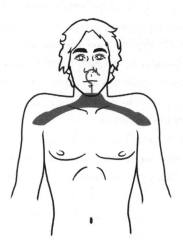

A análise desse corpo denuncia a dinâmica do conteúdo que o mantém em suspenso. Os ombros erguidos são uma expressão de medo; isso se prova quando pedimos a alguém que expresse medo. Os ombros levantam-se automaticamente ao mesmo tempo que o peito se enche de ar. Quando a expressão é de amor, normalmente os ombros descem. Ombros sempre erguidos revelam uma pessoa imersa numa atitude de medo da qual não consegue se livrar, uma vez que não tem consciência de estar atemorizada. Em geral, a situação que provoca o medo é esquecida e a própria emoção, suprimida. Essas posturas habituais não se desenvolvem com uma única experiência, representando uma contínua exposição a situações ameaçadoras. Poderia, por exemplo, ser a experiência de um menino que sentisse medo do pai por muito tempo.

Tal atitude de medo é compensada colocando-se a cabeça à frente, como que para enfrentar ameaças ou, pelo menos, verificar se elas existem. Dado que, do ponto de vista físico, pôr a cabeça à frente do corpo é perigoso num confronto com outro homem, este detalhe da postura é, para todos os efeitos, uma negação de medo, pois diz: "Não tenho nada a temer". Essa postura afeta necessariamente a região inferior do corpo, pois quando a pessoa sente medo pisa muito de leve; o medo tira a pessoa do chão.

Estar com medo e negar esse sentimento provoca uma obsessão. O medo impede a pessoa de se mover e também de fugir, pois o sentimento foi negado. Ela fica imobilizada emocionalmente, ou seja, presa e em suspenso.

A supressão do medo resulta na supressão da raiva que acompanha o indivíduo. Uma vez que não há o que temer, também não há com o que se zangar. Os sentimentos suprimidos, porém, têm um modo particular de indiretamente vir à tona. Há algum tempo, fui procurado por um líder do movimento estudantil. Queixava-se de estar insatisfeito consigo mesmo e não ficava à vontade na presença de moças. Várias vezes perdera a ereção durante a relação sexual, o que muito o embaraçara. Disse também ter muita dificuldade para escolher uma profissão.

O exame do corpo desse jovem revelou que seus ombros e seu peito estavam erguidos e como que desencaixados; o abdome, enrijecido; a pelve, inclinada à frente e fortemente contraída; a cabeça, descaída para a frente sobre um pescoço encurtado. A postura fazia que a metade superior de seu corpo parecesse estar inclinada para a frente. Seus olhos eram alertas e o queixo, tenso, duro e desafiante.

Suas pernas, quando as examinei, estavam tensas e rígidas. Havia também certa dificuldade de dobrar os joelhos. Os pés revelaram-se frios ao meu toque e, aparentemente, destituídos de carga ou sensibilidade. Quando tentou realizar a postura do arco, sua pelve retraiu-se, quebrando a curvatura normal. Senti que a carga ou os sentimentos que desciam para a metade inferior do corpo eram tremendamente reduzidos, o que já explicava seus problemas de ordem sexual. O rapaz admitia sentir falta de sensibilidade nas pernas. Devo acrescentar ainda que sua respiração era superficial, quase sem envolvimento abdominal nos movimentos respiratórios.

Dados seus problemas pessoais, pode parecer surpreendente ao leitor que esse rapaz tenha desistido de se tratar. Conforme fomos discutindo sua problemática, ficou claro para mim que ele estava envolvido demais com a obsessão do movimento estudantil para *descer* e encarar a realidade de sua situação. Jamais fiquei sabendo que ilusões ele mantinha a respeito de como suas dificuldades pessoais poderiam ser resolvidas com esse envolvimento estudantil. Era inequívoco, contudo, ter ele transferido para o âmbito social uma luta por sua liberdade e dignidade pessoal; nesse nível, teria condições de sustentar a imagem de macho agressivo para compensar seu fracasso como pessoa.

Nas mulheres, um problema comum que as mantém em suspenso é o que chamamos de "corcunda da viúva", massa de tecido que se acumula exatamente abaixo da sétima vértebra cervical, na junção de pescoço, ombros e tronco. O nome dessa protuberância deriva do fato de quase não ser encontrada nas mulheres jovens, sendo mais comum nas de mais idade. Dada sua aparência, denomino esse formato no corpo "gancho de açougue", pois me parece que um gancho de carne produziria essa figura:

FIGURA 27

A corcunda fica localizada no ponto em que a raiva sai pelos braços e sobe pela cabeça. Nos animais – cães e gatos, por exemplo –, a raiva se mostra no eriçamento de pelos ao longo da coluna e no arqueamento das costas. Darwin já assinalara essa questão em seu livro *A expressão das emoções no homem e nos animais*[48].

Em minha leitura desse corpo, aprendo que a corcunda deriva da contenção e do acúmulo de raiva bloqueada. O fato de aparecer com frequência nas mulheres mais velhas indica a gradual elaboração de uma grande quantidade de raiva engolida, resultante das frustrações de uma vida inteira. Muitas mulheres mais velhas tendem a ficar mais baixas e mais pesadas à medida que vão passando os anos.

Devo esclarecer que o elemento bloqueado é a manifestação física da raiva por meio de golpes e não sua expressão verbal. É notório como são mordazes certas viúvas.

A análise que faço do problema representado pela corcunda é a seguinte: existe um conflito entre uma atitude de submissão – ou seja, ser boazinha para agradar o papai e toda a família – e outra de raiva por causa da frustração sexual que essa atitude acarreta. O problema tem origem na situação edípica, em que a menina vê-se presa por sentimentos conflitantes relativos aos genitores: de um lado, amor e sentimentos sexuais; de outro lado, raiva e frustração. Tal situação dá margem a uma "obsessão": a menina não tem condições de exprimir sua raiva, dado o medo de ser criticada e de perder o amor parental; tampouco pode aproximar-se do pai, sentindo a sexualidade do contato, pois isso implica rejeição e desonra. Não estou me referindo a um contato sexual com o pai, mas ao agradável contato erótico que faz parte de uma manifestação natural de afeto. Trata-se, nesse caso, de o pai aceitar a sexualidade da filha. A submissão à exigência de ser boazinha – que, evidentemente, implica a aceitação de uma moralidade ambígua diante da sexualidade – imobiliza na mulher a busca de prazer sexual, forçando-a a adotar o papel passivo. Podemos imaginar as ilusões que uma moça desenvolve para compensar sua perda de agressividade sexual.

Outra forma de a mulher ficar obcecada pela moralidade sexual é ser colocada num pedestal. Descrevi esse caso em *O corpo em depressão*. O ato de ser colocada num pedestal eleva a mulher acima do nível do chão exatamente como qualquer outro tipo de "obsessão". No caso que tratei, o corpo da paciente, da pelve para baixo, *parecia* um pedestal. Era rígido, imóvel; parecia servir apenas como base para a metade superior do corpo.

Há ainda duas outras "obsessões" que merecem ser mencionadas. Uma está associada à estrutura esquizoide de caráter e chama-se "enforcamento", pois a postura do corpo lembra a figura de um homem que acaba de ser enforcado. A cabeça pende ligeiramente para o lado, como se estivesse rompida

FIGURA 28

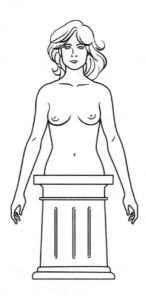

a conexão com o resto do corpo. Na estrutura esquizoide de caráter, encontramos uma ruptura na conexão entre a cabeça e suas funções egoicas e corporais. Ficar pendurado pelo pescoço tira a pessoa do chão. O indivíduo de personalidade esquizoide não se apoia no solo e seu contato com a realidade é superficial. O mais importante, porém, é que a principal área de tensão dessa estrutura de caráter localiza-se na base do crânio, sendo justamente essa tensão que cinde a unidade da personalidade. Na verdade, as tensões musculares dessa região configuram um anel na articulação da cabeça com o pescoço, o qual funciona como um laço para enforcar. A bioenergética trabalha a fundo essas tensões a fim de restabelecer a unidade da personalidade.

FIGURA 29

Por fim, há uma "obsessão" que eventualmente se verifica nos esquizofrênicos limítrofes a qual denomino "cruz". Quando se pede a um desses indivíduos que abra os braços na altura dos ombros, se é tomado de imediato pela forte impressão de que a postura corporal lembra a de Cristo crucificado ou logo depois de ter sido baixado da cruz. Muitos esquizofrênicos identificam-se profundamente com Jesus; alguns chegam inclusive a desenvolver o delírio de que *são* Cristo. É contundente ver como o corpo concretiza essa identificação.

As atitudes corporais aqui descritas que revelam "obsessões" não são definitivas. Já vi várias pessoas cujo corpo e expressão facial assemelhavam-se extraordinariamente aos quadros de Moisés que se vê comumente. Tenho certeza de que isso indica uma "obsessão" na personalidade, mas ainda não pude me deter no problema a ponto de fazer uma afirmação categórica a respeito. Poderão inclusive surgir outras "obsessões" corporais no futuro.

Compreender as obsessões do paciente por meio da análise de seu corpo é fundamental para ajudá-lo. Embora não possamos descrever uma "obsessão" caso a linguagem corporal do indivíduo não seja clara, é possível ter certeza de que toda pessoa cujos pés não estejam firmemente plantados no chão, em termos energéticos, tem uma "obsessão" e problemas emocionais não solucionados. Aquele que não está em contato com o solo também não está em contato com a realidade. Esse conhecimento guia minha abordagem a todos os pacientes, dado que começo ajudando-os a entrar mais firmemente em contato com o solo e com todos os aspectos de sua realidade. Cedo ou tarde, em qualquer terapia, os conflitos subjacentes vêm à superfície e a natureza da "obsessão", ao lado das ilusões que compõem sua contrapartida psíquica, torna-se evidente para paciente e terapeuta.

GROUNDING

Na bioenergética, *grounding* significa fazer a pessoa entrar em contato com o chão. Estar em contato com o solo é o oposto de ter uma "obsessão", de estar suspenso no ar. Porém, como acontece com frequência na bioenergética, o termo também tem sentido literal: o de estabelecer um contato adequado com o chão em que se pisa.

A maioria das pessoas pensa que tem os pés no chão e, em certo sentido, de fato tem. Trata-se de um contato mecânico, ainda que não sensitivo nem energético. Porém, é impossível saber a diferença sem ter experimentado. Al-

Bioenergética

guns anos atrás, em Esalen, numa de minhas visitas semestrais para lecionar bioenergética, fui procurado por uma jovem que dava aulas de *tai chi* para residentes e convidados. Disse-me que, apesar de ter experimentado os exercícios de bioenergética, nunca conseguira sentir vibrações nas pernas. Ela testemunhara as vibrações nas pernas dos participantes de meus *workshops* e se perguntava por que o mesmo não acontecia com ela. Devo acrescentar que, antes de ser professora de *tai chi,* a moça fora bailarina. Quando me prontifiquei a trabalhar com ela, aceitou a proposta de imediato. Usei três exercícios. O primeiro foi a posição do arco descrita no Capítulo 2 (Figura 4, p. 61); o objetivo era alinhar seu corpo e aprofundar sua respiração. Algumas pessoas reagem à tensão desse exercício vibrando de leve, mas ela não. Suas pernas eram muito rígidas. Ela precisava de uma tensão forte o bastante para romper a rigidez e deixar fluir os movimentos vibratórios. Pedi-lhe que ficasse em pé numa perna só, com o joelho dobrado, e balançasse de um lado para o outro com uma cadeira lhe servindo de apoio. Todo o peso de seu corpo localizava-se na perna dobrada e a instrução dada era que mantivesse a postura pelo tempo que aguentasse e, quando a dor ficasse intolerável, se deixasse cair sobre um cobertor dobrado no chão à sua frente. A moça realizou esse exercício duas vezes com cada perna, alternadamente. No terceiro exercício, ela deveria inclinar-se à frente com os joelhos ligeiramente fletidos, tocando o chão com as pontas dos dedos.

FIGURA 30

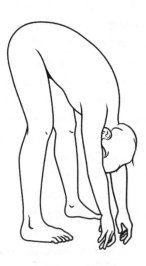

Depois de praticar os dois primeiros exercícios, sua respiração ficou mais profunda e plena. Enquanto fazia o terceiro, cuja tensão se concentra exclusivamente nos tendões atrás dos joelhos, suas pernas começaram a vibrar. Ela sustentou a posição durante algum tempo, atenta à sensação. Quando se ergueu, disse: "Estive em cima das pernas a vida toda, mas esta foi a primeira vez em que fiquei *dentro* delas". Acredito que tal afirmação se aplique a inúmeros indivíduos.

Em pessoas muito conturbadas, os pés chegam a perder a sensibilidade. Lembro-me de outra moça que beirava o estado esquizofrênico. Ela fora à consulta calçando um simples par de tênis, embora fosse um chuvoso dia de inverno em Nova York. Quando tirou os sapatos, seus pés estavam azuis de frio, mas ela relatou não ter essa sensação. A moça não sentia os pés frios; na verdade, não os sentia.

Quando demonstro certas técnicas de bioenergética para profissionais, depois de explicar-lhes o conceito de *grounding*, faço-os praticar alguns exercícios a fim de desenvolver as vibrações nas próprias pernas. O fenômeno vibratório aumenta as sensações e percepções das pernas e dos pés. Quando isso ocorre, muitas vezes eles dizem: "Realmente estou sentindo minhas pernas e meus pés. Nunca tive essa sensação antes". Tal experiência ilustra o *grounding* e mostra ser possível sentir-se mais em contato com a própria base de sustentação.

Porém, uns poucos exercícios não são suficientes para dar base a uma pessoa. É preciso praticá-los regularmente para atingir e manter a sensação de segurança e de ter raízes conferida por uma posição bem situada. No sonho retomado no Capítulo 3, contei que estive atado no tornozelo por um fino fio de arame, que eu poderia ter facilmente removido. No sonho, eu só precisava curvar-me e rompê-lo. Mas o que isso significava, na realidade? Num trabalho mais recente com minhas pernas, senti os tornozelos enrijecidos. É verdade que não são tão tensos quanto a maioria dos que examino, mas também não são tão relaxados quanto deveriam. Além disso, notei tensões nos pés. Para mim, é muito doloroso, quando ajoelhado, sentar sobre as solas do pé. Os tornozelos doem e os arcos dos pés entram em espasmo. Certo dia, durante uma aula de exercícios bioenergéticos conduzida por minha esposa, minhas pernas começaram a tremer tão violentamente que achei que elas não mais poderiam me sustentar. Claro que isso não aconteceu, mas a experiência era nova para mim. Eu poderia atribuir esses problemas à minha idade, mas prefiro pensar que ainda tenho potencial de crescimento – o qual poderia desenvolver se me tornasse mais enraizado e tivesse um contato ainda maior com o chão. Desse modo, continuo praticando.

Do ponto de vista bioenergético, o *grounding* está para o sistema energético do organismo assim como uma válvula de segurança está para um circuito elétrico de alta tensão. Num sistema elétrico, o acúmulo súbito de carga pode queimar parte da instalação ou provocar um incêndio. No indivíduo, o acúmulo de energia também poderá ser perigoso caso ele não tenha contato com o chão. A pessoa pode fragmentar-se, ficar histérica, sentir ansiedade ou entrar em depressão. O perigo é imenso nos indivíduos cujo contato com o chão é precário, tais como os esquizofrênicos limítrofes. No caso destes, meu colega e eu indicamos exercícios que, alternadamente, elevam o teor de carga (respiração) e descarregam a carga energética (manifestação de sentimentos), além de posturas que dão certa base. Quando a pessoa sai da sessão sentindo-se "alta", há uma grande probabilidade de sofrer uma ruptura. Isso não é sério quando se consegue prever a crise e enfrentá-la. Porém, quando a pessoa sai sentindo-se bem e sólida, a probabilidade de vir a sustentar as sensações é maior.

Ainda não entendemos por completo a conexão energética entre pés e chão. Tenho certeza, contudo, da existência dessa ligação. O que sei, sem sombra de dúvida, é que quanto mais a pessoa sente seu contato com o chão, mais firme se mantém, mais carga consegue suportar e mais sentimentos é capaz de manipular. Isso faz do processo de *grounding* um objetivo primário da bioenergética. Desse modo, o trabalho deve estar direcionado para baixo, a fim de que a pessoa consiga *adentrar* pernas e pés.

Pode-se questionar por que isso é tão difícil. É claro que o movimento descendente sempre assusta mais que o ascendente. Por exemplo, a aterrissagem de um avião é mais apavorante que a subida. A descida suscita, num grande número de pessoas, o medo de cair antes suprimido. No próximo capítulo discutirei a angústia associada ao medo de cair – o qual, segundo o que pude apurar, é um dos mais profundos na personalidade humana. A esta altura, gostaria de descrever alguns dos problemas enfrentados pela pessoa que permite à energia e aos sentimentos fluírem pelo corpo em direção à terra.

Em geral, uma das primeiras experiências quando se deixa "ir para baixo" é a tristeza. Se a pessoa aceitar esse sentimento e ceder a ele, começará a chorar. Dizemos que "rompemos" em lágrimas. Há em todas as pessoas uma tristeza muito profunda e em suspenso ("obsessão"), e muitos prefeririam continuar assim a enfrentar tal sentimento, dado que estão à beira do desespero. É possível enfrentar o desespero e suportar a tristeza com a ajuda de um terapeuta compreensivo, mas devo acrescentar que essa não é uma tarefa fácil. A tristeza e o choro estão contidos no abdome, onde também se acumula a energia para a irrupção da descarga sexual e da satisfação. Assim, o caminho para a alegria invariavelmente atravessa o desespero[49].

Sensações sexuais pélvicas profundas também assustam muitos indivíduos. Estes conseguem suportar a excitação limitada da carga genital que é superficial e facilmente descarregada, dado que não exige entrega total às convulsões orgásticas. As sensações doces e ternas da sexualidade pélvica levam a esse tipo de rendição, evocando o medo de perder o controle – um dos aspectos da ansiedade da queda. O problema por nós enfrentado na terapia não é a genitalidade, mas a sexualidade, o medo de se derreter ou de permitir-se afundar no fogo da paixão que queima o abdome e a pelve.

Por último, há a ansiedade de ficar em pé sobre os dois pés, o que denota *solidão*. Quando adultos, permanecemos sós; essa é a realidade de nossa existência. Mas eu descobri que a maioria das pessoas reluta em aceitar tal realidade, pois significa solidão. Por trás de uma fachada de independência, apegam-se a um relacionamento e ficam obcecadas por ele. Quando se tornam dependentes de uma relação, destroem suas qualidades e, ao mesmo tempo, temem deixá-la. Mas, se o fazem, ficam surpresas por descobrir que não estão sozinhas, na medida em que a relação melhora a ponto de tornar-se uma fonte de prazer para ambos os lados. A dificuldade reside na transição, pois no intervalo entre abandonar a obsessão e sentir os pés firmemente plantados no chão passa-se pela sensação de queda e pela ansiedade por ela evocada.

7. Ansiedade da queda

MEDO DE ALTURA

A ansiedade da queda está quase sempre vinculada ao medo de altura. A maioria das pessoas a vivencia quando fica à beira de um penhasco. Independentemente de seus pés estarem bem pregados no chão e de não haver perigo real de cair, muitos de nós sentem tontura e perdem o equilíbrio. A ansiedade da queda deve ser uma experiência exclusivamente humana, dado que todos os animais quadrúpedes, em situações semelhantes, sentem-se bem seguros. Em certas pessoas, essa ansiedade atinge tal intensidade que o simples fato de dirigir sobre uma ponte causa a mesma sensação; trata-se, portanto, de um caso patológico.

Alguns indivíduos parecem estranhamente isentos dessa ansiedade. Já observei, com estupefação e horror, o pessoal que trabalha em andaimes movimentando-se com toda facilidade sobre superfícies exíguas, muito acima do tumulto da cidade. Não poderia imaginar-me lá em cima porque minha ansiedade seria excessiva – já faz muitos anos que sinto medo de altura. Quando criança, aos 8 anos de idade, meu pai colocou-me em seus ombros para que eu assistisse a um desfile. Fiquei aterrorizado. Na mesma época, sentia muito medo de andar de montanha-russa. Mais tarde, quando trabalhava num parque de diversões, superei esse medo andando no brinquedo diariamente. Ao longo dos anos, meu medo de altura vem diminuindo, fato que atribuo ao trabalho realizado com minhas pernas no sentido de ficarem mais seguras e em contato com o chão. Posso agora trabalhar numa escada bem alta ou olhar para baixo, estando num local elevado, sem sentir grande ansiedade.

Há dois motivos para a aparente segurança daqueles que não sentem medo de cair. Como os índios americanos, alguns estão, sem dúvida, bem presos ao chão pelos pés – entre eles, os metalúrgicos que trabalham na construção de arranha-céus. Outros negam esse medo de forma inconsciente. No livro *O corpo traído*, relato o caso de um rapaz esquizofrênico cujas pernas eram extremamente tensas e rígidas, com mínimas sensações. Ele sofria de uma séria depressão e sentia que sua vida era irrelevante. Apesar disso, não sentia medo de cair.

Bill era alpinista; dos melhores, segundo ele próprio afirmou. Fizera muitas escaladas em rochedos íngremes sem nenhum temor ou hesitação. Não tinha conscientemente nenhum medo de altura nem de cair. Não tinha medo porque um dos lados da sua personalidade não se importava de cair. O rapaz contou que, certa vez, estava escalando sozinho e perdeu o pé de apoio. Por alguns momentos ficou dependurado, segurando-se com as mãos a uma estreita saliência. Enquanto buscava um apoio para o pé, sua mente se desligou. Ele se perguntou: "O que aconteceria se eu caísse?" E não houve nenhum pânico[50].

Bill não sentia medo por ter perdido todo o contato com os sentimentos – e esse também era o motivo pelo qual nada de emocionalmente interessante lhe acontecia. Ao mesmo tempo, contudo, buscava algo que abrisse as portas daquela vontade fria e impessoal que o envolvia como a uma crisálida. Queria que algo atingisse seu coração, mas a crisálida precisaria ser destruída antes. Bill sentia fortes tentações nesse sentido: tinha impulsos de tocar fios elétricos de alta tensão e de entrar na frente de carros em alta velocidade. Disse que gostaria de saltar de um precipício se pudesse fazê-lo em segurança. Queria cair, tal como Humpty Dumpty, de modo que sua concha se quebrasse; sentia medo, porém, de que isso viesse a representar seu fim.

Bill era um alpinista, com todas as implicações que isso representa. Parecia ter apenas duas chances: pendurar-se ou soltar-se. E soltar-se significava morrer, algo para o qual Bill não estava ainda preparado. Enquanto se pendurava, ficava em suspenso (*hung up*), obcecado, e nada lhe acontecia.

Há pouco tempo, atendi a uma moça que disse não ter sentido nenhuma ansiedade da queda quando menina, mas posteriormente essa sensação emergira na forma de puro terror. Tinha fantasias obsessivas de cair e essa mudança coincidira com uma transformação em sua vida. Desfizera um casamento ruim e trabalhava bastante para pôr os pés no chão, tanto na vida quanto na terapia. Não conseguia entender por que tinha passado a sentir medo de cair, tendo perguntado a mim o motivo. Expliquei-lhe que começara a "soltar-se" e que não estava se pendurando ou apegando a nada, de modo que o medo reprimido de cair emergira com intensidade assustadora.

O medo de cair é um estágio intermediário entre ficar em suspenso e ter os pés firmes no chão. Neste último, desaparece o medo de cair; no primeiro, esse medo está oculto por uma ilusão. Se aceitarmos essa análise, todo paciente que inicia o processo de abandonar as ilusões e começa a voltar para o confronto com a realidade passará pela ansiedade da queda, que pode ter intensidade variável. O mesmo se aplica à ansiedade de sufocação, que só aparece quando o impulso de buscar algo é contido. Enquanto a manifestação desse impulso estiver confinada aos limites impostos pela estrutura de caráter, não há ansiedade; é a transgressão desses limites que lhe dá origem.

No Capítulo 4, observei que o grau geral de ansiedade em alguém é equivalente ao grau de ansiedade de sufocação. Assim, aquele que tem ansiedade de sufocação tem também igual quantidade de ansiedade da queda e vice-versa. Esse raciocínio fundamenta-se no fato de que o fluxo de excitação para todos os pontos periféricos ou órgãos do corpo é aproximadamente o mesmo.

Em nosso estudo sobre as diversas estruturas de caráter, verificamos que cada tipo relacionava-se a certa modalidade da ansiedade da queda, embora esse termo não tenha sido então empregado. A estrutura de caráter esquizoide representava um *manter junto* determinado pelo medo de que a soltura significasse *fragmentação*. Se o termo "fragmentar" for entendido literalmente, no esquizoide, o ato de cair levaria a se sentir fragmentado ou esmagado. Seria, portanto, de esperar uma forte ansiedade da queda nessa estrutura de caráter. Isso acontece quando a ansiedade vem à tona nos sonhos.

Disse-me um paciente esquizoide: "Costumava sonhar que caía e um sonho em particular foi muito ruim. Sonhei que, onde quer que eu estivesse, o chão cedia. Mudava de lugar e o novo espaço também cedia. Subia escadas e estas desmoronavam. Assim, decidi procurar por meu pai e pedir-lhe que me carregasse no colo, pois eu sabia que ele não cairia. Mas fiquei indeciso depois. Era melhor do que estar sozinho, mas não seguro por completo. Era tremendamente aterrorizante".

Podemos entender com facilidade por que esse sonho é tão assustador. As pessoas passam pelo mesmo terror num terremoto quando o chão começa a perder estabilidade. A sensação de que não há um terreno sólido destrói nossa orientação como seres humanos. A pessoa sente-se "perdida no espaço" e, a menos que tenha passado por um treinamento rigoroso para enfrentar tais experiências, estas são terríveis. Os sentidos ruem e a integridade da personalidade fica temporariamente ameaçada.

Nos demais tipos de caráter, o medo de cair também se relaciona a suas estruturas específicas. Para o indivíduo de caráter oral, o medo de cair vem seguido de outra ansiedade, a de ficar só, de cair para trás. Se suas pernas se soltarem, ele fica como uma criança pequena que senta de repente porque as pernas não aguentam mais e logo descobre que os pais já saíram dali e não há ninguém que a pegue no colo.

Para o indivíduo de caráter psicopático, o medo de cair é o medo do fracasso. Enquanto fica em pé, domina o mundo à sua volta. Abaixo está o fracasso, que o deixa entregue à possibilidade de ser objeto de abuso.

Para o masoquista, cair significa que a parte de baixo (nádegas) se descompõe, o que poderia acarretar o fim do mundo, o fim de suas relações. Há também um elemento anal nessa atitude. Se defecar, por exemplo, ficará todo sujo, o que porá fim ao seu papel de menino bonzinho.

Para o indivíduo de caráter rígido, cair é perder o orgulho. Ele poderia cair de cara no chão e assim seu ego seria estraçalhado. Quando a personalidade da pessoa está fortemente vinculada ao sentimento de independência e de liberdade, a ansiedade não é pouca.

Portanto, para todo e qualquer paciente, cair representa uma rendição ou desistência de sua posição defensiva. Dado, contudo, que tal posição originou-se de um mecanismo de sobrevivência que garantisse contatos, alguma independência e certa liberdade, abandoná-la suscita toda a ansiedade que, originalmente, determinou sua formação. Porém, pode-se pedir a um paciente que se arrisque a fazê-lo, já que sua situação de adulto é diferente da de sua infância. Na verdade, o esquizoide não vai desmoronar se se soltar, tampouco será objeto de aniquilação se conseguir se afirmar. Se nós, como terapeutas, conseguirmos ajudar o paciente a passar pela ansiedade do estágio de transição, ele perceberá que o chão é sólido e que ele tem a capacidade de permanecer ali. Um dos procedimentos que emprego nesse sentido é o exercício de cair.

EXERCÍCIO DE CAIR

De início, quero dizer que este exercício, que considero muito eficaz, é apenas uma das inúmeras possibilidades de movimentação corporal utilizada pela bioenergética.

Coloco um cobertor macio bem dobrado ou um colchão no chão, pedindo ao paciente que fique em pé à frente dele para que, ao cair, faça-o sobre a superfície macia. Ninguém se machuca com esse exercício e até hoje não aconteceu nenhum acidente. Enquanto a pessoa fica em pé à minha frente, tento formar uma imagem de sua atitude, do modo como se coloca no espaço, da forma como fica em pé no mundo. Fazer a avaliação dessa imagem requer habilidade na leitura da linguagem corporal, experiência com pessoas diversas e uma boa imaginação. Nesse momento, em geral, já consigo formar uma ideia da pessoa, de sua história, de seus problemas. Porém, quando não consigo obter uma impressão nítida da atitude da pessoa, valho-me deste exercício para que ela revele o problema que a mantém em suspenso, obcecada.

A seguir, peço ao paciente que desloque todo seu peso para uma das pernas, dobrando o joelho por completo. O outro pé só toca de leve o chão, sendo usado para equilíbrio. As instruções são muito simples. A pessoa tem de ficar nessa posição até cair, mas não deve deixar-se cair. Deixar-se abaixar conscientemente não é cair, pois a pessoa controla a descida. Para ser eficiente, a queda deve comportar uma qualidade involuntária. Se a mente estiver voltada para a manutenção da postura, a queda representará a liberação do corpo de seu controle consciente. Dado que a maioria das pessoas tem medo de perder o controle do corpo, a postura acaba evocando a ansiedade.

Em certo sentido, esse exercício lembra um *koan* zen no qual o ego ou a vontade enfrenta um desafio, sendo ao mesmo tempo transformado em algo inócuo. Não se pode permanecer naquela postura indefinidamente e, no entanto, a pessoa é obrigada a usar toda a vontade disponível para não se deixar cair. No final, a determinação da vontade deve perder não por força de uma pressão voluntária, mas pelo impacto da força mais poderosa da natureza – no caso, da gravidade. Aprende-se que ceder a forças superiores da natureza não tem caráter destrutivo, não havendo necessidade de empregar constantemente nossa vontade para combatê-las. Qualquer que seja sua origem, todo padrão de contenção representa, no presente, o uso inconsciente da vontade em contraposição às forças naturais da vida.

O objetivo desse exercício é desvelar as "obsessões" que mantêm a pessoa em suspenso e dão origem à ansiedade da queda. O exercício testa o contato que aquela pessoa tem com a realidade. Por exemplo, houve uma moça que, em pé, em frente ao cobertor, olhou-o e disse sentir-se quilômetros acima da terra, olhando para baixo como se estivesse dentro de um avião. Cair de uma altura dessas seria mesmo aterrorizante e ela estava com medo de fazê-lo. Finalmente, quando caiu, deu um grito altíssimo e experimentou grande alívio e uma sensação de soltura. O chão só estava a alguns centímetros. Fiz que ela repetisse o exercício com a outra perna; a moça não se sentiu tão longe do chão.

As pessoas veem coisas diferentes ao olhar para o cobertor. Há quem perceba um terreno rochoso contra o qual vai se estraçalhar se cair ali. Outros enxergam uma massa líquida na qual mergulharão. Tanto o cair quanto a água assumem uma conotação sexual que mais tarde investigarei. Já outros veem rostos, da mãe ou do pai; para tais indivíduos, cair representa entregar-se ou ceder aos pais.

O exercício torna-se mais eficiente quando a pessoa deixa que o corpo desmorone no chão enquanto está apoiada numa só perna. É necessário encorajá-la a deixar o peito cair e respirar livremente, a permitir que os sentimentos apareçam. Insisto também para que repita em voz alta: "Vou cair", já que é isso que vai acontecer. De início, quando pronuncia tais palavras, a voz não tem nenhuma tonalidade emocional, mas, à medida que a dor aumenta e fica mais claro que a queda é iminente, a voz fica mais alta e pode carregar medo.

Não é raro a pessoa afirmar espontaneamente: *"Não* vou cair". Isso pode ser dito com determinação, às vezes até com os punhos cerrados. Nesse momento, a batalha começa a ser travada. Pergunto à pessoa: "O que cair representa para você?" Em geral, a resposta é "fracassar" ou: *"Não* vou fracassar". Uma jovem lutou dramaticamente fazendo quatro vezes esse exercício, duas com cada perna. Estas foram suas palavras:

Primeira vez: "Não vou cair". "Não vou fracassar." "Sempre fracassei." E, depois desse comentário, caiu e começou a chorar profundamente.

Segunda vez: "Não vou cair". "Não vou fracassar." "Sempre fracasso. Sempre fracassarei." Caiu e chorou de novo.

Terceira vez: "Mas eu não quero fracassar. Não precisava cair. Poderia ter ficado em pé para sempre".

"Não vou cair." Mas, à medida que a dor aumentava, crescia a percepção de que cairia.

"Não posso ficar em pé para sempre. Mas não posso." E, depois desse comentário, caiu e começou a chorar.

Quarta vez: "Não vou fracassar". "Toda vez que eu tento, fracasso." "Não vou tentar."

"Mas eu preciso tentar." Depois, caiu e percebeu que tinha de acabar em fracasso.

Por que tem de acabar assim? Perguntei-lhe o que ela estava tentando conseguir, e ela respondeu: "Ser aquilo que os outros esperam que eu seja". Essa tarefa é impossível, tal como ficar em pé para sempre. Se a pessoa pensa em levar à frente tal tipo de empreendimento, está fadada ao insucesso, pois ninguém pode ser senão aquilo que é. Ninguém daria continuidade a uma tarefa tão sem sentido – e que consome tanta energia vital –, a menos que o ego (superego, em termos freudianos) estivesse conduzindo o indivíduo nessa direção. A fim de derrubar tal tirania e de libertar-se da irrealidade dos objetivos e da ilusão de que seriam concretizados, a pessoa precisa chegar a uma aguda conscientização de sua impossibilidade. É a isso que o exercício se destina e o que acaba por acontecer.

Todo paciente está envolvido num conflito neurótico para tornar-se diferente do que é, uma vez que está provado que daquele jeito os pais não o aceitam. Quando a pessoa inicia a terapia, espera que o terapeuta a ajude a atingir tal objetivo. Não há dúvidas de que necessite de algumas reformulações em sua personalidade, mas a direção dessa mudança está voltada para a autoconscientização e autoaceitação e não para a concretização de uma imagem. A direção é descendente; mira o chão e a realidade. Enquanto, porém, a pessoa estiver às voltas com esse conflito neurótico para satisfazer as exigências dos outros, continua obcecada por esse problema da infância. Não há como sair do conflito senão cedendo.

Esse problema do conflito neurótico é claramente demonstrado pelo seguinte caso. Em determinada sessão, Jim relatou o seguinte sonho: "Na noite passada, sonhei que estava tentando arrastar-me pelo chão com pernas mortas, completamente duras. Tive de usar a parte de cima do corpo para me mover". Depois acrescentou: "No passado, eu tinha sonhos em que flutuava". A parte inferior de seu corpo estava muito tensa e rígida. Jim fora submetido a uma fusão espinhal na região lombossacral devido a graves problemas na região inferior das costas. Seu sonho demonstrava de modo inequívoco qual era sua condição energética.

Imediatamente após lembrar-se do sonho, Jim comentou: "Tive hoje de manhã a fantasia de que minha mãe era uma cobra – uma jiboia, que se enrolou ao redor da minha cintura apertando-a com força. Sua cabeça estava no meu pênis, sugando-o. Minha mãe dizia que, quando eu era bebê, era tão engraçadinho que me beijava em todo o corpo, inclusive no pênis. Enquanto conto isso a você vou ficando estonteado, perdido; estou suando".

A seguir, fez o exercício de cair, que revelou a intensidade de seu conflito. Afirmou: "Parece que estou desistindo, mas não caio. Vou conseguir manter-me assim para sempre. Não vou cair".

Jim dizia a si mesmo: "Jim, você vai ficar o resto da vida se segurando". Depois se dirigia a mim: "Se eu cair, vou entrar num buraco sem fundo. Você conhece aquela sensação de cair em que o estômago se contrai e não se pode respirar? Quando criança, eu tinha fantasias de voar como um passarinho. Cheguei mesmo a tentar, mas caí. Meus pais chegaram e me deram uma surra por tê-los assustado".

"Eu deveria ser capaz de me sustentar. Essa ideia é muito forte dentro de mim. Fico zangado comigo quando me solto. Desisto muito fácil. Sou um covarde, um fujão, um bebê chorão. Minha mãe fazia-me sentir um fracassado quando não conseguia controlar-me. Dizia a toda hora: 'O difícil fazemos de imediato; já o impossível demora um pouco mais'".

Naquele momento, Jim não estava pronto para abandonar o conflito. Seu medo de cair era enorme. Ambos tivemos de aceitar a fase que ele então vivia e continuar trabalhando seu problema. Dei-lhe uma toalha que começou a torcer enquanto dizia: "É uma cobra. Preciso segurar firme ou isto (e ele sabia que se referia à mãe) vai me pegar".

Jim também era psicoterapeuta; assim, eu não precisava interpretar seus sonhos e fantasias, pois ele sabia que a mãe era sedutora e que ceder significaria afundar-se no sentimento sexual por ela. Se tivesse feito isso quando criança, ela o teria engolido – não literalmente, mas no sentido de que ela o faria consumir-se em sua paixão à custa de qualquer sentimento de independência. Sua defesa foi contrair a cintura e abolir seus sentimentos de ordem sexual. Essa era uma defesa psicopata, mas Jim não tinha alternativa. Mesmo naquela época da terapia, não poderia arriscar-se a sair de sua posição. Devemos ser tolerantes com o paciente enquanto ele enfrenta conflitos profundamente estruturados.

Numa sessão posterior, Jim voltou ao seu medo de cair. Quando entrou, disse-me: "Enquanto dirigia, percebi-me batendo o calcanhar repetitivamente. Dei ao gesto algumas palavras e saiu assim: 'Eu vou te matar'".

Novamente começamos pelo exercício de cair e Jim disse: "Quando você sugeriu que eu dissesse 'Vou cair', senti que ia morrer. Vivencio a coisa como se fosse uma luta de vida ou morte. Se eu me soltar, morrerei. Se eu os matar, também".

"O modo como isso acontece dentro de mim é muito enganoso. Não consigo suportar situações intensas por longos períodos, mas posso ficar uma eternidade apenas me segurando. Quando todo mundo já desistiu, continuo ali até ter êxito." Ao dizer isso, cerrou os pulsos: "É uma viagem longa e fico só pondo um pé à frente do outro, com grande esforço".

"As críticas que minha mãe me fazia acabavam me triturando. Faço o mesmo comigo e com todo mundo. Pressiono, pressiono e luto. No entanto, acredito que sou um fulano que foge. Digo a mim mesmo que, se não fosse pelo fato de ser fujão, conseguiria fazer melhor as coisas."

Esse conflito foi, a seguir, transposto para o exercício de cair que Jim realizava. Ele diz: "Vou cair. Vou fracassar. Mas tenho de ganhar. Tenho de me sair bem". Depois a realidade se faz presente e ele comenta: "É lógico: já fracassei".

Jim, contudo, ainda não consegue aceitar essa realidade. Bate nas coxas com os punhos cerrados e diz: "Vou me matar se não conseguir me aguentar. Mas, se conseguir, vou morrer. Tenho medo de ficar com câncer nos pulmões. Porém, quanto mais tento não fumar, mais eu fumo".

Durante esse monólogo, Jim caiu e chorou. A descarga ainda era muito pequena. Depois, ele repetiu o exercício com a outra perna e continuou externando seus medos. Descarregar a ansiedade com sentimentos intensos é um procedimento bastante terapêutico. Depois de finalizado o exercício de cair, Jim lembrou-se de um episódio da infância bastante revelador.

"Tenho medo de que, assim que as coisas melhorarem, eu morra. Só sobrevivo à custa de lutas. Se eu parar de lutar, vou morrer. Tive septicemia com febre alta quando criança e fiquei entrando e saindo de hospitais por mais ou menos um ano. Entrei em coma algumas vezes. Passei por drenagens e transfusões. Quase morri. Mas me agarrei à vida, usando toda a minha força de vontade. Sei como viver quando a situação está pesada. Quando vai tudo bem, não sei como existir."

Diante dessa experiência, fica claro por que Jim associava cair com morrer. As duas ações pareciam envolver a rendição de sua vontade. Mas seria ingênuo pensar que Jim poderia, conscientemente, render-se ao próprio corpo e confiar nele. Tal escolha usa a determinação para negar a vontade destituída de objetivo. O medo de morrer do rapaz, a morte de seu espírito caso ele se rendesse à mãe e a morte de seu corpo caso desistisse de guiá-lo tinham de ser vivenciados e analisados à exaustão. Ao mesmo tempo, ele deveria aprender a confiar em seu corpo e em seus sentimentos sexuais. Jim estava conscientemente preparado para aceitar a verdade de seu corpo e suas sensações sexuais, mas para confiar neles é preciso um conjunto inteiramente novo de experiências corporais que podem ser proporcionadas pela terapia.

Esse exercício específico também ajuda a fornecer tais experiências: ficar em pé sobre uma perna só pressiona os músculos dessa perna até cansá-los. Em estado de exaustão, os músculos não podem manter sua tensão ou contração. Ao cederem gradualmente, surge uma vibração forte, que acentua as sensações da perna, de modo que o membro não parece mais "uma perna morta, completamente dura". Ao mesmo tempo, a respiração se aprofunda. O corpo poderá ser atravessado por tremores, ainda que a pessoa não caia, e ela se surpreende ao verificar que sua perna continua aguentando seu peso – embora o controle consciente de seu corpo esteja menor. Finalmente, quando a perna acaba cedendo e a pessoa cai, há um alívio considerável ao saber que não é de ferro e que o corpo cairá quando não conseguir mais sustentar seu peso. Por último, com a percepção iludível de que cair não é o fim, o indivíduo não se destrói e o corpo pode se erguer novamente.

O simbolismo subjacente ao exercício de cair merece ser mencionado. A terra é um símbolo da mãe. Mãe e terra-mãe são as fontes de nossa força. Uma das inúmeras batalhas que Hércules travou deu-se contra Anteus. Hércules venceu seu oponente várias vezes, mas em vez de ganhar o combate estava prestes a perdê-lo. Hércules se cansava enquanto Anteus retornava mais forte depois de cada queda, de cada contato com a terra. Foi quando Hércules percebeu que Anteus era filho da terra-mãe e que, toda vez que a ela retornava, revigorava-se e ficava mais poderoso. Hércules então ergueu Anteus do solo e deixou-o suspenso até que morresse.

Somos todos filhos da terra-mãe e de mães que deveriam constituir-se numa fonte de força para nós. Infelizmente, como no caso de Jim, a mãe pode ser uma ameaça para a criança e, portanto, alguém a quem opor resistência mais do que alguém com quem anuir. Não se pode, por conseguinte, "deixar-se cair" sem sentir profunda ansiedade. A permanência no estado de "obsessão" cria uma situação perigosamente ameaçadora para a existência do indivíduo devido aos processos energéticos do corpo, ao passo que cair poderá evocar o medo (irreal) de morrer. A realização do exercício de cair suscita o conflito com a mãe, o qual pode, nessas circunstâncias, ser analisado e enfrentado – permitindo à pessoa ceder ou cair com uma sensação de segurança, pois a terra está à sua disposição.

Recebi recentemente uma carta de um homem que eu recomendara a um colega, o dr. Fred Sypher, de Toronto, para tratar uma forte dor na região inferior das costas que irradiava para a perna direita. Escreveu: "Um dos aspectos mais interessantes do tratamento com o dr. Sypher é o contato com o chão. O chão torna-se um amigo, um elemento sólido de apoio que está sempre lá e evita que eu me machuque seriamente, mesmo que doa. Não se pode cair se já estiver no chão; ali consigo enfrentar uma série de coisas que poderiam ser difíceis de ser encaradas se eu achasse que ia cair. O contato permitiu-me liberar uma boa parte do terror que existe dentro de mim".

Em muitos casos, depois do exercício de cair, fazemos um de levantar. Inúmeros pacientes expressaram o medo de, depois de caírem, não ser mais capazes de se levantar. É óbvio que sabem que, com força de vontade, podem aprumar-se de novo, mas não têm certeza se conseguirão subir novamente. Subir é como crescer. Uma planta, por exemplo, ergue-se do solo, não se apruma simplesmente. No processo de levantar, as forças vêm de baixo; no de aprumar-se, de cima. O exemplo clássico de levantar é o do foguete que sobe proporcionalmente à força da energia que descarrega para baixo. Em geral, o andar pertence a esse tipo de movimento, na medida em que cada passo dado à frente implica empurrarmos o chão. Este nos devolve a pressão, impelindo-nos à frente. Trata-se do princípio físico da ação-reação.

No exercício de levantar, a pessoa está de joelhos num cobertor dobrado no chão. O peito dos pés apoia-se no chão. A pessoa desloca então um dos pés para a frente e também se inclina para que um pouco do peso seja transferido para esse pé. Peço que a pessoa sinta o pé no chão e se balance de trás para a frente sobre ele, a fim de incrementar as sensações. A seguir, o indivíduo ergue-se ligeiramente e apoia todo o peso na perna que está dobrada à frente. Se empurrar para baixo com força suficiente, descobrirá que está levantando. Quando o exercício é realizado de maneira correta, o indivíduo sente realmente uma força que movimenta o corpo desde o chão e o faz levantar. Este, contudo, não é um exercício fácil de fazer; a maioria das pessoas tem de se aprumar um pouco para ajudar no processo. Com a prática, fica mais fácil realizar o movimento; a pessoa aprende a dirigir a energia para baixo, pela perna, para subir. Em geral, o exercício é feito duas vezes em cada perna para desenvolver a sensação de pressionar o chão e depois subir.

Os indivíduos gordos e pesados têm mais dificuldade de realizar esse exercício. Já vi essas pessoas tentando e caindo como bebês. É como se tivessem perdido a capacidade de se levantar, tendo de resignar-se psicologicamente a um nível infantil em que o comer, mais que o correr e o brincar, é o principal elemento de interesse e de satisfação. Considero que tais indivíduos agem simultaneamente em dois níveis: no nível adulto, em que é a vontade que os capacita a ficar em pé e a se mexer; e no nível infantil, em que são característicos o comer e o sentir-se desamparado (sobretudo no que tange à comida).

Cair e levantar constituem um par de funções antitéticas que não existem de forma independente. Quem não consegue cair não consegue levantar. Isso fica muito claro no fenômeno do sono: fala-se em cair no sono e levantar-se no dia seguinte. No lugar das funções naturais de cair e levantar, as pessoas que se valem da força de vontade para cair e levantar ou para deitar e acordar. Se a vontade não for mobilizada, como ocorre nos primeiros instantes do despertar pela manhã, terão grande dificuldade para sair da cama. Por trás desse problema está a ansiedade da queda, a incapacidade de ir cedo para a cama e deixar-se *cair* no sono com facilidade. Em consequência, essas pessoas já acordam cansadas e não têm energia para levantar-se.

Depois que o paciente faz o exercício de cair, seu corpo fica bem mais solto. Costumo deixá-lo respirando apoiado no *stool* (banco de respirar). Muitas vezes, a respiração assume um caráter involuntário depois da realização desses exercícios e surgem tremores que podem se transformar em soluços e choro. Sempre estimulo a pessoa a deixar-se levar por esses movimentos corporais involuntários, uma vez que representam um esforço espontâneo, por parte do organismo, para livrar-se da tensão.

Antes de explicar como surge a ansiedade da queda, gostaria de apresentar mais um caso: Mark, homossexual de cerca de 40 anos, sofria com o isolamento e a solidão devido à incapacidade de expressar abertamente seus sentimentos. Seu corpo tinha uma qualidade de madeira; pesado, encobria uma criança assustada incapaz de mostrar-se. Em uma das sessões, ele disse: "Noite passada, sonhei que oferecia um jantar e meus convidados eram o sr. Cabeça e o sr. Corpo. Acho que se tratava de uma preparação para a consulta de hoje. Os dois eram pequenos, musculosos, empedernidos; de peito duro e projetado à frente, mostravam-se completamente independentes. Era como se não conseguissem se juntar. O jantar não era assim tão importante. Eu queria reuni-los, mas não conseguimos ficar juntos. A festa simplesmente nunca aconteceu".

A seguir, Mark preparou-se para o exercício de cair. Quando ficou em pé à frente do cobertor, disse: "Vejo um buraco. Pareço estar sendo tragado por ele. É muito fundo, como um poço. Uma de minhas fantasias é tentar o tempo todo escalá-lo; pareço ser capaz de fazê-lo, mas toda vez que tento vejo-me ainda dentro do buraco".

"A vida toda tive sonhos em que eu caía, geralmente de um lance de escadas; hoje, sonho que caio de lugares muito mais altos. No verão deste ano, eu estava na Europa e meu quarto ficava num andar bem alto do hotel; apesar de estar completamente acordado, tinha a fantasia de que seria puxado para fora da cama, lançado contra a sacada e depois atirado no ar."

"Quando criança, eu subia em árvores e me segurava nos galhos; não demonstrava medo de altura enquanto houvesse algo em que me segurar. Quando tinha 8 anos, alguém me desafiou a andar num trilho estreito e longo, posicionado numa torre a cerca de 30 metros do chão. A distância a ser percorrida entre ida e volta chegava a 60 metros. Fui e voltei. Mais tarde, porém, mal conseguia chegar perto da torre."

"Também por volta dos 6 a 8 anos eu costumava sonhar que conseguia voar. A coisa era tão real que eu acreditava que ia acontecer. Cheguei inclusive a tentar na presença de outras pessoas. Eu tentava levantar voo, mas acabava aterrissando de cara."

Depois que Mark caiu e viu-se deitado no cobertor, disse: "Sinto alívio quando caio. Parece que sou feito de tijolos bem instáveis. Sinto estar sobre uma estrutura muito insegura e que fico melhor deitado no chão".

CAUSAS DA ANSIEDADE DA QUEDA

Afirmei há pouco que o ser humano talvez seja o único animal a experimentar a ansiedade da queda. Evidentemente, todos os animais estão sujeitos à ansiedade quando caem de verdade. Já vi meu papagaio ficar ansioso quando cai do poleiro durante o sono. Ele acorda no primeiro momento de desequilíbrio, fica desorientado por um instante e depois recupera seu domínio. Já os seres humanos são suscetíveis à ansiedade da queda mesmo quando estão firmes sobre no chão. Tal ansiedade pode ser rastreada em nossa evolução até a época em que nossos antepassados viviam em árvores, como alguns macacos.

Parece ser um fato razoavelmente aceito pela antropologia que o antepassado humano vivia na floresta antes de aventurar-se pelos campos em busca de alimento. Em seu livro *The emergence of mankind*, John E. Pfeiffer descreve o que significava viver em árvores: "Sobretudo, a vida nas árvores introduziu uma característica única, uma insegurança ou incerteza psicológica nova e crônica"[51]. A insegurança estava relacionada ao perigo de cair e as quedas eram comuns. Pfeiffer assinala que pesquisas com gibões, primatas que vivem em árvores, mostram que um entre quatro adultos fratura ao menos um osso.

Havia algumas vantagens em morar nas árvores: comida abundante, certo isolamento dos predadores e o estímulo ao desenvolvimento das mãos.

O perigo de cair diminui com a capacidade de segurar num ramo ou galho de árvore. Os filhotes de macaco se seguram na mãe fortemente com braços e pernas enquanto esta se desloca pelas árvores. Ela também usa um dos braços para apoiá-los. Assim, para o filhote, a perda do contato com o corpo da mãe suscita a perspectiva imediata de cair e machucar-se, quando não de morrer. Os roedores, como os esquilos, que também habitam as árvores, constroem seus ninhos em buracos elevados das árvores, onde os filhotes estarão a salvo mesmo na ausência de sua mãe. Os macacos que vivem nas árvores e os símios em geral carregam seus filhotes consigo, cuja única segurança é estarem agarrados ao corpo da mãe.

No recém-nascido humano, o instinto de agarrar e segurar está presente desde o nascimento, sendo fruto de sua história filogenética. Quando suspensos no ar, alguns bebês conseguem suportar seu peso apenas com a preensão manual. Esta, porém, é apenas uma capacidade residual, pois os bebês humanos precisam *ser* carregados para se sentir seguros. Se esse apoio for subitamente retirado e eles caírem por um instante, ficam assustados e ansiosos. Apenas duas outras situações parecem amedrontar o recém-nascido: a incapacidade de respirar dá margem à ansiedade de sufocação, e um tom de voz elevado e repentino produz o que se conhece como reação de alarme.

A história filogenética do animal humano, refletida na necessidade do bebê de ser carregado para sentir segurança, é o que o predispõe à ansiedade da queda. Esta é provocada pela falta de colo e de contato físico com a mãe.

Em 1945, Reich publicou o que tinha observado a respeito da ansiedade da queda num bebê de três semanas. Esse exemplo estava incluído em seu estudo da ansiedade da queda em pacientes com câncer, nos quais esse sentimento é muito forte e profundamente estruturado. O texto impressionou-me bastante, embora eu tenha levado 25 anos para enfrentá-lo no escopo do meu trabalho.

Observando o recém-nascido, Reich escreveu:

> Ao término de sua terceira semana de vida, o bebê experimentou um ataque agudo de angústia de cair quando foi tirado do banho e colocado sobre uma mesa de costas. Não ficou claro imediatamente se o movimento de deitá-lo teria sido muito rápido ou se o esfriamento da pele desencadeou a angústia de cair. Seja a causa qual for, *o bebê começou a gritar violenta-*

mente, esticou os braços para trás como que para obter apoio, tentou trazer a cabeça para a frente, mostrou um pânico absoluto nos olhos e não pôde ser acalmado. Teve de ser tomado nos braços. Tão logo foi feita nova tentativa de deitá-lo, a angústia de cair reapareceu com a mesma violência. Só foi possível acalmá-lo tomando-o nos braços.[52]

Depois desse incidente, Reich observou que o ombro direito da criança foi repuxado para trás. *"Durante o ataque de angústia, a criança puxou os dois braços para trás como que se protegendo da queda."*[53] Essa atitude pareceu persistir na ausência da ansiedade. Era evidente para Reich que a criança não tinha um medo consciente de cair. O ataque de ansiedade só poderia ser explicado pela retirada de carga dos pontos periféricos do corpo e, por força disso, pela perda do senso de equilíbrio. Era como se a criança tivesse entrado num ligeiro estado de choque que Reich denominou "anorgonia". No estado de choque, o sangue e a carga energética distanciam-se da periferia do corpo; a pessoa perde a noção de equilíbrio e sente que vai cair – ou de fato cai. As mesmas reações aconteceriam em qualquer organismo animal que entrasse em choque. Enquanto a pessoa permanece nesse estado, é difícil manter-se em pé e contrapor-se à força da gravidade. Reich interessava-se em saber por que a criança estava passando por aquilo.

Ele percebera a ocorrência de certa falta de contato entre o bebê e a mãe. O bebê estava sendo alimentado segundo sua necessidade e esse contato com a mãe era agradável e satisfatório. Porém, quando não estava mamando, ficava deitado num berço ou carrinho, perto da mãe, enquanto esta datilografava. Segundo Reich, a necessidade de contato físico demonstrada pela criança não estava sendo satisfeita, pois ela não ficava no colo o bastante. Antes do ataque, o bebê exibira uma reação particularmente intensa à amamentação, a qual Reich chamou de orgasmo oral – manifesto em tremores e contrações da boca e do rosto. Em suas palavras, "isso intensificou a necessidade de contato ainda mais"[54]. Como este não aconteceu e o bebê foi negligenciado, deu-se um estado de contração em seu organismo.

Para superar a tendência da criança à ansiedade da queda, Reich usou três técnicas: *"Pegar a criança no colo quando gritava"*[55]. Isso a ajudava. Pessoalmente, creio que teria sido melhor segurar a criança mais vezes num *sling*, como fazem os indígenas. *"Os ombros, mantidos em posição retraída, foram suavemente movidos para a frente, de modo que eliminasse esse primeiro surgi-*

mento de uma couraça caracterológica na região."[56] Por dois meses Reich fez esse movimento como se fosse uma brincadeira. *"A criança realmente tinha de receber a 'permissão de cair' para se acostumar com a sensação de queda.*" Essa terceira medida era também realizada de maneira delicada e lúdica, e a criança aprendeu a gostar daquele jogo.

Por que, em determinadas pessoas, essa ansiedade se mantém ao longo da vida? A resposta está no fato de os pais não reconhecerem o problema e de, em consequência, nada fazerem para mudar a situação. A necessidade do bebê de ser carregado não nos é desconhecida. O impulso de ir em busca de algo exterior persiste, mas associa-se a um medo cada vez maior de não haver fundamento para esperar uma resposta, à incerteza de ser visto como um organismo com necessidades e, por último, à inexistência de um ponto no espaço onde situar-se.

Reich estudou o caso de outro bebê cujo desenvolvimento estava sendo acompanhado no Centro Orgonômico de Pesquisas da Infância[57]. Depois de um começo promissor, em que se desenvolveu bem, a criança apresentou sinais de bronquite na terceira semana. Seu peito ficou sensível, e a respiração, irregular; ela parecia inquieta, manhosa e insatisfeita. Uma investigação demonstrou a presença de distúrbios emocionais entre a mãe e o bebê. *"A mãe parecia sentir-se culpada pelo fato de não ser uma mãe 'saudável'"* e de não satisfazer todas as expectativas que tinha. Admitia ressentir-se da quantidade de tempo e de energia que precisava dedicar ao bebê, mostrando-se surpresa e sobrecarregada com a situação. O bebê reagia à ansiedade e ao desconforto da mãe tornando-se igualmente ansioso.

O relato desse caso é interessante por diversos motivos. Primeiramente, Reich observou que a região do diafragma "parecia reagir em primeiro lugar e mais fortemente ao desconforto emocional bioenergético". Segundo ele, outros bloqueios também decorriam desse problema inicial, difundindo-se em ambas as direções. A tensão do diafragma está francamente associada à ansiedade da queda, na medida em que reduz o fluxo de excitação que se encaminha para a metade inferior do corpo. Em segundo lugar, está claro que um bom contato implica mais do que apenas carregar ou tocar. O que importa é a *qualidade* do toque ou do colo. Para que o bebê se beneficie do contato, o corpo da mãe deve estar quente, suave e cheio de vida. Qualquer tensão em seu organismo afeta a criança. Em terceiro lugar, Reich descreveu aquilo que penso ser o elemento essencial da relação mãe-criança: "Deixe a mãe simplesmente 'curtir' o filho; o contato se desenvolverá de modo espontâneo".

A ansiedade de cair e os distúrbios respiratórios são dois aspectos de um único processo. Numa sessão anterior, Jim descrevia a ansiedade de cair como aquela em que "o estômago se contrai e não se pode respirar". A ansiedade da queda, conforme Reich, "está vinculada a rápidas contrações do aparato vital, sendo, na realidade, produzida por elas. Assim como uma queda concreta gera uma contração biológica, a contração, por seu turno, dá margem à sensação de cair"[58]. A perda da energia nas pernas e nos pés produz uma perda de contato com o chão, sensação equivalente à de o chão fugir de nossos pés.

APAIXONAR-SE

A ansiedade da queda leva não só ao medo de altura como ao temor de qualquer situação que evoque no corpo a sensação de cair. Nossa língua identifica duas situações: cair no sono e apaixonar-se (cair de amores). Seriam tais expressões não apenas literárias? De que modo o momento de transição da vigília para o sono lembra o ato de cair? Se, em nível corporal, encontrarmos um paralelo entre as duas instâncias, compreenderemos por que tantas pessoas têm dificuldade de dormir e precisam tomar sedativos para amortecer sua ansiedade e facilitar a passagem da consciência para a inconsciência.

Há muito tempo essa passagem vem sendo considerada um movimento que se dirige para baixo. Na realidade, se a pessoa pegar no sono enquanto está em pé, acaba caindo no chão, como alguém que desmaia e perde a consciência. Todavia, não costumamos dormir em pé, mas deitados; desse modo, não há deslocamento do corpo no espaço. Portanto, a sensação de cair deve advir de um movimento interno, de um acontecimento interno ao corpo conforme o sono nos envolve.

Há certa verdade na expressão "cair no sono"; de fato sentimos uma espécie de "queda" no processo de pegar no sono. Este começa por uma sensação de tontura. Repentinamente, o corpo fica pesado, sobretudo olhos, cabeça e membros. É preciso esforço para uma pessoa sonolenta manter os olhos abertos ou a cabeça erguida. Se estiver cambaleando de sono, a cabeça ficará pendurada. Os membros parecem incapazes de sustentar o corpo. Cair no sono é como afundar-se no chão. O desejo de deitar e de desistir da luta contra a força da gravidade é enorme.

Às vezes, o sono vem rápido; em determinado momento, a pessoa ainda está acordada e, no seguinte, já está inconsciente. Em outras, o sono vai aumentando devagar e pode-se perceber claramente a perda progressiva da sensibilidade em certas partes do corpo. Observei que, quando me deito ao lado de minha esposa com a mão em seu corpo, perco primeiro a consciência do corpo dela e depois da minha mão. Porém, se ficar prestando demasiada atenção a minhas sensações, torno a acordar. A atenção é uma função da consciência que a amplia. Em geral, isso acontece comigo num intervalo muito curto e, antes que eu me dê conta do que está se passando, estou dormindo profundamente. Obviamente o processo não é claro, uma vez que a função de cognição é abolida pelo sono.

Quando adormecemos, há uma retração da energia, da excitação, da superfície do corpo e da mente para o interior do organismo. O mesmo movimento energético acontece no processo de cair e, portanto, ambas as situações são energeticamente equivalentes. É claro que, na prática, as situações são diferentes, pois cair no chão implica a possibilidade de machucar-se, ao passo que cair de sono na cama é um ato seguro. Não obstante, a ansiedade vinculada ao cair pode associar-se ao processo de adormecer por força da igualdade do mecanismo dinâmico. O problema é a capacidade do indivíduo de ceder o controle egoico, pois isso implica a retirada de energia da superfície da mente e do corpo. Nos casos em que o controle do ego está identificado com a sobrevivência, como nos indivíduos que agem primariamente pelo exercício da vontade, a rendição de tal controle é objeto de um conflito inconsciente.

A ansiedade neurótica deriva de um conflito interno entre um movimento de energia no corpo e um controle ou bloqueio inconsciente acionado para limitar ou deter esse movimento. Tais bloqueios são as tensões musculares crônicas presentes sobretudo na musculatura voluntária ou estriada, em geral submetida ao controle do ego. O controle consciente do ego desaparece quando a tensão muscular torna-se crônica. Isso não significa que tenha acontecido a rendição completa do controle, mas que este se tornou inconsciente. O controle de ego inconsciente é como um guarda sobre o qual o ego ou a personalidade perdeu o controle. Funciona como uma entidade independente dentro da personalidade, adquirindo poder à medida que a tensão corporal aumenta. Carga, descarga, fluxo e movimento são a vida do corpo, tendo o guarda de reprimi-la e limitá-la a fim de sobreviver. A pessoa deseja soltar-se e fluir, mas o carcereiro diz: "Não, é muito perigoso". Quando éramos crianças, sofríamos o mesmo tipo de restrição ao sermos ameaçados ou punidos por fazermos muito barulho, sermos muito ativos, termos muita vida.

Sabemos que a queda é menos perigosa se nos "soltamos" ou abandonamos qualquer tentativa de exercer o controle do ego. Na realidade, se a pessoa tentar ansiosamente controlar a queda, poderá quebrar um osso antes mesmo de chegar ao chão. A fratura é provocada por uma súbita contração muscular. As crianças, cujo controle de ego é fraco, e os alcoólatras, nos quais esse controle foi suprimido, em geral caem sem machucar-se demais. O segredo de cair é deixar-se cair, permitindo às correntes fluir livremente pelo corpo, sem medo delas. Por esse motivo, alguns atletas, como jogadores de futebol, treinam quedas a fim de evitar eventuais lesões graves.

Nem todos os neuróticos sofrem de ansiedade da queda. Já mencionei que, caso consiga bloquear os sentimentos, a pessoa não sente ansiedade. Isso se aplicava a Bill, o alpinista. Era a sensação que amedrontava. Se se consegue deter o fluxo de excitação ou impedir-se de percebê-lo, o medo desaparece. É por isso que nem todos os neuróticos têm dificuldade de adormecer. Cair no sono é um processo ansiogênico ou assustador somente quando se percebe o afastamento de energia da superfície para o centro do corpo. Quando não há sensações associadas à transição da consciência para o estado de sono, a ansiedade não é evocada.

Essa sensação não é, em si, assustadora, podendo ser vivida como um prazer. Porém, se for ameaçadora, indica que a movimentação da energia em direção ao centro do corpo e o consequente obscurecimento da consciência equivalem à morte. O mesmo movimento centrípeto de energia acontece na morte – exceto que, nessa situação, não acontece inversão. Se alguém perceber, em algum nível, a conexão existente entre cair no sono e morrer, torna-se impossível ceder o controle do ego ao processo natural.

No livro *O corpo traído*, relato o caso de uma jovem que sofria dessa ansiedade. Relatou um sonho em que disse: "Experimentei vividamente a realidade da morte – o que significa ser baixada para dentro do solo e ficar ali até desintegrar".

Depois acrescentou: "Compreendi que isso vai acontecer comigo, como acontece com todo mundo. Quando era menina, eu não conseguia adormecer pelo medo de morrer durante o sono e acordar num caixão. Eu estaria aprisionada, sem saída"[59].

Tal colocação comporta uma contradição estranha. Se alguém morre enquanto está dormindo, não acorda num caixão. A moça sente medo de morrer, mas tem igualmente medo de ficar presa, tolhida – o que significa morrer, dado que vida é movimento. Morrer é estar amarrado, incapaz de fazer movimentos, mas estar amarrado também é morrer. Para essa paciente, a vigília é mais que consciência: é um estado de alerta exacerbado contra a possibilidade de ficar amarrada. Cair no sono implica uma rendição desse alerta e, portanto, evoca o perigo de ser preso ou de morrer.

Numa interpretação posterior de seu comentário, relaciono o caixão a seu corpo. Em geral, ao acordarmos, tomamos primeiro consciência do corpo. A consciência retorna na mesma sequência em que desapareceu: de início, a do corpo; depois, a do mundo exterior. Por conseguinte, tudo depende de como a pessoa sente seu corpo. Se este estiver sem vida, vai parecer um caixão sufocante. Ela estaria ainda sujeita à decadência e à desintegração, que também ocorrem apenas com cadáveres. Acordar com um corpo cheio de vida, no qual se sentem as vibrações da energia vital, é tão prazeroso quanto entregar-se ao cansaço e dar ao corpo o repouso necessário.

Acontece algo muito bonito com o corpo quando nos deixamos levar pelo sono: as preocupações do dia são postas de lado e o corpo se recolhe, fugindo do mundo, para uma condição de repouso e quietude. A mudança do estado de vigília para o sono se evidencia mais claramente na respiração. Sabemos quando a pessoa deitada ao nosso lado adormeceu pelo modo diferente como respira. A respiração é mais profunda e audível; o ritmo, mais lento e homogêneo. Essa mudança é fruto da libertação do diafragma do estado de tensão necessário durante as atividades cotidianas. No sono, entregamo-nos a centros inferiores de energia no corpo. Ocorre a mesma descontração do diafragma quando nos apaixonamos (caímos de amores) ou temos um orgasmo.

A filosofia antiga dividia o corpo ao meio partindo do diafragma – esse músculo em forma de cúpula que lembra o contorno da Terra. A região acima do diafragma estava relacionada à consciência e ao dia, ou seja, à luz. A área inferior pertencia ao inconsciente e à noite; era considerada a região da escuridão. A consciência era igualada ao sol. O aparecimento do sol na linha do horizonte terrestre e seu contínuo avançar, trazendo a luz do dia, corresponderiam a um aumento de excitação no corpo, dos centros abdominais para os torácicos e cefálicos. Esse fluxo ascendente de sentimentos e sensações resultaria no despertar da consciência. No sono, acontece o inverso. O descer do sol na linha do firmamento e sua queda no oceano, segundo os povos antigos, corresponderiam ao fluxo descendente da excitação no corpo para a região sob o diafragma.

A barriga equivale simbolicamente à terra e ao mar, regiões de escuridão. Mas é dessas áreas, como da barriga, que surge a vida. Elas são o ninho das misteriosas forças ligadas aos processos de vida e morte. São também a morada dos espíritos da escuridão, habitantes das regiões inferiores. Quando essas ideias primitivas associaram-se ao cristianismo, as regiões de baixo foram destinadas ao diabo, o príncipe da escuridão. Este levou os homens à decadência por meio das tentações sexuais. O diabo mora sob a terra e também sob a barriga, que é onde queima o fogo da sexualidade. Entregar-se a tais paixões poderia levar a pessoa ao orgasmo, durante o qual a consciência se obscurece e o ego se dissolve – fenômeno chamado de "morte do ego". A água também está vinculada ao sexo, provavelmente pelo fato de a vida começar no mar. O medo de afogar-se que muitos pacientes associam ao medo de cair pode relacionar-se ao medo de ceder às sensações sexuais.

Idealizamos tanto o amor que negligenciamos sua relação íntima e direta com o sexo, sobretudo com suas nuanças erótica e sensual. Defini amor como a antecipação do prazer[60], mas é particularmente o prazer sexual que impele o indivíduo a cair de amores por outra pessoa. Psicologicamente, existe uma entrega do ego ao objeto amado, que passa a ser mais importante para o *self* do que o ego. A rendição do ego, porém, acarreta um movimento descendente das sensações corporais, um fluxo descendente de excitação para a intimidade do abdome e da pelve. Tal fluxo provoca tremores deliciosos e a sensação de entrega. Literalmente, derrete-se de amor. O mesmo acontece quando a excitação sexual da pessoa é elevada e não se restringe à área genital: as sensações deliciosas precedem toda descarga orgástica completa.

É estranho, mas o ato de cair dá lugar a sensações semelhantes, sendo esse o motivo de as crianças sentirem tanto prazer em balançar. O fato de abandonar-se à queda do movimento pendular produz no corpo deliciosas correntes de energia. Alguns de nós talvez nos lembremos dessa sensação adorável, vivenciada também na descida da montanha-russa – motivo pelo qual, tenho certeza, esse brinquedo é tão popular. Muitas atividades que envolvem o cair garantem prazer semelhante, como mergulhar, pular do trampolim etc.

O mistério desse fenômeno reside na soltura do diafragma, que permite uma forte descarga de fluxo energético para a metade inferior do corpo. Isso fica claro quando notamos que prender a respiração durante essas atividades gera ansiedade e destrói o prazer. Acontece a mesma coisa no sexo. Se a pessoa tem medo de se entregar à queda e prende a respiração, as sensações de derretimento não acontecem e o clímax só é satisfatório em parte.

O termo "cair de amores" (apaixonar-se) pode parecer contraditório, já que amar implica estar "alto". Como é possível cair quando se está no topo?

Cair, porém, é o único meio de alcançar um estado de grande excitação biológica. O praticante de saltos ornamentais cai antes de subir: empurra o trampolim para baixo para tomar impulso suficiente para a subida. Esta permite, por sua vez, uma nova queda, que dá lugar a outra subida. Se o orgasmo é a queda última, a alta vivida depois de um ato sexual satisfatório é o retorno natural da descarga. Andamos nas nuvens quando estamos apaixonados, mas isso só acontece porque antes permitimo-nos cair.

Para compreendermos por que a queda tem um efeito tão profundo, devemos lembrar que a vida é movimento e sua ausência culmina em morte. Porém, não se trata apenas de um deslocamento horizontal pelo espaço em que nos envolvemos por tanto tempo. Trata-se mais do ritmo pulsátil de subida e descida da excitação dentro do corpo, manifesto em saltos e pulos, em ficar em pé e deitar, em buscar atingir inclusive alturas maiores, mas sempre precisando retornar ao chão sólido, à terra e à realidade de nossa existência terrestre. Gastamos tanta energia no esforço de subir mais alto e de atingir mais e mais que por vezes achamos difícil descer ou ceder. Tolhidos pela obsessão e temendo cair, tentamos subir cada vez mais alto, como se assim pudéssemo-nos proteger. As crianças que desde bebês apresentam a ansiedade da queda necessariamente tornar-se-ão adultos cujo objetivo na vida é subir cada vez mais. Se subirmos tão alto na imaginação a ponto de chegar à lua, há o perigo do lunatismo (da loucura): desolação, vazio, isolamento. Ao transcendermos a atmosfera terrestre, ficaremos perdidos no espaço, desagregados. O efeito salutar da gravidade, da contínua atração da terra sobre nosso corpo se perde e podemos facilmente nos desorientar.

Sono e sexo estão intimamente relacionados, dado que o melhor sono sempre vem depois de uma boa relação sexual. Do mesmo modo, como todos sabemos, o sexo é o melhor antídoto para a ansiedade. Mas, para que o sexo tenha esse efeito, a pessoa deve ser capaz de ceder aos sentimentos e sensações sexuais. Infelizmente, a ansiedade da queda vincula-se ao sexo, limitando sua função natural de principal canal de descarga da tensão e da excitação. Ainda assim se pode realizar o ato sexual, mas energeticamente falando ele fica confinado ao nível horizontal – não há a queda que descontrai nem a subida que regozija. É nosso dever ajudar os pacientes a vencer a ansiedade da queda para que possam aproveitar plenamente o sexo e o sono, emergindo de ambos renovados e rejuvenescidos depois de se terem entregado.

8. Tensão e sexo

GRAVIDADE: UMA VISÃO GERAL DA TENSÃO

Discutir tensão e sexo num mesmo capítulo não deveria causar surpresa, uma vez que a descarga sexual, como todos sabem, serve para descarregar a tensão. Portanto, toda discussão de tensão deve incluir uma análise do orgasmo sexual. Minha tarefa inicial, nessa medida, é apresentar uma visão geral da natureza da tensão.

A tensão resulta da imposição de força ou pressão sobre um organismo, que se contrapõe à própria força mobilizando energia. É óbvio que, se o organismo consegue escapar da força, não se verá sujeito à tensão. Há, naturalmente, forças naturais que nos pressionam e das quais não podemos escapar, mas em geral estamos bem equipados para enfrentá-las. Em seguida, vêm as pressões decorrentes das condições de vida em sociedade, que variam de acordo com a situação cultural de cada um. Por exemplo: dirigir numa estrada congestionada, onde se deve permanecer num estado de alerta constante para evitar acidentes. Numa sociedade extremamente competitiva como a nossa, tais pressões são por demais numerosas para que as detalhemos. Os relacionamentos interpessoais costumam ser tensos devidos às exigências a que nos vemos submetidos. Sempre que há ameaça de violência, entramos em estado de tensão. Por fim, existem as tensões das limitações autoimpostas, que agem no corpo do mesmo modo que os agentes externos.

Das forças naturais que criam tensão, a mais universal é a gravidade. É possível escapar dela quando nos deitamos, mas assim que ficamos em pé ou nos movemos voltamos a nos submeter a ela. A posição ereta e a movimentação exigem a mobilização da energia para fazer frente à força da gravidade. Ficar em pé não é um processo mecânico. Embora o alinhamento estrutural de nossos ossos facilite a tarefa, os músculos têm de efetuar um trabalho considerável para manter a postura. Quando ficamos cansados ou nos falta energia, torna-se difícil, quando não impossível, ficar em pé. Os soldados forçados a se manter em pé e imóveis durante muito tempo caem quando sua energia se exaure. O colapso acontece também quando a pessoa recebe um choque – físico ou psicológico – que resulta no deslocamento da energia da periferia para o centro do corpo.

Cair é uma defesa natural contra o perigo de uma tensão irremediável. O corpo consegue suportar certa carga de tensão antes de se desestruturar. Os soldados que excederam o próprio limite enquanto em pé morreram. Também há mortes devidas à exaustão por calor, quando o corpo perde a capacidade de se contrapor à tensão de altas temperaturas. Porém, mesmo nessas circunstâncias, o fato de cair ou deitar reduz sobremaneira o perigo, pois se elimina a força da gravidade.

Em geral, a tensão pode ser entendida como uma força que empurra a pessoa de cima para baixo, ou que a puxa para baixo. Os fardos pesam sobre nós, pressionando-nos contra o chão; a gravidade nos puxa para baixo. Reagimos a tais pressões contrapondo nossa energia ao chão. Segundo o princípio físico de que ação provoca reação, se pressionamos o chão, este nos devolve a pressão, mantendo-nos em pé. Assim, dizemos que o indivíduo se contrapõe a situações difíceis ou tensas.

Ficar ereto é um ato tipicamente humano. O homem é o único animal para quem tal postura é natural. Não obstante, ela requer o dispêndio de uma energia considerável. Embora o corpo humano seja anatomicamente adequado para essa postura, não acredito que possamos explicar sua posição espacial sobre ambas as pernas em termos puramente mecânicos. Devemos reconhecer que o organismo humano tem mais energia que qualquer outro sistema animal – e também que foi seu teor de energia ou nível superior de excitação que lhe permitiu alcançar e manter sua postura ereta.

Já temos todas as provas de que o organismo humano é o mais carregado de energia. O registro das atividades e conquistas humanas constitui prova suficiente. Por enquanto, não é preciso decidir se essa energia está dotada de uma qualidade antigravitacional, como o queria Reich, ou se é utilizada para fazer frente à gravidade. O que importa é que a energia flui ao longo do corpo humano, para cima e para baixo. Em consequência dessa pulsação forte, ambos os polos do corpo ficam excitados e tornam-se intensos centros de atividades.

Estamos acostumados a pensar que o domínio exercido pelo homem na Terra deriva, em última instância, do desenvolvimento superior de seu cérebro. Isso é fato. Mas também é verdade, conforme diversos antropólogos, que a raça humana tornou-se dominante devido ao surgimento da caça coletiva,

Bioenergética

da vida em sociedade e do forte vínculo entre machos e fêmeas. Em última instância, a sociabilidade do homem é reflexo de sua sexualidade[61]. O fato de a sexualidade feminina ter-se libertado de seu caráter estritamente reprodutivo desempenhou papel importante na estabilidade da sociedade humana, pois passou a garantir uma oportunidade de prazer e satisfação sexual contínuas dentro da família. Isso levou o macho a comprometer-se com a fêmea e seus descendentes, condição essencial à segurança das crianças.

Acredito que o desenvolvimento de um cérebro grande, o maior interesse sexual e uma atividade mais intensa do animal humano, além de sua postura ereta, são consequências de uma maior carga energética no organismo. Esta também é responsável pela postura ereta do homem. Mudanças anatômicas e fisiológicas acompanharam necessariamente o aumento da carga de energia. Não creio que a carga energética tenha precedido as mudanças, pois todas essas atividades humanas especiais exigem um grau de excitação ou um teor de energia que não existe nos outros animais.

Muitas características humanas dignas de nota têm sido diretamente atribuídas à postura ereta da nossa espécie. A mais importante delas é a liberação dos membros superiores da subserviência às funções de apoio e locomoção, permitindo a evolução dos braços e das mãos. Podemos segurar e manipular objetos, sejam eles instrumentos ou armas. Temos altíssima sensibilidade na ponta dos dedos, o que nos permite discriminar os objetos, e uma gama de movimentos dos braços e das mãos que enriqueceram nossa expressividade por meio dos gestos. Porém, outra consequência dessa evolução é que o homem enfrenta o mundo expondo a parte mais vulnerável do corpo, ou seja, o ventre. Assim, peito, coração, barriga e quadris estão mais acessíveis ao toque e menos protegidos de ataques. É concebível que a ternura relacione-se a esse modo de estar no mundo. Em terceiro lugar, o fato de a cabeça do homem estar situada acima do seu corpo é parcialmente responsável, creio, pela introdução e pelo estabelecimento de uma hierarquia de valores em seu raciocínio.

Freud atribuía a origem do nojo ao fato de a cabeça estar erguida do chão. Na grande maioria dos outros mamíferos, o nariz está no mesmo nível que as saídas excretora e sexual; assim, esses animais não demonstram repulsa diante dessas funções, sentimento esse típico do homem. Não estou preparado para discutir esse tema – o qual Freud acreditava ter contribuído de algum modo para a predisposição humana à neurose. Sem dúvida, atribuímos valores mais altos às funções da extremidade cefálica do corpo do que às da extremidade anal. Não podemos dizer de modo lógico "extremidade traseira", já que as nádegas estão, na realidade, na extremidade inferior do corpo. Sendo humano e civilizado, aceitei esse sistema de valores. Acredito que ele tenha seus méritos, desde que não nos leve a rejeitar nossa natureza animal básica, tão intimamente identificada com as funções da parte inferior do corpo.

Porém, se quisermos entender os problemas que podem decorrer da postura ereta submetida à tensão, devemos levar em conta sua mecânica. Nesse sentido, as nádegas rebaixadas desempenham papel importante. Anatomicamente, concordo com Robert Ardrey, segundo o qual a modificação que estabilizou a postura ereta foi o desenvolvimento das nádegas. Essas duas grandes massas musculares, que atuam juntas quando a pelve se inclina para trás, garantem o apoio estrutural do corpo ereto.

O motivo que me faz concordar com Ardrey é minha observação de que, quando as nádegas estão contraídas e a pelve, inclinada para a frente, o corpo entra num estado de queda parcial. Isso aparece na estrutura de caráter masoquista. É interessante que, nela, o corpo assume uma aparência que lembra a dos macacos, em parte devido à postura decaída e em parte devido ao excesso de pelos que às vezes aparece. A estrutura de caráter masoquista é determinada por uma tensão interminável – de cima e de baixo – que a criança não conseguia evitar nem enfrentar. A única alternativa era a submissão. A fim de tolerar a tensão contínua, a musculatura do masoquista desenvolveu-se excessivamente, compondo um dos sinais físicos dessa estrutura.

O masoquismo é uma terceira modalidade de que as pessoas lançam mão para combater a tensão. Incapazes tanto de escapar dela distanciando-se quanto de enfrentá-la, o masoquista se submete e se curva perante a pressão. Esse padrão de personalidade desenvolve-se numa situação em que não se consegue escapar nem enfrentar a força opressora.

Infelizmente, esse padrão se estabelece cedo, quando a criança tenta lidar com as pressões dos pais e das autoridades escolares, e termina por determinar o modo como lidará com a tensão ao tornar-se adulta. Vimos que, na estrutura de caráter masoquista, o padrão é de submissão, ao lado do desenvolvimento de uma musculatura exagerada para suportar a tensão. No entanto, se a pressão for exercida no início da vida, durante o primeiro ano, a submissão é impossível: o bebê não consegue desenvolver a musculatura para aguentar a tensão. O distanciamento físico da situação é igualmente impossível. E, lógico, enfrentar a tensão nessa idade está fora de cogitação. Assim, o distanciamento psicológico torna-se *o modus vivendi*. O bebê dissocia-se da situação e da realidade. Habita um mundo de fantasia, sonha em voar – negando a tensão de gravidade – ou escapa para o autismo. Mais tarde, esse padrão será retomado quando a pessoa estiver envolvida em qualquer situação em que haja tensão excessiva.

Se a pressão for exercida mais tarde, como acontece com o indivíduo de caráter rígido, ele enfrentará a tensão; porém, se esta se mantiver ininterrupta, o ato de enfrentar tornar-se-á uma atitude caracterológica, provocando a rigidez do corpo e da mente. O indivíduo com estrutura rígida de caráter encara todas as pressões, mesmo as desnecessárias e as perigosas. E, dado que se estruturou desse modo, acabará inclusive procurando situações de tensão para provar que consegue suportá-las.

Deveria estar agora claro ao leitor que esses padrões de reação à tensão estruturam-se no corpo e compõem a atitude caracterológica dos indivíduos. Dessa forma, a pessoa reage à tensão mesmo quando não se lhe impõe nenhuma pressão externa. Nesse caso, podemos falar de pressões autoimpostas. O ego (ou o que Freud denominava superego) incorpora a pressão como uma condição de vida necessária.

Tomemos o caso de uma pessoa cujos ombros erguidos e achatados expressam seu sentimento de que carregar a responsabilidade nos ombros é coisa de "macho". Esse indivíduo talvez não tenha consciência de seus sentimentos ou de sua atitude, mas é o que seu corpo está dizendo. Se supusermos que a quantidade de tensão muscular em seus ombros é equivalente à exigida para carregar ali 200 quilos, é lógico deduzir que ele esteja submetido a essa mesma pressão. Em nível corporal, a pessoa age como se todo esse peso estivesse empurrando-a para baixo. Se o fardo existisse de fato, seria melhor, pois, consciente de sua carga, cedo ou tarde a colocaria de lado. Do modo como a coisa é, o indivíduo vive sob uma tensão constante sem perceber o que lhe ocorre e, portanto, incapaz de se livrar dela.

Toda tensão muscular crônica exerce uma pressão contínua sobre o corpo. Isso é assustador. A tensão contínua, como apontou Hans Selye[62], tem um efeito deletério sobre o corpo. Pouco importa a natureza da tensão; o corpo reage a ela com uma síndrome geral de adaptação. Essa síndrome consiste em três fases. A primeira é chamada de reação de alarme. O corpo reage a uma tensão aguda jorrando hormônios medulares adrenais que mobilizam a energia do corpo para enfrentá-la. Quando a tensão consiste numa agressão física ao corpo, a reação de alarme toma a forma de um processo inflamatório. Se essa reação conseguir superar a lesão e remover a tensão, o corpo se acalma e retoma sua condição homeostática natural. Porém, se a tensão persistir, inicia--se a fase dois. Nesta, o corpo tenta se adaptar à tensão secretando hormônios adrenais corticosteroides, cuja ação é anti-inflamatória. O processo de adaptação, contudo, também consome energia, a qual é retirada das reservas do corpo. A fase dois é como uma guerra fria, em que o organismo tenta controlar o agente causador da tensão porque não consegue eliminá-lo. Essa segunda etapa pode durar indefinidamente, até que o corpo acabe adoecendo. A terceira etapa é chamada de fase da exaustão. O corpo não tem mais energia para controlar a tensão e começa a desorganizar-se.

Esse resumo das ideias de Selye pouco faz jus à importância de sua contribuição para nosso entendimento de como o organismo funciona. A amplitude do nosso assunto torna impossível dar ao seu trabalho a merecida atenção. Por outro lado, não se pode ignorar esse ponto de vista quando se discute a tensão. Para nós, a fase três, ou estágio da exaustão, é a mais importante. Se a traduzirmos para fadiga ou cansaço crônico, encontraremos provavelmente a queixa mais comum em nossos dias. Interpreto-a como sinal de que muitas pessoas estão à beira da exaustão em virtude da pressão contínua a que são submetidas por suas tensões musculares crônicas.

A existência de tensões corporais limita a energia – que, do contrário, estaria disponível para enfrentar as pressões da vida diária. Quando, no decurso da terapia bioenergética, se reduzem as tensões musculares do indivíduo, ele descobre que consegue encarar com muito mais eficácia seus problemas pessoais. O segredo para enfrentar a pressão é simplesmente ter energia para esse encontro, mas isso só é possível se o corpo da pessoa não estiver tenso.

Em resumo, eu assim descreveria a situação da maioria dos indivíduos: vivem sob uma tensão incrível, mas ainda assim sentem que, se não conseguirem suportá-la, estarão admitindo sua fraqueza, seu fracasso, sua inutilidade como seres humanos. Desesperadas diante dessa situação, as pessoas enrijecem ainda mais o maxilar, tensionam as pernas, travam os joelhos e lutam com uma tenacidade por vezes inacreditável. Como dizia Jim, um paciente meu: "Não podemos ser fujões". Em muitos sentidos, a vontade de prosseguir é uma qualidade digna de admiração, mas às vezes tem um efeito desastroso sobre o corpo.

DOR NA REGIÃO INFERIOR DAS COSTAS

A dor na parte de baixo das costas que imobiliza o indivíduo, às vezes deixando-o acamado por algum tempo, é muitas vezes o resultado direto e imediato de tensão. A pessoa levanta um objeto pesado, subitamente sente uma dor aguda na região lombossacral e percebe que não consegue mais endireitar-se. Diz-se que as costas entraram em espasmo. Um ou mais músculos, geralmente de um mesmo lado, entram de fato numa grave situação espasmódica que torna qualquer movimento das costas insuportavelmente doloroso. Às vezes, em consequência do espasmo, formam-se hérnias nos discos intervertebrais. Estas pressionam as raízes nervosas, causando dores que se irradiam para uma das pernas. Hérnia de disco não é comum; a pressão sobre o nervo pode advir do próprio músculo espástico.

Embora eu seja psiquiatra, tratei vários indivíduos que sofriam desse mal. Alguns eram pacientes em terapia bioenergética com tendência a dor na parte inferior das costas e espasmos. Outros me consultaram porque a terapia bioenergética lida com tensão muscular. De início, preciso ressaltar que não tenho nenhuma cura rápida ou fácil para esse problema. Se a pessoa está imobilizada pela dor, deve ficar de repouso na cama até que a dor ceda. O repouso serve para remover a tensão da gravidade; aos poucos, o músculo começa a relaxar. Nesse momento, estabeleço uma sequência de exercícios de bioenergética destinados a aprofundar o relaxamento dos músculos tensos e a evitar que o espasmo ressurja.

Para compreender esses exercícios, é preciso indagar por que os espasmos acontecem. Que tipo de postura ou de contração nos torna vulneráveis à dor nas costas? É errado acreditar que as pessoas são suscetíveis a problemas na parte inferior das costas por sua postura ereta. É equivocado supor que esse tipo de dor seja normal. O problema é muito difundido e comum em nossa cultura, mas também o são problemas cardíacos e miopia. Deveríamos dizer que as pessoas são suscetíveis a problemas cardíacos por terem coração, ou propícias à miopia por terem olhos? Há culturas nas quais se desconhece a dor lombossacral, onde é raro o problema do coração e onde a miopia não existe. A diferença não está nas pessoas, dado que estas também andam a pé e têm coração e olhos. Elas não estão submetidas ao tipo e ao grau de tensão que marcam o homem ocidental.

É verdade que a tensão é responsável por problemas na região inferior das costas? Até aqui, só indiquei a conexão entre a pessoa erguer um objeto pesado e a dor. Mas muitos desenvolveram espasmos na lombar em situações aparentemente inócuas. A pessoa se abaixa para pegar um objeto pequeno e as costas entram em espasmo. Isso é comum. Sei de um caso em que o espasmo aconteceu enquanto o indivíduo dormia. É claro que nem sempre há tensão no ato que leva ao espasmo, embora haja tensão nos casos aqui relatados.

Um rapaz cujas costas entraram num espasmo grave estava se preparando para morar com a namorada. Durante dois dias preparou as caixas para a mudança e, quando estava quase terminando, inclinou-se para pegar um livro e terminou internado. Quando fui visitá-lo, ele confessou que estava em conflito a respeito da mudança. Seu relacionamento com a moça era bom, mas repleto de discussões, ciúmes e incertezas. O jovem tinha sérias dúvidas a respeito de mudar-se, mas se sentia pressionado a fazê-lo para preservar o relacionamento. A natureza interveio e ele nunca se mudou. Sentiu que não podia "dar pra trás", mas no fim das contas suas costas que cederam. Acredito que fosse simplesmente isto: a tensão ficou insuportável e suas costas não aguentaram.

Há também o caso da atriz que participava de um programa do qual queria sair já havia algum tempo, pois não se dava bem com o diretor nem com alguns membros do elenco. Além disso, estava perto da exaustão em virtude dos inúmeros ensaios e horas extras. Queria deixar o programa, mas não conseguia. Então, deu aquilo que se pode chamar de "passo em falso" e caiu abruptamente no chão. Saiu do programa de maca; seu corpo a deixara na mão. Também sobre seu caso eu diria que a tensão estava insuportável.

A pessoa cujas costas entraram em espasmo enquanto dormia estava passando por uma pressão considerável. No dia anterior, a dor na lombar começara a incomodá-la. Ela correra o dia todo de uma tarefa para outra, mas vacilava; não conseguia ficar direito em pé. Alguns dias antes, ela ficara de cama por uma semana e, portanto, conhecia os sintomas, mas mesmo assim pensou: "Assim que eu terminar, vou para casa relaxar". Concluiu o que tinha de fazer, foi para casa e descansou um pouco, mas isso evidentemente não bastou. O espasmo que a atingiu deixou-a de cama por uma semana.

Por que o espasmo acontece justo na região inferior das costas? Por que essa área se mostra tão particularmente vulnerável à tensão? A resposta é que na parte inferior das costas duas forças contrárias se unem para criar tensão: uma é a gravidade, ao lado de todas as pressões que agem sobre a pessoa de cima para baixo (exigências das autoridades, culpa, deveres, cargas físicas e psicológicas). A outra é uma força de sentido ascendente que sobe pelas pernas e sustenta a pessoa na postura ereta, mantendo-a firme em face das exigências e obrigações que lhe são impostas. Ambas essas forças encontram-se na região lombossacral.

Esse conceito fica mais claro se estudarmos a força da gravidade. Esta se torna insuportável se o indivíduo for obrigado a ficar em pé na mesma posição por muito tempo. A pergunta então é: "Quanto tempo as pernas de uma pessoa aguentam seu peso?" Cedo ou tarde elas cedem, mas quando isso acontece as costas estão salvaguardadas. O perigo surge quando as pernas não cedem; aí as costas sofrem.

Devo mencionar uma situação na qual a pessoa pode manter-se imóvel por um período inacreditável de tempo – um dia, dois, até mais. É curioso, mas nessa condição – a catatonia, tipo de esquizofrenia – nem as pernas nem as costas se ressentem. Quando pensamos em catatonia, percebemos que o indivíduo desistiu, ou seja, não está ali. Como vimos, a dissociação é uma das formas de lidar com uma tensão insuportável. O catatônico é um ser dissociado. Espírito, mente e corpo não mais estão integrados. O corpo transforma-se em estátua; os catatônicos ficam em pé como se fossem esculturas.

Nossas pernas são estruturadas naturalmente para enfrentar a tensão e não lutam contra ela; ao contrário, reagem à sua força. Trata-se de uma função do joelho; é a ação deste que confere ao corpo flexibilidade. O joelho é, ainda, o ponto de absorção dos choques que o organismo sofre. Quando a pressão que vem de cima é muito grande, o joelho se dobra; quando tal pressão se torna insuportável, o joelho se flete e a pessoa cai.

No indivíduo que apresenta ansiedade da queda, o joelho perde sua função. A pessoa fica em pé com os joelhos travados para enfrentar a tensão e contrai os músculos das pernas a fim de transformá-las em um apoio rígido. A pessoa sente medo da flexibilidade porque esta implica a capacidade de ceder.

Se as pernas são maleáveis e flexíveis, a pressão de cima é transmitida através delas e descarregada no solo. Porém, se a pessoa bloqueia os joelhos e tensiona as pernas para fazer frente à pressão, a rigidez se amplia para cima, incluindo o sacro e a pelve. Toda a pressão fica concentrada na área lombossacral, que se torna vulnerável a lesões.

A Figura 31 ilustra o que quero dizer:

FIGURA 31

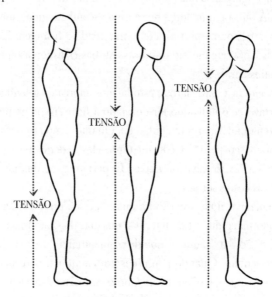

O desenho da esquerda mostra uma postura razoavelmente normal. Os joelhos estão dobrados e a pelve, solta – ou seja, não está presa numa posição fixa. Tal postura permite que a pressão seja transmitida aos joelhos, que são os elementos responsáveis pela absorção do choque. Se a pressão for excessiva, os joelhos cedem, mas isso raramente acontece. Dado que um indivíduo nessa postura não tem medo de cair, não teme ceder. Quando a pressão torna-se insuportável, ele se afasta da situação, fazendo que o relacionamento "desmorone" antes que seu corpo o faça.

A figura central mostra alguém em pé com os joelhos travados. Nesse caso, a parte inferior do corpo – inclusive a pelve – funciona como uma base imóvel. Tal posição mostra que a pessoa é muito insegura, a ponto de precisar de um suporte rígido para apoiar-se. Em consequência, toda a pressão é concentrada na região lombossacral, forçando os músculos dessa área a se enrijecer. Dado que a pessoa sofre uma pressão contínua, qualquer aumento significativo na tensão pode resultar no afundamento das costas. Além disso, a contração perene dos músculos lombossacrais causa desgaste e fadiga nos ligamentos e nos ossos das articulações intervertebrais – o que, com o tempo, pode provocar artrite.

Bioenergética

A figura da direita mostra uma postura diferente. A parte de cima das costas está recurvada, como que provinda da necessidade contínua de carregar uma pesada carga ou responsabilidade. Os joelhos estão dobrados, mas sua flexão é determinada pela posição projetada da pelve à frente. As costas como um todo cederam à tensão, o que poupa a região lombossacral. Trata-se da postura típica do indivíduo de caráter masoquista, que se submete à pressão em vez de enfrentá-la. A proteção que tal atitude confere à parte de baixo das costas é obtida à custa da personalidade, e será inutilizada se a pessoa fizer um esforço considerável para erguer-se e enfrentar o problema. Quando isso acontece – no decurso da terapia, por exemplo –, o indivíduo sente dor na parte inferior das costas. Sempre aviso a esses pacientes que passarão por essa fase. Contudo, o problema jamais se agrava, uma vez que eles já estão fazendo exercícios bioenergéticos destinados a liberar sua pelve e a reduzir a tensão da região lombossacral.

É significativo o fato de que as glândulas adrenais, responsáveis pela secreção de hormônios que mobilizam a energia do corpo para enfrentar situações de tensão, estejam localizadas na região lombar, situadas acima dos rins e contra a parede posterior do corpo. Assim, as glândulas estão em posição de avaliar o grau de tensão a que o corpo está submetido. Como fazem isso, porém, não sei dizer. Não creio, no entanto, que possamos considerar sua localização puramente casual.

Seu significado, para mim, é o de demonstrar que o corpo está organizado sobre princípios bioenergéticos – o que se confirma também pela localização de outra importante glândula endócrina: a tireoide.

A tireoide regula o metabolismo, ou seja, o processo pelo qual a comida é oxidada para a produção de energia. Essa glândula regula a produção de energia por meio da secreção de um hormônio chamado de tiroxina, o qual circula na corrente sanguínea estimulando a oxidação dos metabólitos nas células. Pouca tiroxina nos deixa morosos por falta de energia; já seu excesso leva à hiperatividade nervosa. O hormônio em si não produz energia; esta é diretamente determinada pela quantidade e pelo tipo de comida que ingerimos, pela quantidade de ar que respiramos e pela energia de que o corpo precisa. O hormônio coordena a produção da energia com sua demanda.

A tireoide circunda a traqueia em três porções logo abaixo da cartilagem tireoidiana. Localiza-se no estreitamento do pescoço, assim como as glândulas adrenais estão situadas no estreitamento da cintura. E, à semelhança destas últimas, posicionadas para ser sensíveis à tensão, a tireoide está colocada para ser sensível à respiração. Desenvolve-se embriologicamente como um bolsão que emerge da faringe, do mesmo modo que os pulmões. Isso sugere que a secreção da tiroxina está diretamente relacionada à quantidade de ar inspirado. A medicina conhece essa relação há muito tempo e vem usando-a para medir a taxa de metabolismo basal. A mensuração da respiração da pessoa por unidades de tempo, em estado de repouso, indica a secreção de tiroxina. Não se assumira, contudo, que a posição da glândula tivesse qualquer coisa que ver com isso. Acredito que essa relação não seja fortuita: devido à posição e à origem embriológica, a tireoide compõe a – ou responde à – ligeira contração--expansão da traqueia que sucede com a respiração, sendo assim capaz de coordenar as atividades metabólicas com a inspiração de oxigênio.

Voltemos agora à tensão, à região lombossacral e à glândula adrenal. É de conhecimento público que John F. Kennedy sofria de sérios problemas na região inferior das costas. Seus ombros estavam sempre erguidos e achatados, como que carregando enormes responsabilidades. Essa atitude corporal desenvolveu-se, não obstante, muito antes de ele ter entrado na vida pública; suas origens devem ser buscadas em suas experiências de infância. Assim que essa atitude tornou-se estruturada em seu organismo, Kennedy estaria predisposto a aceitar tais responsabilidades, independentemente de quanto prejudicassem sua vida pessoal – e ele era esse tipo de pessoa. Kennedy também foi vítima da doença de Addison, ou seja, da quase falência do sistema adrenal devido à exaustão da tireoide. Em minha opinião, isso é fruto da exposição a uma tensão contínua que levou à hiperatividade da glândula e culminou em seu esgotamento.

A saúde física e emocional é prejudicada pela tensão. Dado que vivemos numa época estressante ao extremo, devemos aprender a resguardar o corpo e a mente dos efeitos prejudiciais da tensão. A fim de reduzir a vulnerabilidade de alguém à tensão, é preciso trabalhar física e psicologicamente suas defesas contra a desilusão. Não se trata de tarefa fácil numa sociedade como a nossa, que valoriza ao extremo o sucesso, as conquistas e o status. Nosso ego não é forte o bastante para aceitar o fracasso; assim, forçamos nosso corpo a fazer frente a situações lesivas à nossa saúde. No final, o sucesso é temporário e vazio, pois nosso organismo desmorona sob o peso da tensão ininterrupta. Mas o medo do fracasso é tão grande que, até a ocorrência do colapso final, o ego resiste a entregar-se ao corpo. Num nível mais profundo, identificamos tal fracasso com rendição. Durante a terapia, as defesas do ego devem ser cuidadosamente analisadas.

Além disso, os elementos físicos ou estruturais do corpo que bloqueiam a descontração devem ser objeto de um trabalho consistente. Empregamos dois conjuntos de exercícios na terapia bioenergética para ajudar a pessoa a entrar em contato com suas tensões musculares e descontraí-las, para liberar a descarga da excitação e da tensão. O primeiro inclui todos os exercícios criados para proporcionar uma base ao indivíduo (*ground*), firmando suas pernas no chão, e para ajudá-lo a superar a ansiedade da queda e o medo do fracasso. Já descrevi alguns desses exercícios e novamente farei referência a eles. O segundo conjunto tem o objetivo específico de soltar a pelve e de abrir a pessoa para sentimentos de ordem sexual. Alguns deles serão descritos na seção seguinte. Deve ficar claro, com base no que eu disse, que se a pelve está imóvel e se mantém rígida numa posição fixa acabará impedindo a passagem para baixo de toda pressão exercida de cima, que não atingirá as pernas – pelas quais a tensão pode ser descarregada. Portanto, esta ficará centralizada na região lombossacral, com as consequências que já discutimos.

Um joelho flexível é o ponto básico a todo trabalho eficaz com a parte inferior do corpo. Quando estão travados, os joelhos impedem a excitação ou os sentimentos de fluir através das pernas até os pés. Uma das primeiras recomendações da terapia bioenergética é: "conserve os joelhos fletidos o tempo todo". Há apenas mais umas poucas instruções dessa natureza, como deixar os ombros soltos e não contrair a barriga. Essas simples sugestões podem melhorar sobremaneira a respiração e o fluxo de sentimentos, sendo recomendadas a todas as pessoas interessadas em ter um corpo mais ativo e responsivo. Tais recomendações são necessárias para contrabalançar o ditado "ombros para trás, peito para fora, barriga para dentro". Esse ditado visa ajudar a pessoa a ficar ereta, mas na realidade força-a a ficar em pé de maneira tensa.

Todos sabem ser importante manter os joelhos flexionados para levantar um objeto pesado. Não fazê-lo pode provocar um espasmo na região inferior das costas. Ouvi um instrutor de ginástica dar o mesmo tipo de aviso durante um jogo de futebol americano, dizendo que aqueles que correm de volta para a defesa sem dobrar os joelhos perdem força e estão sujeitos a uma lesão séria. E por que isso não aconteceria com todos nós quando ficamos em pé, já que se trata de uma posição provocadora de tensão?

Os pacientes que não ficam normalmente desse jeito relatam falta de naturalidade de início, podendo chegar a sentir insegurança. Os joelhos travados, contudo, só criam uma ilusão de segurança, ilusão essa que se desvanece com a posição do joelho fletido. Para desenvolvermos o hábito de ficar em pé com joelhos fletidos precisaremos, a princípio, de uma atenção consciente; podemos cultivar esse hábito enquanto fazemos a barba, lavamos a louça ou esperamos que o sinal de pedestres fique verde. Depois de algum tempo, sentimo-nos relaxados nessa posição nova, então ficar em pé com os joelhos travados torna-se artificial e estranho. Dessa forma, nós também ficamos conscientes de nossas pernas e de nossa maneira de ficar em pé. Podemo-nos sentir também mais cansados, mas em vez de lutarmos contra essa sensação, cedemos a ela e repousamos.

O passo seguinte é produzir vibrações nas pernas a fim de reduzir-lhes a rigidez. A vibração é o caminho natural para liberar a tensão muscular. Quando a pessoa se solta, o corpo vibra como uma mola que se solta. Nossas pernas são como molas, e quando as mantemos tensas por muito tempo elas endurecem e enrijecem, perdendo a elasticidade.

Há várias maneiras de fazer as pernas vibrarem. O exercício que usamos mais constantemente na bioenergética é a posição de flexão à frente, com as mãos tocando o chão e os joelhos levemente fletidos. Descrevi anteriormente esse exercício, em conexão com o processo de *grounding*. Ele é empregado sempre que a pessoa termina de respirar no banquinho depois de ter-se deitado para trás.

Meu tratamento para dor lombossacral consiste em alternar as posturas de curvatura e de flexão à frente, permitindo ao paciente dobrar-se para trás e para a frente tanto quanto consiga sem provocar uma dor excessiva. Essa alternância de flexões descontrai a musculatura das costas, mas deve ser empregada de forma gradual, como se a pessoa estivesse se recuperando de um sério episódio de problema lombar. Quando as costas estiverem então relativamente indolores, é aconselhável que a pessoa deite no chão sobre um cobertor dobrado e posicionado na lombar. Isso pode ser doloroso. A pessoa é instruída a ceder à dor e não a tensionar os músculos contra ela. Se puder fazê-lo, os músculos das costas se descontrairão. No entanto, não devemos forçar nem obrigar a realização desse ou de qualquer outro exercício, pois isso geraria a própria tensão que estávamos tentando reduzir. A partir do momento em que o paciente conseguir praticar esse exercício com certa facilidade, deve deitar-se no banquinho de respirar de modo que a pressão seja aplicada na parte de baixo das costas. O banco deve estar próximo de uma cama, a fim de que a cabeça se apoie aí. Nessa postura, a pessoa também deve se deixar levar pela dor até conseguir relaxar. Descobre-se que, tão logo cedemos à dor, esta desaparece.

O obstáculo mais sério para superar a dor lombossacral é o medo da dor. Precisamos ajudar o paciente a superar esse medo para que ele possa se livrar completamente da dor. O medo cria tensão, e esta causa dor. O paciente fica preso num círculo vicioso do qual só consegue escapar fazendo cirurgia. Nunca aconselho uma intervenção desse tipo, dado que em nada auxilia a tensão muscular, que é a origem do problema. Uma incisão nas costas pode remover a dor pela redução da motilidade dessa área, mas conheci indivíduos que passaram por mais de uma operação sem benefícios significativos. Com a terapia bioenergética, esses mesmos indivíduos tiveram melhoras sensíveis.

Recuperando a motilidade da parte inferior das costas, é possível eliminar a dor. No entanto, para que isso aconteça, é preciso trabalhar o medo. As pessoas não têm apenas medo da dor, mas daquilo que ela implica, pois se trata de um sinal perigoso. Os pacientes temem que suas costas venham de fato a se *quebrar*. Esse medo aparece quando se deitam no banco de respirar sobre essa região das costas. Se pergunto a eles do que têm medo quando começa a doer, a resposta invariavelmente é a seguinte: "Tenho medo de que minhas costas se quebrem".

Em minha longa experiência, ninguém machucou as costas ao fazer os exercícios de bioenergética tendo-os executado corretamente. Fazê-los de modo correto não implica passar por cima do problema, mas tomar contato com ele em nível corporal. Nunca se deve forçar a execução de um exercício além do ponto de perigo, que é quando a pessoa fica amedrontada. Quando isso acontece, é preciso analisar o medo. Pode-se perguntar: "De onde você tirou a ideia de que suas costas iam quebrar?" e "O que de fato faz as costas quebrarem?" Mais cedo ou mais tarde, o paciente consegue associar seu medo da fratura a uma situação da infância. Pode, por exemplo, lembrar-se da ameaça de um dos pais: "Se eu te pegar, te quebro as costas". Talvez uma criança rebelde ouvisse isso, sendo intenção do pai dobrar sua resistência. Diante dessa ameaça, a criança poderia reagir endurecendo as costas, como se dissesse: "Você não vai me quebrar". Mas, assim que as costas se tensionam de maneira crônica, o medo de quebrar fica estruturado no corpo como parte da defesa.

Uma ameaça verbal claramente expressa nem sempre é necessária para originar tensão lombossacral. É mais comum haver um conflito aberto entre desejos; nessa situação, a criança pode enrijecer as costas inconscientemente para manter sua integridade. Em ambos os exemplos, o tensionamento das costas denota uma resistência inconsciente, uma contenção oposta ao soltar-se ou ao ato de ceder. Embora a contenção tenha seu aspecto positivo, ou seja, a manutenção da integridade, indica também um lado negativo: opor-se às necessidades, aos desejos e ao amor. A rigidez impede a entrega ao choro e aos desejos sexuais. Quando as pessoas choram, dizemos que romperam em lágrimas e soluços. O medo de quebrar-se é fundamentalmente um medo de romper em pedaços, de ceder e render-se. É importante para o paciente fazer as associações que o capacitem a compreender a origem de seu medo.

O indivíduo não pode se quebrar a menos que fique imobilizado, como as crianças que estão presas em seu relacionamento com os pais. Os pacientes não estão nesta posição. Todos eles sabem que estão livres para fazer ou não o exercício, que podem abandonar a situação assim que desejarem. Mas a maioria das pessoas está presa à rigidez e às tensões musculares crônicas, projetando esses sentimentos em suas relações. Os exercícios jamais devem ser feitos de modo compulsivo, pois isso aumenta o sentimento de imobilização. A pessoa deve executá-los a fim de sentir o que acontece dentro de seu corpo – e por quê. Não podemos nos dar ao luxo de passar pela vida sentindo que ela nos destruirá se não formos cautelosos, pois de outro modo seremos de fato liquidados.

Mencionei a existência de várias maneiras de fazer que as pernas comecem a vibrar. Talvez o exercício mais simples seja instruir o paciente a deitar-se de costas na cama e erguer ambas as pernas para o ar. Se os tornozelos estiverem fletidos e os calcanhares, lançados para o alto, a tensão colocada sobre os músculos da parte de trás das pernas geralmente causará a vibração nelas.

A vibração do corpo tem outra função importante além de liberar a tensão: permite-nos vivenciar e usufruir os movimentos involuntários do corpo, que são uma expressão da vida, de sua força vibrante. Se a pessoa sente medo desses movimentos, achando que deve controlá-los o tempo todo, perde a espontaneidade e torna-se automatizada, rigidamente contida.

Vou colocar a situação em termos ainda mais fortes. Os movimentos involuntários do corpo são a essência da vida. O batimento cardíaco, o ciclo respiratório, os movimentos peristálticos dos intestinos – todos constituem ações involuntárias. Mas, mesmo no corpo como um todo, tais movimentos involuntários são os mais relevantes! Temos convulsões quando rimos, choramos de dor ou sofrimento, trememos de raiva, saltamos de alegria, pulamos de excitação e sorrimos de prazer. Dado que essas ações são espontâneas, não planejadas e involuntárias, tocam-nos de modo profundo e expressivo. E a resposta mais satisfatória, mais capaz de nos completar e mais significativa dentre todas as respostas involuntárias é aquela do orgasmo, em que a pelve move-se espontaneamente e o corpo todo se convulsiona com o êxtase da liberação.

LIBERAÇÃO SEXUAL

Uma descarga sexual satisfatória eliminará o excesso de excitação no corpo, reduzindo em grande medida o nível geral de tensão. No sexo, a excitação excessiva centraliza-se no aparelho genital, sendo descarregada no momento do clímax. A experiência de uma descarga sexual satisfatória deixa a pessoa calma, relaxada, quase sempre sonolenta. A experiência em si é deveras agradável e satisfatória. Poderá dar margem ao seguinte pensamento: "Ah! Então a vida é isso! É tão bom, tão perfeito!"

Entretanto, há experiências ou interações sexuais insatisfatórias que não levam a essa conclusão. Pode-se passar por um contato sexual insuficiente no qual haja acúmulo de excitação mas não se atinja o clímax, momento em que a energia deveria ser descarregada. Quando isso acontece, a pessoa enfrenta frustração, inquietude e irritabilidade. Mas a falta de clímax não leva necessariamente à frustração. Quando o nível de excitação sexual é baixo, o fato de não conseguir atingir o clímax não incomoda o corpo. Essa falta de clímax poderá criar um desconforto psíquico se considerarmos o fracasso um sinal de impotência. Pode-se evitar o desconforto psíquico reconhecendo que a falta de clímax é provocada pelo baixo nível de excitação sexual – e, nesse caso, o contato sexual, se ocorre entre indivíduos que se respeitam, também pode ser agradável.

Além disso, nem todo clímax é completamente satisfatório. Há descargas parciais, em que apenas uma fração da energia acumulada é descarregada. Pode-se falar de uma satisfação parcial, mas esta é, em termos, uma contradição. A satisfação denota totalidade e, no entanto, tal contradição pode existir (como de fato existe) no nível dos sentimentos. É possível se satisfazer com uma descarga energética de 80%, se esta for a melhor que a pessoa consegue alcançar, pois os fatores psíquicos afetam os sentimentos e os modificam. Uma mulher que nunca atingiu o clímax durante o ato sexual e certo dia consegue atingi-lo experimentará a situação como recompensadora e gratificante, independentemente do nível da descarga sexual. Só é possível descrever um sentimento comparando-o com uma situação anterior; nesse caso, a comparação é muito favorável.

Até este momento tenho evitado o termo "orgasmo" porque ele é muito mal-empregado e mal-entendido. Dizer, como Albert Ellis, que um "orgasmo é um orgasmo" é jogar com as palavras. Ele iguala orgasmo ao clímax, o que é errôneo, e não estabelece distinção entre os graus de descarga e de satisfação. Como todos deveriam saber, não há duas relações sexuais idênticas no que se refere a sentimentos e experiências. Nenhum orgasmo é igual a outro. As coisas e os fatos são semelhantes apenas quando não há sentimentos. Quando estes estão implicados, toda experiência é única.

Reich empregava o termo "orgasmo" em sentido muito especial, referindo-se à entrega completa à excitação sexual, com o envolvimento completo do corpo nos movimentos convulsivos da descarga. O orgasmo, conforme a descrição reichiana, acontece às vezes e constitui uma experiência de êxtase. Mas isso também é outra raridade, como o próprio Reich reconhecia. A resposta total a uma situação qualquer é incomum na nossa sociedade, pois estamos enredados em uma carga enorme de conflitos para nos entregar de modo completo a qualquer sentimento que seja.

Seria correto utilizar a palavra "orgasmo" para descrever uma descarga sexual na qual há movimentos involuntários e convulsivos espontâneos e agradáveis no corpo e na pelve, sentidos como satisfatórios. Quando apenas o aparato genital está comprometido com a sensação de descarga e liberação, eu diria que se trata de uma reação muito limitada para ser chamada de orgasmo. Trata-se de ejaculação no homem e clímax na mulher. Para que a resposta mereça ser chamada de orgasmo, a descarga precisa ampliar-se para outras partes do corpo: pelve e pernas pelo menos, devendo acontecer alguns movimentos involuntários de prazer pelo corpo. O orgasmo deve ser uma experiência *tocante*. Somos tocados por ele. Se todo nosso corpo é espontaneamente tocado e o coração responde, estamos diante de um orgasmo completo. É isso que esperamos que aconteça em nossa atividade sexual.

Um orgasmo, seja ele completo ou parcial no que diz respeito ao corpo, libera a tensão naquelas partes, as quais respondem ativamente. No entanto, a liberação não é perene. Uma vez que somos submetidos diariamente a tensões, estas podem acumular-se de novo. É preciso ter uma vida sexual satisfatória e não apenas uma única experiência para nos ajudar a diminuir o nível de tensão no corpo.

Não desejo criar uma mística em torno do orgasmo, embora acredite tratar-se de uma função deveras importante. Não é o único meio de liberar a tensão, nem deveria ser conscientemente empregado para esse propósito. Não choramos para liberar a tensão, mas por estarmos tristes, e no entanto o choro é um modo básico de descarregar a tensão. Mesmo que o orgasmo completo seja o mecanismo de descarga mais satisfatório e eficiente, não se pode dizer que sexo sem esse orgasmo, ou a união sexual sem clímax, seja sem sentido e destituída de prazer. Envolvemo-nos no sexo por prazer, e este tem de ser o principal critério para nossa conduta sexual. O que estou defendendo é que o orgasmo completo é mais prazer, tanto mais na medida em que pode intensificar-se até o êxtase. Contudo, dado que o grau de prazer depende da quantidade de excitação preliminar, algo aquém de nossa vontade ou controle, devemos ser gratos por qualquer prazer que pudermos experimentar.

O problema enfrentado pela maioria das pessoas é que as tensões em seu corpo estão tão profundamente estruturadas que é raro acontecer a liberação orgástica. Os movimentos convulsivos de prazer são muito ameaçadores, e a rendição, assustadora demais. Independentemente do que se diz, a maioria das pessoas tem medo dos sentimentos sexuais e teme entregar-se a eles. E, contudo, muitos pacientes afirmam, no início da terapia, que sua vida sexual é satisfatória, que não têm problemas de ordem sexual. Em alguns casos, esses indivíduos não conhecem nada melhor, e o pouco prazer de que desfrutam é o que assumem ser atividade sexual. Em outros casos, impera o autoengano. O ego do homem, em particular, erigirá defesas contra quaisquer sentimentos de inaptidão sexual. À medida que a terapia avança, essas pessoas tomam consciência de seus problemas sexuais. Essa percepção vem à tona quando elas experimentam uma descarga sexual mais completa e satisfatória.

O fato é que o corpo do indivíduo demonstra o verdadeiro estado de sua atividade sexual. Aquele cujo corpo é relativamente livre de grandes tensões manifestará o reflexo do orgasmo enquanto está deitado na cama respirando. Descrevi essa reação corporal no Capítulo 1, ao discutir minha terapia pessoal com Reich. É importante retomar aqui essa descrição.

A pessoa está deitada, com os joelhos fletidos, de modo que os pés estão em contato com a cama. A cabeça está jogada para trás, para tirá-la do caminho, por assim dizer. Os braços repousam ao lado do corpo. Quando a respiração é fácil e profunda, sem que tensões musculares bloqueiem o fluxo respiratório que atravessa o corpo, a pelve se move espontaneamente a cada respiração. O corpo subirá com a expiração e cairá na inspiração. A cabeça move-se em sentido oposto, para cima na inspiração e para trás na expiração. No entanto, a garganta se movimenta para a frente com a expiração. As figuras a seguir ilustram esse princípio.

FIGURAS 32A E 32B

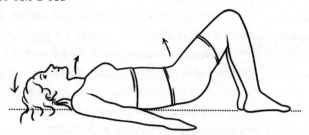

EXPIRAÇÃO: MOVIMENTO DA PELVE PARA A FRENTE

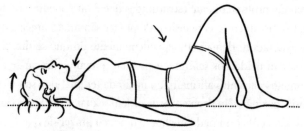

INSPIRAÇÃO: MOVIMENTO DA PELVE PARA TRÁS

Reich descrevia o reflexo como um movimento no qual as duas extremidades do corpo se aproximam. A cabeça, contudo, não toma parte nesse movimento de aproximação, pendendo para trás.

Olhando a figura e imaginando que os braços também se estendem à frente e para o alto, o movimento poderia ser descrito como um fechamento em círculo. Lembra a ação de uma ameba que flui ao redor de uma partícula de alimento para englobá-la. O movimento é muito mais primitivo do que o da sucção, no qual a cabeça desempenha o papel principal. A sucção está relacionada à inspiração. Quando se inspira, a cabeça se adianta à frente e a garganta e a pelve movem-se para trás.

Este movimento é chamado de reflexo do orgasmo porque ocorre sempre que o orgasmo é completo. Num orgasmo parcial, também se verificam alguns movimentos involuntários da pelve, mas o corpo como um todo não cede a eles por completo. Uma coisa tem de ficar clara: o reflexo do orgasmo não é um orgasmo. O reflexo do orgasmo ocorre num nível de excitação baixo e constitui um movimento de pequena amplitude. Experiencia-se o reflexo do orgasmo como um sentimento gostoso de liberdade interior e leveza. Denota a ausência de tensão no corpo.

Bioenergética

FIGURA 33

O desenvolvimento do reflexo do orgasmo na situação terapêutica não é garantia de que o paciente terá um orgasmo completo durante a atividade sexual. As duas situações são radicalmente diferentes. Na atividade sexual, o nível de excitação é muito alto, o que dificulta a entrega. É preciso adquirir a capacidade de tolerar esse alto nível de excitação sem tornar-se tenso ou ansioso. Outra diferença é que a situação terapêutica é engendrada para fornecer apoio ao paciente; o terapeuta está à sua disposição. No sexo é diferente, pois o parceiro tem um interesse pessoal na relação e faz exigências. Não obstante, se a pessoa não consegue entregar-se ao reflexo na atmosfera de apoio da situação terapêutica, é pouco provável que o consiga no ambiente muito mais carregado do encontro sexual.

Por esse motivo, a terapia bioenergética não coloca tanta importância no reflexo do orgasmo, como Reich o fazia. Não que não seja importante, ou que a terapia não busque seu desenvolvimento, mas a ênfase também recai na capacidade do paciente de enfrentar a tensão de modo que o reflexo funcione durante o sexo. Isso se consegue fazendo que a carga flua para as pernas e os pés, quando então o reflexo assume uma qualidade diferente.

Quando a carga energética sobe do chão para a pelve, um elemento agressivo se associa a uma ação terna. Digo de imediato que agressivo não quer dizer sádico, brutal ou sôfrego, nem violento e forte. Agressão, na teoria da personalidade, denota a capacidade de ir em busca daquilo que se deseja. É o oposto de passividade, que significa esperar por alguém que satisfaça um desejo ou uma necessidade.

Em meu primeiro livro[63], postulei dois instintos, chamados de anelar e agressão. O instinto anelar está associado com Eros, amor e ternura. Caracteriza-se pelo movimento de excitação ao longo da parte anterior do corpo, percebido como terno e erótico. A agressão resulta de um fluxo de excitação para o sistema muscular, sobretudo para os grandes músculos das costas, das pernas e dos braços. Esses músculos atuam sobre a postura ereta e a locomoção. O significado original da palavra "agressão" é "mover-se na direção de". A ação depende dos movimentos desses músculos.

A agressão é um componente necessário do ato sexual tanto para homens quanto para mulheres. Em sua ausência, o sexo reduz-se à sensualidade, à estimulação erótica sem clímax nem orgasmo. Não há agressão a menos que exista um objeto na direção do qual a pessoa se oriente – um objeto de amor no sexo ou de fantasia na masturbação.

Ressalto mais uma vez que a agressão não tem necessariamente um objetivo hostil. A intenção do movimento pode ser amorosa ou afrontosa; é o movimento que, propriamente, constitui a agressão.

A agressão é ainda a força que nos capacita a enfrentar, a tolerar e a manipular a tensão. Se as diversas estruturas de caráter fossem ordenadas de acordo com o teor de agressão disponível, a ordem duplicaria a já mencionada hierarquia de tipos de caráter. Teríamos de compreender que a agressão do psicopata é uma pseudoagressão; dirige-se não para o que deseja, mas para o exercício da dominação. Depois que o indivíduo obtém o controle, torna-se passivo. Por outro lado, o masoquista não é tão passivo quanto parece. Sua agressão está encoberta, e vem à tona em queixumes e lamentações. O indivíduo de caráter oral é passivo sobretudo em virtude de sua musculatura subdesenvolvida. O indivíduo de caráter rígido é excessivamente agressivo para compensar o sentimento interno de frustração.

Agora que já temos uma base racional para a presença da agressão no sexo, a terapia deve ajudar homens e mulheres a desenvolver sua agressividade sexual, ou seja, o impulso da pelve. Note que emprego a palavra "impulso" (*thrust*) em vez do termo "movimento de ir em busca" (*reaching*) – que antes foi empregado para descrever o reflexo.

Pode-se levar a pelve à frente de três modos: contraindo os músculos abdominais, contudo tal contração acaba por tensionar a parte frontal do corpo e corta o fluxo de sentimentos ternos e eróticos na barriga. Na linguagem do corpo, esse movimento representa ir em busca de algo sem estar sentindo coisa nenhuma. Ou, então, contraindo os músculos das nádegas, ação que tensiona o soalho pélvico e limita a descarga ao aparato genital. Em geral, as pessoas movem a pelve dessas duas maneiras durante o ato sexual, e fazem os mesmos movimentos na terapia quando se pede para que movam a pelve para a frente.

O terceiro modo de mover a pelve para a frente é empurrando o chão com os pés. Essa ação deslocará a pelve para a frente se os joelhos ficarem fletidos.

Bioenergética

Quando a pressão sobre o solo é liberada a seguir, a pelve volta para trás. Todavia, essa ação depende da capacidade da pessoa de dirigir sua energia para os pés. Nesse tipo de movimento pélvico, toda a tensão localiza-se nas pernas. A pelve está isenta de tensão e balança em vez de ser empurrada ou puxada.

A dinâmica energética desse movimento é exibida pelas figuras seguintes, que ilustram os três movimentos básicos do corpo humano em relação ao chão: andar, levantar-se e o impulso pélvico. O princípio subjacente a essas ações é o mesmo que coloquei antes: ação-reação. Se empurramos o chão para baixo com os pés, o chão devolve tal pressão e a pessoa se locomove. O mesmo princípio rege o voo de um foguete. A descarga energética do propulsor força-o para a frente. Vejamos a seguir como esse princípio opera nas três ações.

Andar: assuma uma posição em que os pés estejam afastados cerca de 15 centímetros, os joelhos, fletidos e o corpo, aprumado. Desloque o peso para a parte redonda dos calcanhares. Empurre o chão para baixo com o pé direito, erga o pé esquerdo e deixe-o balançar para a frente. Quando levantar o calcanhar direito, você terá dado um passo à frente sobre o pé esquerdo. A repetição desse processo com cada pé, alternadamente, é andar.

FIGURA 34

EM PÉ 　　　EMPURRANDO 　　　MOVENDO-SE
　　　　　　　PARA BAIXO 　　　　À FRENTE

Levantar-se: assuma a mesma posição, mas dobre mais os joelhos. Transfira o peso para a parte redonda da sola dos pés e empurre o chão para baixo. Desta feita, porém, não erga o pé esquerdo nem tire os calcanhares do chão. Se estes ficarem firmes no chão, você não conseguirá mover-se à frente. Dado que a força resultante de sua ação de empurrar o chão para baixo deve ter algum efeito, você descobrirá que seus joelhos estão se endireitando e que você fica em pé perfeitamente ereto.

FIGURA 35

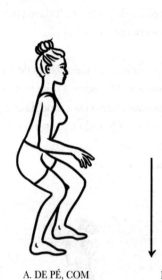

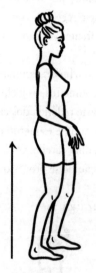

A. DE PÉ, COM JOELHOS FLETIDOS

B. INCLINANDO-SE À FRENTE

C. LEVANTANDO-SE

Impulso pélvico: assuma a mesma posição de levantar-se, executando o mesmo procedimento do segundo exercício, mas não deixe seus joelhos se endireitarem. Você não vai levantar-se se os joelhos continuarem dobrados e não andará para a frente se os calcanhares mantiverem-se firmes no chão. O único movimento disponível para a força resultante é impelir a pelve à frente. Se você ficar com a pelve bloqueada, estará numa situação isométrica, na qual a força age sobre a musculatura, mas não se permite a ocorrência de nenhum movimento. O movimento não ocorre se a tensão das pernas impedir o fluxo ascendente da força resultante, tampouco se as tensões da pelve bloquearem o fluxo e impedirem qualquer movimento livre.

Bioenergética

FIGURA 36

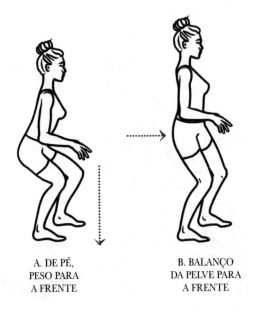

A. DE PÉ,
PESO PARA
A FRENTE

B. BALANÇO
DA PELVE PARA
A FRENTE

As tensões da região da pelve são liberadas por meio de uma variedade de exercícios, massagens e relaxamento dos músculos tensos. Um músculo tenso pode ser palpado tanto como um nó quanto como uma corda esticada. Apresentarei muitos dos exercícios que usamos na bioenergética em outro livro, destinado a ser um manual de exercícios da abordagem. Este livro tem o objetivo de aprofundar a íntima relação entre personalidade e corpo.

Um tipo de exercício que uso para soltar a pelve também é o ato de cair. Descrevo-o a seguir para que o leitor possa experimentá-lo.

Fica-se na frente de um banquinho ou cadeira em uma posição que deve apenas promover o equilíbrio. Os pés estão afastados um do outro cerca de 15 centímetros e os joelhos, dobrados quase ao máximo. O corpo deve inclinar-se à frente até os calcanhares estarem um pouco fora do chão. O peso do corpo ainda está na parte redonda da sola dos pés e não nos artelhos. O corpo deve estar recurvado para trás e a pelve lançada à frente, sem tensão, para formar um arco contínuo. Nesse exercício, é importante que a pessoa pressione o chão com ambos os calcanhares, sem no entanto deixá-los tocar o chão. Impede-se que isso aconteça inclinando-se o corpo à frente e mantendo os joelhos fletidos. A pressão sobre os calcanhares impede a pessoa de andar à frente e os joelhos dobrados não permitem que ela se levante.

FIGURA 37

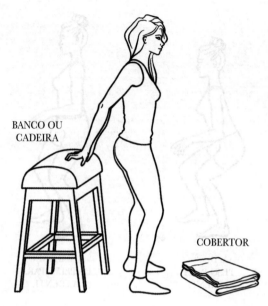

O indivíduo deve manter-se na posição tanto quanto conseguir, mas sem transformá-la em um teste de autodomínio ou tolerância. A respiração deve ser abdominal e solta; a barriga precisa estar solta e a pelve, descontraída. Quando não aguentar mais a posição, a pessoa cai para a frente sobre os joelhos, em cima de um cobertor.

Nesse exercício não é preciso usar nenhuma pressão consciente, uma vez que o peso da gravidade age como uma pressão em sentido descendente. Esta é bastante forte e, se os músculos das coxas estão tensos, a pessoa sentirá uma dor razoável nessa região. Quando se tornar insuportável, ela cairá no chão. Em geral, as pernas passarão a vibrar antes de a pessoa cair. Se a respiração estiver relaxada e profunda e a pessoa mantiver-se tranquila, a vibração se ampliará até a pelve, que então se movimentará para a frente e para trás involuntariamente. Peço aos meus pacientes que realizem esse exercício duas ou três vezes, à medida que os movimentos vibratórios tornam-se cada vez mais fortes. Já comentaram comigo que tal exercício é excelente para esquiadores.

Os exercícios são importantes porque dão à pessoa uma sensação diferente no corpo, ajudando-a também a tomar consciência de bloqueios e tensões – o que a ajuda a compreender seus medos e ansiedades. O medo mais comum que os pacientes expressam é o de ser usados sexualmente se cederem aos seus sentimentos sexuais. Tal medo remonta a uma ou às duas figuras parentais, em geral a do sexo oposto. "Ser usado" cobre uma variedade de pecados, da relação sexual entre um genitor e o filho até simplesmente divertir-se com ou ridicularizar a sexualidade da criança. O medo específico precisa ser elucidado, o que pode ser feito analiticamente ou de outros modos. Em certos casos, o exercício de cair o traz à tona.

Uma moça estava em pé, apoiando-se numa perna só, dobrada, olhando para o cobertor e, quando pensou em cair, viu a imagem de um pênis. Igualou então o medo de cair com o medo da entrega a seus sentimentos sexuais. A imagem do pênis a fez recordar seu pai – segundo ela, um sádico. "Ele me espancava e me humilhava. Andava nu pela casa, sem a menor consideração por meus sentimentos." O que mais a perturbava, dizia, era seu olhar: "Ele me despia com os olhos".

A moça achava desnecessário elaborar o problema. Eu o entendia e me solidarizava com ela. Sua única defesa fora eliminar os sentimentos sexuais. O único jeito de consegui-lo foi bloquear o contato com a parte superior de seu corpo. Esse processo envolvia o tensionamento do diafragma e o enrijecimento do abdome e da pelve. Em consequência, ela desenvolveu a ansiedade da queda.

No entanto, esse não foi o único resultado de tal ação defensiva. Quando alguém sofre um insulto ou agressão, sua reação natural é a raiva. E só quando a raiva está bloqueada ou é inibida pelo medo a pessoa se defende. A raiva inibida transforma-se em hostilidade e em negativismo. Então a pessoa sente culpa e sua postura defensiva se volta contra sua hostilidade e seus sentimentos negativos, bem como contra qualquer insulto ou agressão futuros. Assim, não basta que ela perceba e aceite o fato de que não está mais vulnerável ao tipo de agressão vivido durante a infância. Essa percepção não afetará de modo substantivo a postura defensiva, pois a defesa tem outra função: ocultar a hostilidade.

Expliquei no Capítulo 3 que as duas camadas mais superficiais da personalidade – as defesas do ego e a couraça muscular – funcionam como monitoras e controlam a camada emocional ou o id da personalidade. Toda pessoa neurótica ou psicótica tem medo da intensidade de seus sentimentos, sobretudo dos que são negativos. Pontuei que estes devem ser ventilados ou expressos antes que o amor – sentimento principal – possa fluir livre e completamente para o mundo. Isso deve acontecer na situação terapêutica para evitar qualquer efeito danoso em pessoas inocentes. É prática corrente na terapia bioenergética encorajar a expressão desses sentimentos negativos toda vez que isso for apropriado à situação terapêutica imediata. Isso certamente valeria para a paciente que teve um pai sádico. Antes de esperar que ela se entregue a seus sentimentos sexuais de modo positivo, devemos permitir que se renda a seu lado negativo.

Essa paciente, assim como qualquer outra mulher que tenha sofrido um trauma parecido, tem sentimentos ambivalentes a respeito dos homens. Na qualidade de menina e mulher, ama os homens, mas entre eles está seu pai! Quando criança, foi humilhada e magoada por um homem; por isso, odeia todos os homens. Parte de sua personalidade gostaria de fazer a eles o que lhe fizeram: magoá-los e humilhá-los. Quando criança, não ousou expressar tais sentimentos; adulta, continua não ousando fazê-lo. Também sabe que eles são tão destrutivos a qualquer relacionamento como o foram para ela. Isso a prende a uma situação difícil, da qual a terapia pode ajudá-la a sair. A única forma de fazer isso é fornecer-lhe um canal de expressão para seus sentimentos negativos.

Há vários exercícios indicados para o problema. Um deles é dar à paciente uma toalha que possa ser torcida com as duas mãos. A toalha pode representar qualquer pessoa. Nesse caso, seria o pai da paciente, o namorado atual ou qualquer outro elemento representativo do odiado sexo masculino. Enquanto torce a toalha, a pessoa diz tudo que quer dizer – ou gostaria de ter dito ao pai ou qualquer outro homem: "Você é um desgraçado. Odeio você. Você me humilhou e eu o desprezo. Eu poderia torcer sua cabeça até ela desenroscar do pescoço; então você não mais me olharia com aqueles olhos lascivos". É óbvio que a toalha poderia também representar o pênis. Ao torcê-lo, ela estaria liberando uma enorme hostilidade contra esse órgão.

Esse exercício não é realizado rotineiramente. Só tem valor quando se segue à revelação, pelo paciente, de uma experiência traumática, que não precisa ser de cunho sexual. O exercício pode ser utilizado para descarregar sentimentos de raiva ou hostilidade oriundos de agressões ou insultos.

Um exercício especificamente sexual e mais adequado ao atual contexto é o seguinte: o paciente, apoiando-se sobre os joelhos e os cotovelos num colchão, enterra nele os artelhos. Essa é, em geral, a posição do macho durante o ato sexual. Então, o paciente (seja qual for seu sexo) impele a pelve contra a cama, fazendo um violento movimento de propulsão, acompanhado ou não de vocalizações. Se quiser empregar palavras, estas deverão ser necessariamente mesquinhas, sádicas, dolorosas e vulgares.

Quando o paciente se entrega ao exercício, vivencia grande alívio. Consegue deixar sair o que estava reprimido de um modo que não é destrutivo nem para si nem para os outros. A vulgaridade faz sentido porque a pessoa tende a denegrir o outro, mas sente-se limpa como se tivesse lavado toda a sujeira das mãos. O sentimento de limpeza que daí resulta é a raiva, uma raiva pura pela pessoa responsável pelo mal sofrido. Essa raiva pode ser expressa pelo ato de bater na cama com uma raquete de tênis. Bater assim não é humilhante nem punitivo; reafirma o direito do paciente de respeitar-se e de ser respeitado como indivíduo. Ninguém pode respeitar-se se não consegue nem ficar zangado quando é insultado ou machucado.

A cada descarga de sentimentos negativos ou hostis diminui a ansiedade da queda. O mesmo vale para qualquer expressão de raiva. Porém, a ansiedade da queda não é eliminada apenas por meio dessas manobras, pois ela tem o direito de existir, como um medo que deve ser confrontado ou enfrentado. Aprende-se a cair sem medo não com palavras, mas com ações. E, no mesmo processo, aprende-se a defender o autorrespeito e a sexualidade contra todas as pessoas, inclusive o terapeuta.

Devo acrescentar que todo exercício libera não só os sentimentos reprimidos como também as tensões musculares. Cair isenta as pernas do esforço excessivo de ter de se manter em pé por causa do medo. O movimento rotatório da pelve (fazemo-lo para trás, para soltar as tensões musculares associadas ao sadismo anal suprimido) reduz as tensões musculares das coxas e da cintura pélvica. Torcer a toalha e socar a cama têm efeitos similares sobre outras partes do corpo.

Tais exercícios favorecem a autoexpressão. Não são os únicos utilizados na bioenergética nem se limitam a sentimentos negativos, hostis e raivosos. Estender-se à frente em busca de contato, tocar ternamente e abraçar são movimentos empregados para demonstrar afeto e desejo. No próximo capítulo, discutirei a natureza da autoexpressão e descreverei algumas formas de tratar problemas desta. São necessários, porém, mais dois comentários para fechar este capítulo.

A ênfase em expor os sentimentos negativos baseia-se no fato clínico de que aquele que não consegue dizer não não poder dizer sim. Desse modo, é importante ser capaz de demonstrar um sentimento hostil ou de raiva quando for certo fazê-lo. Examinei as implicações filosóficas dessa perspectiva em meu livro *Prazer*. Seria irreal conceber a personalidade humana como apenas positiva, por força da natureza. A vida é positiva, mas a antivida é negativa. Porém, algumas pessoas confundem-se, tomando uma pela outra. Ambos os tipos de força estão presentes no mundo; é ingenuidade pensar de outro modo. Se podemos distingui-las, a negativa alcança lugar no comportamento humano.

A ênfase aparentemente excessiva sobre a linguagem corporal poderá induzir o leitor a acreditar que as palavras não têm importância na terapia bioenergética. Isso por certo não se aplica ao trabalho que realizo; no último capítulo deste livro, abordarei o papel das palavras. Não acredito que damos atenção exagerada à expressão corporal. Ela é o foco da bioenergética porque, na maioria das outras terapias, é ignorada. As palavras não podem substituir o movimento do corpo; da mesma forma, os movimentos do corpo não equivalem à linguagem. Ambos têm lugar no cenário terapêutico, como na vida. Muitos de meus pacientes têm certa dificuldade de expressar-se bem pela linguagem. E, como inúmeros outros terapeutas, trabalho esse problema com eles. No entanto, todos os meus pacientes têm problemas para expressar-se por completo em nível corporal, estando a bioenergética focada nesse problema. Descobri ainda que as questões corporais vêm antes das verbais, embora sejam assuntos diferentes. É mais fácil falar fluentemente sobre sexo do que fluir sexualmente.

9. Autoexpressão e sobrevivência

AUTOEXPRESSÃO E ESPONTANEIDADE

A autoexpressão descreve as atividades livres, naturais e espontâneas do corpo e, como a autopreservação, é uma qualidade inerente a todos os organismos vivos. Toda atividade do corpo contribui para sua autoexpressão – das mais simples, como andar e comer, às mais sofisticadas, como cantar e dançar. O modo como alguém anda, por exemplo, não só o define como ser humano (nenhum outro animal anda como o homem) como também indica seu sexo, sua idade aproximada, sua estrutura de caráter e sua individualidade. Ninguém anda exatamente como outra pessoa, ninguém se parece exatamente com outra pessoa, ninguém se comporta exatamente como outra pessoa. O indivíduo se expressa em qualquer ação que executa ou movimento que seu corpo realiza.

As ações e os movimentos corporais não são as únicas modalidades de autoexpressão. A forma e o contorno do corpo, a cor da pele, o cabelo, os olhos e sons identificam a espécie e o indivíduo. Podemos reconhecer um leão ou um cavalo numa foto, e não há movimento nenhum num retrato. Podemos até reconhecer determinado cavalo em particular vendo-o numa fotografia, se o conhecermos, assim como podemos reconhecer uma pessoa numa foto. Os sons e odores também identificam tanto a espécie quanto o indivíduo.

Segundo essa definição, a autoexpressão não é, em geral, uma atividade consciente. Podemos nos exprimir de modo consciente ou ter consciência de nossa autoexpressão. Mas, tenhamos ou não consciência desse fato, estamos o tempo todo nos expressando. Dois pontos importantes decorrem desse fato: 1) o *self* (si mesmo) não está limitado ao seu aspecto consciente, não se identificando com o ego; 2) não temos de fazer coisa nenhuma para nos expressar. Impressionamos as pessoas simplesmente sendo e, às vezes, causando-lhes uma impressão e não fazendo nada mais do que tentar ser autoexpressivos. No último caso, arriscamo-nos a criar a imagem de uma pessoa que está desesperada por reconhecimento e nossa autoexpressão poderá ficar inibida por nosso constrangimento.

A espontaneidade, não a consciência, é a qualidade essencial da autoexpressão. Abraham Maslow, no artigo "The creative attitude"[64] (A atitude criativa), diz o seguinte:

> A espontaneidade total é a garantia de uma expressão sincera da natureza e do estilo de um organismo em livre funcionamento, e de sua singularidade. As palavras "espontaneidade" e "expressividade" implicam honestidade, naturalidade, confiança, ausência de malícia, originalidade etc., na medida em que implicam também uma natureza não instrumental da conduta, a ausência da "tentativa" voluntária, e ausência de um esforço consciente ou de um desgaste consentido, a falta de uma interferência no fluxo de impulsos e a livre expressão radioativa do interior da pessoa.

É interessante notar que a espontaneidade é definida em termos negativos, como a ausência de uma "tentativa voluntária", a "ausência de malícia", "falta de interferência". A espontaneidade não pode ser ensinada. Não se aprende a ser espontâneo; assim, a terapia não pode ensiná-la. Como seu objetivo é ajudar a pessoa a tornar-se mais espontânea e expressiva – o que costuma gerar uma sensação mais intensa do *self* –, a tarefa terapêutica deve destinar-se à remoção de barreiras ou bloqueios no caminho da autoexpressão. Portanto, é preciso, necessariamente, entender esses bloqueios. Para mim, isso significa a abordagem bioenergética ao problema da autoexpressão inibida.

Quando comparamos comportamentos espontâneos com aqueles aprendidos, fica clara a relação dos primeiros com a autoexpressão. O comportamento aprendido reflete, em geral, aquilo que ensinaram à pessoa. Assim, deveria ser considerado uma manifestação do ego ou do superego, mas não do *self* (si mesmo). Essa distinção, todavia, não pode ser rigorosa na medida em que a maioria das condutas contém tanto elementos aprendidos quanto espontâneos. A verbalização é um bom exemplo. As palavras que usamos são respostas aprendidas, mas o discurso é mais do que palavras e frases, pois inclui a inflexão, o tom, o ritmo e a gesticulação, que são em grande medida espontâneos e peculiares ao locutor. Estes últimos elementos conferem o colorido à fala, acrescendo-a de riqueza em sua expressão. Por outro lado, ninguém defenderá um discurso que distorça o sentido comum das palavras e ignore as regras da gramática por causa da espontaneidade. A espontaneidade divorciada do controle do ego é caos e confusão, independentemente do fato de, às vezes, entendermos os balbucios dos bebês e as ruminações dos esquizofrênicos. Um equilíbrio justo entre controle egoico e espontaneidade permitiria a manifestação o mais eficiente possível de um impulso sem deixar de transmitir intensamente a vida da pessoa.

Embora a ação espontânea seja uma expressão direta de um impulso e, portanto, uma manifestação direta do interior da pessoa, nem todos os atos impulsivos são autoexpressivos. O comportamento reativo tem um aspecto espontâneo que é enganador, na medida em que é condicionado e predeterminado pela experiência anterior. Aqueles que perdem a cabeça de tanta raiva toda vez que ficam frustrados podem parecer espontâneos, mas a qualidade explosiva de sua reação nega sua pretensa espontaneidade. A explosão decorre do bloqueio de impulsos e do acúmulo de energia, os quais irrompem à menor provocação. O comportamento reativo origina-se da "interferência no fluxo de impulsos", sendo uma expressão do estado de bloqueio no organismo. Contudo, essas reações explosivas podem ser estimuladas no *setting* terapêutico a fim de remover bloqueios profundamente estruturados.

Às vezes, a bioenergética é alvo de críticas por causa dessa afirmação. Muitos terapeutas pressupõem ingenuamente que a violência não tem lugar racional na conduta humana. Pergunto-me como tais pessoas reagiriam caso a vida delas fosse ameaçada! A ameaça ficou pairando sobre a cabeça de muitos de meus pacientes quando eles eram pequenos. É irrelevante indagar se a ameaça teria sido levada a termo. As crianças pequenas não podem efetuar tais distinções. Sua reação imediata e verdadeiramente espontânea é violenta. Quando a resposta é bloqueada ou inibida pelo medo de represálias, estabelece-se a condição interna para uma conduta reativa. Esse bloqueio será dissolvido não com demonstrações de amor e proteção, mas quando tais demonstrações apoiarem de fato o direito do paciente de descarregar sua violência no ambiente controlado da terapia e não por meio de atuações na vida cotidiana.

O prazer é o elemento-chave para a autoexpressão. Quando estamos nos expressando de fato, sentimos um prazer que pode variar de uma sensação moderada ao êxtase sexual. O prazer da autoexpressão não depende da resposta do ambiente: a autoexpressão é agradável em si. Peço ao leitor que se recorde do prazer que sente quando está dançando e perceba como o prazer da autoexpressão independe das reações dos outros. Isso não significa que a resposta positiva à autoexpressão de alguém seja destituída de valor. Nosso prazer aumenta ou diminui de acordo com a reação dos outros, mas não é criado por ela. Não pensamos nos outros quando estamos cantando no chuveiro e, no entanto, essa é uma atividade autoexpressiva e agradável.

Cantar é uma ação naturalmente expressiva de si mesmo, como dançar. Mas perde algumas de suas qualidades quando se transforma numa exibição, ou seja, quando falta parte do impulso espontâneo para cantar. Talvez o ego encontre satisfação com o ato de cantar, mas quando a espontaneidade é pequena o prazer sofre uma diminuição proporcional. Felizmente, uma performance desse tipo não seria inspiradora nem para a plateia e, assim, deixaria de ser repetida. Vale o mesmo para a dança, para a fala, para a arte de escrever, para a arte de cozinhar, para qualquer outra atividade. O desafio do artista é manter um alto nível de execução sem perder a espontaneidade de suas ações, que confere vida e prazer ao que estiver fazendo.

Quando o indivíduo consegue mostrar-se sem reservas espontâneas, não dando nenhuma atenção consciente às suas manifestações, a experiência do prazer é enorme. A atividade lúdica das crianças tem essa característica. A maioria de nossos atos conta com uma mistura de espontaneidade e controle, servindo este último para garantir aos nossos comportamentos mais objetividade. Quando o controle e a espontaneidade estão em harmonia a ponto de um suplementar o outro em vez de tolhê-lo, o nível de prazer é o mais elevado possível. Nessas ações, ego e corpo atuam juntos para produzir um nível de coordenação nos movimentos que só pode ser chamado de gracioso.

Sentimos prazer com a boa aparência de nosso corpo porque isso expressa quem somos. Invejamos aquele que tem um belo cabelo, olhos brilhantes, dentes alvos, pelve limpa, boa postura, modos graciosos e assim por diante. Sentimos que tais características dão prazer à pessoa, devendo também sê-lo para nós. Na bioenergética, defendemos a tese de que a saúde e a vitalidade do corpo refletem-se em sua aparência. Boa aparência e bons sentimentos andam juntos.

A espontaneidade é uma função da motilidade do corpo. Um corpo cheio de vida nunca está completamente parado, mesmo ao dormir. As funções vitais nunca cessam e, além disso, há muitos movimentos involuntários que podem acontecer durante o sono, sendo mais frequentes quando estamos despertos e em atividade. Esses movimentos variam em qualidade e intensidade, segundo o grau de excitação. Sabe-se que as crianças ficam tão entusiasmadas que, literalmente, começam a pular. Nos adultos, os movimentos involuntários constituem a base dos gestos, das expressões faciais e de outras ações do corpo. Em geral, não temos consciência dessas atividades que nos exprimem ainda mais do que nossos atos conscientes. Assim, quanto maior for a motilidade de nosso organismo, mais expressivo ele será.

A motilidade de um corpo está diretamente relacionada ao seu nível de energia. É preciso energia para movimentar-se. Quando o nível energético está baixo, a motilidade decresce. Uma linha direta conecta a energia à autoexpressão. Energia → motilidade → sentimento → espontaneidade → autoexpressão. Essa sequência também opera no sentido inverso. Se a autoexpressão de uma pessoa estiver bloqueada, sua espontaneidade estará reduzida. A redução da espontaneidade afeta negativamente o tônus afetivo, que, por sua vez, diminui a motilidade do corpo e deprime seu nível de energia. Adolf Portmann, um biólogo eminente, estudioso da autoexpressão nos animais, chega a conclusão semelhante com base em seus estudos: "Uma vida interior rica [...] depende basicamente [...] de um grau de sinceridade que anda lado a lado com uma manifestação rica da autoexpressão".

A colocação de Portmann sugere a inter-relação dos três elementos da personalidade: vida interior, expressão externa e si mesmo. Vejo cada um desses aspectos como um vértice de um triângulo que precisa dos outros dois para manter sua forma.

FIGURA 38

Quando a autoexpressão está bloqueada ou limitada, a pessoa poderá compensá-la projetando uma imagem do ego. O modo mais comum de fazer isso é usando o poder, e o melhor exemplo dessa projeção foi Napoleão.

Quando envelheceu, ficou ainda mais baixo, à medida que sua cabeça ia afundando dentro dos ombros. Embora fosse chamado de "pequeno cabo", sua imagem avultava por toda a Europa. Era um imperador que detinha grande poder. Compreendo essa necessidade de poder somente como reflexo do senso de inferioridade no nível do si mesmo e de sua autoexpressão. Se Napoleão pudesse ter cantado e dançado, talvez não tivesse ordenado que exércitos inteiros caminhassem em tantos países para conquistar um sentido de si que duvido que ele tenha alcançado algum dia. O poder cria apenas uma imagem maior e não um *self* maior.

Outro exemplo de compensação é visto na pessoa que tem de possuir uma casa grande, um carro luxuoso ou um iate para superar uma sensação interna de pequenez. Pequeno é o âmbito de sua autoexpressão. Talvez ela seja rica, já que essa é sua ambição, mas continua sendo pobre na vida interior (espírito) e na sua maneira de manifestar-se.

Na bioenergética, focalizamos três áreas principais de autoexpressividade: movimento, voz e olhos. Em geral, as pessoas se expressam por meio de cada um desses canais de comunicação simultaneamente. Se nos sentimos tristes, por exemplo, choramos, soluçamos e nos sacudimos convulsivamente. A raiva também é expressa em movimentos corporais, sons e olhares. Bloquear ou cortar qualquer um desses canais enfraquece e cinde a emoção e sua expressão.

Nas páginas precedentes, discuti muitos dos exercícios e manobras que usamos para reduzir a tensão muscular e liberar a motilidade corporal. Gostaria de falar um pouco sobre os movimentos expressivos empregados para o mesmo propósito na terapia. Fazemos os pacientes dar chutes, socos no divã, estender-se em busca de contato – inclusive tocando, sugando, mordendo e assim por diante. Poucos pacientes conseguem executar tais movimentos com graça e sentimento. Suas ações são descoordenadas ou explosivas. Raramente as pessoas combinam tais movimentos com verbalizações corretas e com contato visual para torná-las mais expressivas. Os bloqueios contra os movimentos expressivos reduzem a mobilidade e a espontaneidade. Os bloqueios podem ser liberados somente por meio de um trabalho com esses movimentos.

Chutar é um bom exemplo. Chutar quer dizer protestar. Dado que à maioria das crianças foi negado o direito de protestar, ao ficarem adultas não conseguirão chutar com convicção, nem seus chutes terão algum efeito real. Esses pacientes precisam ser provocados para liberar explosivamente essa ação. Quando não existe provocação, os chutes são aleatórios e descoordenados. Às vezes, dizem: "Não tenho o que chutar". Mas isso é negação, porque ninguém estaria em terapia se sentisse que sua vida é perfeita.

Chutar uma cama, usando uma perna estendida de cada vez, é uma ação que, se bem realizada, conta com a participação de todo o corpo. As tensões em qualquer parte do organismo interferem na capacidade de bater. As pernas podem mover-se, por exemplo, mas a cabeça e o torso mantêm-se imóveis. Nesse caso, o movimento da perna é forçado, sem espontaneidade. Dizemos que o indivíduo está com medo de "se entregar" à ação. Embora tenha um início voluntário, quando a pessoa se deixa levar pela ação, esta assume uma característica espontânea e involuntária, tornando-se agradável e satisfatória. O uso da voz, como dizer "Não!" enquanto se chuta, acentua o compromisso e a descarga. O que vale para os chutes é igualmente verdadeiro para outros movimentos expressivos já mencionados.

Descobri ser necessário fazer os pacientes realizar exercícios de chutar, bater e tocar várias vezes seguidas para soltar os movimentos, de modo que os sentimentos possam fluir sem obstáculos para a ação. Toda vez que os pacientes dão um chute ou soco na cama, por exemplo, aprendem a ceder mais completamente ao movimento, permitindo que mais elementos de seu corpo sintam a ação. Na maioria dos casos, é preciso indicar à pessoa como ela está impedindo a si mesma de se deixar levar pelo movimento. Por exemplo, um paciente estende as mãos à frente, em minha direção, enquanto retrai os ombros para trás, inconsciente de estar inibindo sua ação até que eu o informe. Golpear a cama com os próprios punhos ou com uma raquete de tênis é uma ação relativamente simples, embora poucos a executem bem. As pessoas não estendem os braços o bastante, não curvam as costas, travam os joelhos – e todas essas ações impedem-nas de se lançar sem reservas à ação. O ato de bater, claro, foi tabu para a maioria das crianças. Remover psicologicamente esse tabu no presente não ajuda muito, já que ele se estruturou no corpo na forma de tensão crônica. Com a prática, porém, bater passa a ser uma ação mais coordenada e eficaz e o paciente começa a sentir prazer na realização do exercício – sinal de que abriu uma nova área de automanifestação.

Sempre acreditei que a terapia requer dupla abordagem: uma que se centralize no passado e outra, no presente. O trabalho sobre o passado é o lado analítico, que acentua *o porquê* de um comportamento, de uma ação, dos movimentos da pessoa. O trabalho sobre o presente esclarece como alguém age e se move. A coordenação e a eficiência da ação e do movimento, para a maioria dos animais, são qualidades aprendidas no decurso da brincadeira na infância. Porém, quando a criança tem problemas emocionais, essa aprendizagem não acontece de modo completo e natural. Até certo ponto, portanto, toda terapia implica uma reaprendizagem e um programa de retreinamento. Em minha opinião, a terapia não deveria ser um processo do tipo "ou análise ou aprendizagem", mas uma criteriosa combinação de ambas.

SOM E PERSONALIDADE

A palavra "personalidade" tem duas origens em seu radical. A primeira deriva do termo *persona*, que se refere à máscara do ator numa peça de teatro, definindo seu papel. Portanto, em certo sentido, personalidade é algo condicionado pelo papel que um indivíduo assume na vida ou pela imagem que oferece ao mundo. O segundo significado é exatamente o oposto do primeiro. Se fragmentarmos a palavra *persona* em suas partes componentes, *per sona*, teremos uma expressão que quer dizer "pelo som". Nesse caso, a personalidade reflete-se no som da pessoa. Uma máscara é algo inerte e não pode transmitir a vibração de um organismo vivo, ao passo que a voz o pode.

Poderíamos dizer: "Não preste atenção à máscara, mas ouça o som, pois vem dali o que você quer conhecer de alguém". Em parte, esse é um conselho verdadeiro, mas seria um erro ignorar a máscara. O som nem sempre nos indica o papel que a pessoa assumiu, apesar de fazê-lo em muitos casos. Há uma maneira de falar especial que pode ser identificada com os papéis. Religiosos, professores, serviçais e sargentos têm modos característicos de falar que os identificam com sua profissão ou vocação. A máscara influencia e modifica a voz. Mas há elementos desta que a máscara nem sempre toca e transmitem informações diferentes acerca da personalidade.

Não tenho dúvida de que uma voz rica é uma maneira rica de autoexpressão e denota uma rica vida interior. Acredito que todos sentimos isso nas pessoas e essa é uma sensação válida, mesmo que não haja evidências científicas. O que queremos dizer com uma voz rica? O fator essencial é a presença de ampla gama de tons e subtons que lhe confiram uma riqueza sonora. Outro fator é o conjunto de timbres. Aquele que fala num tom monocórdico tem um leque muito limitado de expressões, o que tende a se refletir em sua personalidade. A voz pode ser monótona, sem profundidade nem ressonância; pode ser baixa como se lhe faltasse energia ou fina e pouco encorpada. Cada uma dessas características relaciona-se de certo modo com a personalidade da pessoa.

A voz está tão intimamente vinculada à personalidade que é possível diagnosticar a neurose do indivíduo analisando sua voz. Recomendo a leitura cuidadosa do livro *The voice of neurosis*[65] [A voz da neurose], de Paul Moses, a quem desejar compreender a relação entre voz e personalidade. Hoje, é possível utilizar a voz para detectar mentiras. Trata-se de algo mais sutil que a detecção de mentiras baseada no reflexo psicogalvânico da pele, mas o princípio é semelhante em ambos os casos. Quando a pessoa conta uma mentira, há um achatamento em sua voz que é passível de detecção por um instrumento. Tal achatamento, diferentemente da voz normal da pessoa, indica um bloqueio ou uma contenção do impulso de dizer a verdade.

O novo detector de mentiras é conhecido como o PSE ou Avaliador de Tensão Psicológica (*Psychological Stress Evaluator*). Allan D. Bell, presidente da empresa que comercializa o produto, descreve seu funcionamento:

> Há tremores fisiológicos inerentes aos músculos do corpo humano que acontecem ininterruptamente enquanto os músculos estão sendo usados. Sob tensão, contudo, diminui a quantidade de tremores. Os músculos da voz também exibem esses mesmos tremores, bem como o efeito da tensão. Usando o equipamento eletrônico por nós criado, pode-se examinar a gravação de uma voz para verificar o que acontece com tais tremores. A extensão deles é inversamente proporcional à quantidade de tensão psicológica que a pessoa está sentindo.

Os tremores são aquilo que denomino vibrações. A ausência destas denota tensão ou contenção, seja no corpo ou na voz. Nesta última, a tensão provoca a perda de sua ressonância. A relação é a seguinte: tensão = contenção = perda da vibração = achatamento do afeto ou sentimento.

Não sou uma autoridade em voz, mas, na qualidade de psiquiatra, presto atenção muito particular a ela em meu trabalho com os pacientes. Emprego-a com fins não só diagnósticos, usando ao máximo minhas habilidades nesse sentido, como também terapêuticos. Para que a pessoa recupere seu potencial completo de autoexpressão, é importante que conquiste o uso pleno de sua voz, com todos os registros e em todas as suas nuanças de sentimento. O bloqueio de qualquer sentimento afetará sua expressão vocal. Portanto, é preciso desbloquear os sentimentos, algo que já estamos discutindo desde o início; contudo, é também necessário trabalhar especificamente a produção do som para eliminar as tensões que existem em redor do aparato vocal.

A fim de compreendermos o papel da tensão nos distúrbios da produção sonora, devemos considerar cada um dos três elementos que participam da emissão do som. São estes: um fluxo de ar sob pressão, que age nas cordas vocais para produzir vibração; as cordas vocais, que funcionam como instrumentos vibratórios; e as cavidades de ressonância, que amplificam o som. As tensões que interferem na respiração, sobretudo no diafragma, refletir-se-ão em alguma distorção na qualidade da voz. Na ansiedade extrema, por exemplo, quando o diafragma vibra, a voz torna-se muito trêmula. Em geral, as cordas vocais em si estão isentas de uma tensão crônica, mas diante de um esforço agudo são afetadas e produzem certa rouquidão. As tensões do pescoço e da musculatura da garganta, tão comuns, afetam a ressonância da voz, provocando tons torácicos ou cefálicos. A voz natural é uma combinação de ambos em graus variados, dependendo da emoção que está em jogo. Essa combinação comporta uma voz equilibrada.

A falta de equilíbrio na voz é uma clara indicação de um problema na personalidade. Moses descreve dois casos tratados por ele e que citarei a seguir, uma vez que ele está falando na qualidade de otorrinolaringologista:

> Um paciente de 25 anos de idade falava numa voz aguda e infantil, algo que lhe causava grande embaraço. Tinha cordas vocais completamente normais e adequadas à produção de um tom barítono normal e, na verdade, conseguia cantar nesse tom. Mas mantinha-se falando em falsete. Outro paciente, um jovem advogado, queixava-se de rouquidão crônica. Sua produção vocal continha um teor excessivo de registros torácicos. Esse jovem, cujo pai tinha destaque na vida pública, desempenhando papel importante na vida do país, precisava corresponder a um ideal elevado. Assim, forçava o tom para criar a ilusão de que assim pudesse encobrir a falta de identificação com a imagem do pai. Da mesma forma, o falsete persistente do outro rapaz poderia ser explicado remontando suas origens ao apego ainda existente à barra da saia da mãe.[66]

Moses não descreve o tratamento dispensado a esses problemas, mas é evidente, com base em seus comentários, que demandava alguma análise do passado do paciente. "Em ambos os casos, tiveram de voltar atrás, reaprender as lições no início de sua maturidade." Tenho certeza de que todo analista ou terapeuta poderia contar muitos casos clínicos em que o enriquecimento da voz sucedia a um trabalho bem-feito sobre os problemas da personalidade.

John Pierrakos descreveu uma das maneiras que utiliza para o tratamento bioenergético de bloqueios da voz, a fim de abrir e liberar os sentimentos suprimidos por trás deles:

> Um dos modos de enfrentar tais problemas é colocar o polegar da mão direita 2,5 cm abaixo do ângulo do queixo enquanto o dedo médio está localizado na posição correspondente do outro lado do pescoço. Os músculos escaleno e esternocleidomastoideo são assim aprisionados e se aplica uma pressão firme no local, enquanto o paciente vocaliza uma nota alta e longa. Repete-se o mesmo procedimento várias vezes no meio e na base do pescoço, utilizando diversos registros sonoros. Muitas vezes, isso provoca gritos de agonia que se transformam em profundos soluços e pode-se ouvir um envolvimento emocional verdadeiro e entrega. A mágoa é expressa em movimentos espasmódicos e o corpo todo vibra de emoção. A voz ganha vida e pulsa, enquanto o bloqueio da garganta se abre. É surpreendente descobrir o que se oculta por trás da fachada de uma voz estereotipada. Uma jovem, com voz aguda francamente adolescente, fazendo o papel da menininha com seu papai, irrompeu numa voz feminina madura e melodiosa. Um homem de voz seca, chata, mudou de registro, depois desta descarga, para uma voz masculina profunda, de desafio ao seu "pai opressivo". Fiquei profundamente comovido quando uma paciente esquizofrênica que se ocultava por trás de uma voz de som seco e odioso, depois de abrir seus bloqueios da garganta, começou a cantar uma melodia rica e bela, como uma menina de 6 anos.[67]

Como a voz está intimamente relacionada com o sentimento, sua liberação demanda a mobilização de sentimentos suprimidos e sua manifestação por meio do som. Há sons diferentes para os diversos sentimentos. O medo e o terror são expressos com gritos; a raiva, com tom agudo e alto; a tristeza, com voz profunda e soluçante; o prazer e o amor, com sons suaves e melodiosos. Em geral, pode-se dizer que uma voz de tonalidade elevada indica um bloqueio das notas profundas, expressivas da tristeza; a voz baixa e torácica denota a negação do sentimento de medo e a inibição de exprimi-lo num grito. Contudo, não se pode afirmar que aquele que se exprime numa voz aparentemente equilibrada não esteja limitando sua expressão vocal. Para tal pessoa, o equilíbrio poderá representar controle e medo de deixar emoções violentas se manifestarem por meio de vocalizações.

A terapia bioenergética enfatiza a expressão de sons; as palavras são menos importantes. Os melhores sons são aqueles que emergem espontaneamente. Descreverei a seguir dois dos procedimentos capazes de evocá-los.

Todo bebê é capaz, já ao nascer, de chorar copiosamente – ato que estabelece a respiração independente do recém-nascido. A força desse primeiro grito é certa medida da vitalidade da criança; algumas gritam com vigor, outras, debilmente, mas em pouco tempo a maioria delas aprende a chorar em voz bem alta. Não muito tempo depois do nascimento, os bebês conquistam também a capacidade de gritar. O grito é uma das principais formas de descarregar tensão, seja esta devida ao medo, à raiva ou à frustração intensa. Muitas pessoas valem-se do grito com esse propósito.

Há alguns anos eu estava num programa de rádio ao vivo, em Boston. Um dos ouvintes telefonou pedindo ajuda para superar sua dificuldade de falar em público. Sem saber qual era a causa do problema, eu tinha ainda de oferecer-lhe um conselho e então sugeri que praticasse o ato de gritar. Sabia que só ia beneficiá-lo. O melhor lugar para se gritar é dentro de um carro, na estrada, com os vidros fechados. O barulho do trânsito é tão alto que ninguém consegue ouvir. Quando acabei de fazer essa sugestão, recebi outro telefonema – dessa vez, de um ouvinte que se identificou como vendedor e disse que, ao final da jornada de trabalho, sentia-se tenso e esgotado. Não gostava de voltar para casa naquele estado. O melhor jeito que havia descoberto para se sentir bem era gritar dentro do carro. Disse que o ajudava enormemente e estava surpreso de que ninguém mais se lembrasse disso. A partir daí, diversas pessoas disseram-me ter empregado essa técnica com resultados semelhantes.

Infelizmente, a maior parte das pessoas é incapaz de gritar, pois a garganta delas está muito tensa para permitir que o som saia. Podem-se apalpar os músculos extremamente tensos dos lados da garganta. Essa tensão pode ser descarregada e originar um grito quando se aplica pressão nesses músculos, sobretudo no escaleno anterior, de cada lado do pescoço. Como vimos, Pierrakos usava essa manobra, mas, dada sua importância, vou descrevê-la do modo como a emprego. Com o polegar e o dedo médio, aplico uma pressão moderada nesses músculos. A dor inicial é quase sempre forte o bastante para chocar o paciente até que grite, sobretudo porque ele já estará produzindo um som alto. O tom sobe de modo espontâneo e o grito irrompe. É surpreendente verificar que, enquanto grita, o paciente não sente a mínima dor, embora a pressão mantenha-se a mesma. Em muitos casos, o grito continua por muito tempo depois de eu ter retirado os dedos. Se o paciente não gritar, interrompo a pressão para não intensificar a contenção do grito.

Embora esse método seja eficaz para provocar o grito, não libera todas as tensões que circundam a boca e a garganta, as quais afetam a produção da voz. Quando a voz está solta, ela vem do coração; trata-se de um indivíduo que fala com base nos sentimentos. Isso significa que o canal de comunicação entre coração e mundo está livre e aberto, sem obstruções. Analisando anatomicamente esse canal, descobriremos três áreas em que as tensões crônicas podem compor anéis de constrição, estreitando sua abertura e impedindo a expressão completa dos sentimentos. O anel mais superficial forma-se ao redor da boca. A boca apertada ou fechada pode bloquear toda a expressão de sentimentos; quando se comprimem os lábios e se endurece o queixo, produz-se uma contração que impede qualquer som de emergir de dentro para fora. Chamamos aqueles com essa atitude de "lacônicos".

O segundo anel de tensão forma-se na junção da cabeça com o pescoço – área crítica, pois representa a transição do controle voluntário para o involuntário. Faringe e boca estão na parte anterior da região, enquanto esôfago e traqueia ficam na parte posterior. O organismo tem um controle consciente de tudo que acontece na boca e na faringe; pode-se escolher entre engolir ou cuspir. Tal escolha desaparece quando determinada substância, água ou comida, por exemplo, passa dessa área para o esôfago. Desse ponto para baixo, é o sistema involuntário que assume a direção e o controle consciente desaparece de cena. A importância biológica dessa região de transição é evidente, na medida em que permite ao organismo provar e rejeitar qualquer substância que considere inaceitável ou inadequada. Embora menos evidente, a importância psicológica também fica clara: ao não engolir um elemento lesivo ou inaceitável ao corpo, a integridade psicológica do organismo pode ser mantida.

Infelizmente, a integridade psicológica das crianças é muitas vezes violada, na medida em que são obrigadas a engolir "coisas" que tenderiam a rejeitar. Por "coisas" refiro-me a comida, remédios, comentários, situações e assim por diante. Tenho certeza de que todos nós tivemos experiências desse tipo. Minha mãe costumava me fazer tomar óleo de rícino com suco de laranja. A combinação era extremamente desagradável e, por anos a fio, não consegui suportar o gosto de suco de laranja puro. Não há quem não tenha engolido insultos ou comentários depreciativos calado. Um de meus pacientes contou-me uma história interessante que a mãe sempre relatava com orgulho. A mãe colocava um pouco de comida na boca do filho ainda bebê e, antes que este a cuspisse, ela introduzia o seio na boca da criança, de modo que ela engolia a comida para não se sufocar[68].

Tal procedimento cria um anel de tensão na zona crítica. Essa tensão comprime o canal de passagem do pescoço para a cavidade oral, representando uma defesa inconsciente contra o ato de ser forçado a engolir "algo" inaceitável vindo de fora. Ao mesmo tempo, é uma contenção inconsciente contra a manifestação de sentimentos que se teme ser inaceitáveis ao outro. Necessariamente, a constrição interfere na respiração ao estreitar a abertura da passagem de ar e, desse modo, contribui para a ansiedade. A localização desse anel de tensão está ilustrada na Figura 39:

FIGURA 39

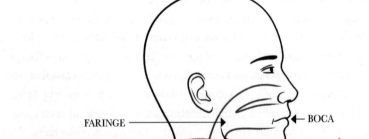

Esse anel de tensão não é uma unidade anatômica, mas funcional. Muitos músculos participam de sua formação e, em seu funcionamento, colaboram várias estruturas, como o queixo e a língua. O maxilar inferior desempenha um papel especial na medida em que, endurecendo o queixo, essa tensão instala-se de modo eficiente no local. Seja qual for a posição em que o queixo ficar imobilizado, a mensagem é: "Não passarão". É como a ponte levadiça do castelo, que deixa do lado de fora os indesejáveis, mas mantém enclausurados os de dentro. Quando o organismo necessita de mais energia, como nos estados de cansaço ou sono, o portal tem de se abrir em toda sua extensão para permitir uma inspiração mais profunda – e é isso que fazemos ao bocejar. No bocejo, o anel de tensão, que inclui os músculos que movimentam o queixo, fica temporariamente descontraído, do que resulta que a boca, a faringe e a garganta abrem-se em toda a amplitude para deixar entrar o ar necessário.

Devido à sua estratégica localização como ponte levadiça da personalidade, a tensão dos músculos que movimentam o maxilar é o elemento-chave para o padrão de contenção do resto do corpo. Na bioenergética, realiza-se um trabalho considerável para aliviar essa tensão – que muda de intensidade em cada indivíduo. Quando fiz terapia com Reich, o maxilar foi a primeira área que ele trabalhou a fundo. Ele enfatizava o tempo todo a necessidade de deixar o queixo cair. Quando deixei o meu solto, o grito teve enfim condições de vir à tona quando abri meus olhos ao máximo. Mas a ação voluntária de deixar o queixo caído dificilmente reduz de modo significativo a tensão dessa área. Como Reich descobriu, era preciso aplicar certa pressão nos músculos do maxilar para efetivar a soltura. Era necessário, também, elaborar os impulsos reprimidos de morder, vinculados à tensão crônica dos músculos maxilares.

Gostaria de descrever uma manobra simples, que envolve o uso da voz, a qual emprego para reduzir essa tensão. O paciente fica deitado na cama e eu me posiciono em pé ao seu lado. Faço pressão nos masseteres, no ângulo do queixo. Este procedimento é doloroso, de modo que o paciente é estimulado a protestar. Sugiro que dê chutes na cama e grite: "Me deixa em paz!" quando eu fizer pressão. Devido à dor, sua resposta é normalmente genuína e ele descobre com surpresa a veemência de seus protestos. A maioria dos pacientes não teve oportunidade de ser "deixado em paz" para crescer naturalmente, tendo sido submetida a uma dose considerável de pressão. Também não teve permissão para protestar ou verbalizar objeções. Para muitos pacientes, permitir que a voz e as ações exprimam sentimentos internos é uma experiência nova.

Não desejo dar a impressão de que a dor seja parte essencial do trabalho bioenergético. Muitos desses procedimentos são muito agradáveis, mas não se pode evitar a dor se a pessoa deseja libertar-se de tensões crônicas. Como aponta Arthur Janov em *O grito primal*[69], o paciente já tem dor. Chorar e gritar são duas maneiras de se libertar dela. A pressão que aplico num músculo tenso, em si, não é dolorosa. Sua capacidade de fazer doer é mínima quando comparada à tensão do músculo; ela não seria experimentada como dolorosa pela pessoa cujos músculos estivessem descontraídos. Minha pressão sobre o músculo excederá o limiar da dor, mas também fará o paciente tomar consciência de sua tensão, liberando-a.

Mencionei haver três áreas principais em que se podem desenvolver os anéis de tensão que obstruem ou comprimem a passagem do sentimento para o mundo exterior. A primeira fica ao redor da boca; a segunda, na junção da cabeça com o pescoço; a terceira, na junção do pescoço com o tórax. O anel de tensão que se desenvolve nesta área também tem natureza funcional e envolve sobretudo os músculos escalenos anterior, médio e posterior. Ele protege a abertura da cavidade torácica e também o coração. Quando ficam cronicamente contraídos, esses músculos elevam e imobilizam as costelas superiores, contraindo a abertura para o peito. Uma vez que os músculos contraídos interferem nos movimentos respiratórios naturais, afetam seriamente a emissão da voz, em particular os registros torácicos. Ao se trabalhar com a voz, é preciso estar atento a essa área de tensão.

Por fim, devo acrescentar que todo som tem seu lugar na autoexpressão. O riso é tão importante quanto o choro; o canto, tão válido quanto as lamúrias. Sempre peço aos meus pacientes que ronronem e arrulhem a fim de sentir o prazer da expressão vocal, da maneira como devem tê-la sentido algum dia, durante a infância. Mas como é difícil para a maioria das pessoas identificar-se com o bebê que já foram e com o que ainda são no coração!

OS OLHOS SÃO O ESPELHO DA ALMA

Contato visual
Na primeira página do manual de Oftalmologia que estudei durante o curso de Medicina estava escrito: "Os olhos são o espelho da alma". Fiquei intrigado com a afirmação, que já ouvira anteriormente, e ansioso por aprender mais a respeito da função expressiva dos olhos. Mas me desapontei profundamente. O livro não continha nenhuma outra referência à relação entre olhos e alma, ou entre olhos e sentimentos. A anatomia, a fisiologia e a patologia dos olhos estavam exaustivamente descritas de modo mecânico, como se os olhos fossem uma máquina, como uma câmara fotográfica, em vez de órgãos expressivos da personalidade.

Suponho que o motivo pelo qual a oftalmologia ignora esse aspecto é que, no papel de uma disciplina estritamente científica, tem de se basear em dados objetivos. A função expressiva dos olhos não é passível de objetivação nem de mensurações. Mas isso levanta a seguinte pergunta: a perspectiva objetiva científica consegue compreender por completo o funcionamento dos olhos e, nessa medida, o ser humano? Os psiquiatras e outros estudiosos da personalidade não podem dar-se ao luxo de se valer de uma perspectiva tão estreita. Devemos considerar a pessoa em sua natureza expressiva, e o modo como a vemos determina não só como a compreendemos, mas também como ela reage a nós.

A linguagem corporal conta com a sabedoria dos anos. Não tenho dúvida de que olhos são de fato os espelhos da alma. Essa é nossa impressão subjetiva quando miramos certos olhos, e creio que corresponda à expressão que vemos. Essa qualidade animista é particularmente evidente nos olhos de um cão ou de uma vaca. Seus olhos castanhos e doces são como a terra quando esses animais estão descontraídos. Sua expressão espiritual está associada, em minha opinião, ao contato, ao senso de pertinência, de participar da vida, da natureza e do universo, como descrevi no Capítulo 2.

Cada tipo de animal tem um olhar especial que reflete suas características especiais. Os olhos de um gato, por exemplo, têm um quê de independência e distância. Os de uma ave são diferentes, embora os olhos de todos os animais sejam capazes de expressar sentimentos. Quando temos um gato ou um pássaro por algum tempo, somos capazes de distinguir expressões diferentes. Pode-se dizer quando os olhos ficam pesados de sono ou brilhantes de excitação. Se os olhos são o espelho da alma, a riqueza da vida interior de um organismo deve estar refletida na gama de sentimentos visíveis nos olhos.

De maneira mais prosaica, podemos dizer que os olhos são como as janelas do corpo, por revelarem os sentimentos interiores. Mas, como todas as janelas, podem estar abertas ou fechadas. No segundo caso, são impenetráveis; no primeiro, é possível ver a pessoa por dentro. O olhar pode ser vago ou distante. Esse tipo de olhar, comum nas pessoas esquizoides[70], sinaliza que "não tem ninguém ali". Quando se olha no âmago desses olhos, tem-se a impressão de vazio interior. Olhos distantes indicam que a pessoa está longe. Podemos trazê-la de volta chamando sua atenção. Sua volta coincide com um contato que se estabelece entre seus olhos e os nossos, quando nos olha e seus olhos então nos focalizam.

Os olhos se incendeiam quando a pessoa está empolgada e se apagam quando esmorece a excitação interior. Quando concebemos os olhos como janelas (são mais do que isso, como veremos a seguir), temos condições de postular que a luz que neles brilha é uma chama interna que emana da fogueira ardendo dentro do corpo. Falamos de olhos ardentes no rosto de um fanático, consumido por um fogo interno. Há também olhos risonhos, faiscantes, cintilantes – e eu já vi estrelas nos olhos de certa pessoa. No entanto, o mais comum é vermos tristeza e medo nos olhos de todo mundo quando suas venezianas estão escancaradas.

Embora o aspecto expressivo dos olhos não possa ser dissociado da região circular dos olhos e do rosto como um todo, a expressão é basicamente determinada pelo que acontece no próprio olho. Para decifrar essa expressão, deve-se olhar suavemente nos olhos da pessoa, nem fixamente nem de modo penetrante, mas permitindo que a expressão surja. Quando isso acontece, nota-se um sentimento. Sente-se a outra pessoa. Raramente questiono minhas impressões, pois acredito em meus sentidos.

Entre os sentimentos que já vi os olhos das pessoas expressarem, estão os seguintes:

- Súplica: "Por favor, me ame".
- Desejo: "Quero te amar".
- Cuidado: "O que é que você vai fazer?"
- Desconfiança: "Não posso me abrir com você".
- Erotismo: "Você me excita".
- Ódio: "Te odeio".
- Confusão: "Não entendo".

Há muitos anos, vi um par de olhos que jamais esquecerei. Minha esposa e eu estávamos andando de metrô e nós dois olhamos simultaneamente para uma mulher que estava sentada à nossa frente. O contato com seus olhos deu-me uma sensação de choque. Eles tinham um ar tão demoníaco que quase estremeci de terror. Minha esposa teve uma reação idêntica; quando mais tarde discutíamos a situação, concordamos que jamais havíamos visto antes olhos tão diabólicos. Antes dessa experiência, eu não acreditava que os olhos pudessem parecer demoníacos. O incidente evocou a lembrança de histórias que eu ouvia durante a juventude, a respeito do "olho do demônio" e seus poderes estranhos e aterrorizantes.

Os processos fisiológicos que determinam a expressão do olho são desconhecidos. Sabemos que as pupilas se dilatam quando a pessoa está sentindo dor ou medo e se contraem no prazer. O fechamento da pupila concentra o foco. A dilatação alarga o campo da visão periférica enquanto reduz a precisão do foco. Tais reações são medidas pelo sistema nervoso autônomo, mas não explicam os fenômenos sutis antes descritos.

Os olhos têm realmente dupla função: são órgãos de visão e também de contato. Quando os olhos de duas pessoas se encontram, há uma sensação de contato físico entre elas. Sua característica dependerá da expressão dos respectivos olhares. Pode ser tão rude e forte que suscita a sensação de um tapa no rosto, ou tão suave que parece uma carícia. Pode ser penetrante ou desnudante e de várias outras formas. Pode-se olhar para uma pessoa, através dela, por cima dela, à sua volta. O ato de olhar implica um componente agressivo ou ativo que pode ser descrito como um "tomar" pelos olhos. O contato é uma função do olhar. Por outro lado, ver é um processo mais passivo, no qual se permite que o estímulo visual entre pelos olhos e dê origem a apenas uma imagem. Quando olha, a pessoa se expressa ativamente pelos olhos.

O contato visual é uma das formas mais íntimas e poderosas de contato entre duas pessoas, pois envolve a comunicação de sentimentos num nível mais profundo do que o verbal: o contato entre os olhos é uma forma de tocar. Por isso, esse tipo de aproximação pode ser muito excitante. Por exemplo, quando os olhos de um homem e de uma mulher se encontram, a excitação pode ser tão forte que chega a percorrer o corpo até o alto da barriga e depois aos genitais. Essa experiência é descrita como "amor à primeira vista". Os olhos estão abertos e convidativos e o olhar tem uma qualidade erótica. Qualquer que seja o sentimento transmitido entre os pares de olhos, o efeito de seu encontro é o desenvolvimento da compreensão entre duas pessoas.

O contato visual é provavelmente o fator mais importante na relação entre pais e filhos, em especial entre mãe e bebê. Pode-se observar como um bebê que é amamentado no seio olha sempre para a mãe a fim de entrar em contato com os seus olhos. Se a mãe responde com amor, o prazer é compartilhado numa proximidade física que reforça a sensação de segurança e de fé do bebê. Contudo, essa não é a única situação em que a criança busca contato visual com a mãe. Toda vez que a mãe entra no quarto da criança, os olhos desta erguer-se-ão para encontrar os dela, numa antecipação tanto agradável quanto temerosa daquilo que o contato trará. A falta de contato, caso a mãe não encontre os olhos do filho, é experienciada como rejeição, levando a uma sensação de isolamento.

Qualquer que seja o modo como o pai olha seu filho, o olhar afetará os sentimentos da criança, podendo influir profundamente em seu comportamento. Os olhares, como já disse, são muito mais potentes do que as palavras. É comum desmenti-las. A mãe poderá dizer ao filho que o ama, mas, se seu olhar estiver frio e distante e sua voz soar dura ou sem ressonância, a criança não sentirá o que sua mãe chama de amor. Poderá inclusive sentir o oposto. Isso dará margem a um estado de confusão que se resolve de maneira neurótica quando a criança, na ansiedade de acreditar no que lhe é dito, volta-se contra os próprios sentidos. Não são só olhares odiosos que danificam a personalidade da criança; os olhares sedutores de um dos genitores são ainda mais difíceis de enfrentar. Uma criança não se zanga fácil com esse tipo de olhar porque o pai ou a mãe pode justificá-lo como afeição. O olhar sedutor ou erótico de um pai para a criança poderá também excitar a sexualidade desta, fazendo-a formar um vínculo incestuoso entre ambos. Tenho certeza de que a maioria das relações incestuosas numa família baseia-se mais nos olhares que nos atos.

Muitos indivíduos evitam o contato visual por medo do que seu olhar vai mostrar. Ficam embaraçadas por deixarem outra pessoa enxergar seus sentimentos e, assim, evitam o olhar alheio ou olham de modo fixo. Fixar os olhos quase vidrados é uma forma de desencorajar o contato. O ponto importante, no caso, é não haver contato a menos que haja comunicação ou troca de sentimentos entre ambas as partes. O sentimento pode não passar do reconhecimento do outro como indivíduo. Nesse sentido, devo mencionar que alguns povos primitivos usam a expressão "vejo você" como cumprimento. Dado que o contato visual é uma forma de intimidade, poderá ter uma implicação sexual, sobretudo quando as pessoas são do sexo oposto. Não se "reconhece" outro indivíduo a menos que se identifique o sexo deste.

Como os olhos são um caminho tão importante para a comunicação, muitos dos tipos mais recentes de terapia de grupo encorajam, por meio de exercícios especiais, o contato visual entre os participantes. Usamos exercícios parecidos na terapia de grupo bioenergética. A maioria dos pacientes os considera extremamente benéficos porque fazem seus olhos passar a sentir, o que os deixa mais cheios de vida. Quando as pessoas estão dentro de si mesmas, seus olhos também estão fechados e não apreendem o lado sensível do ambiente. É claro que o veem, mas sem excitação nem sentimento.

O contato visual com o paciente é algo que sempre me esforço para estabelecer. Não só porque me ajuda a entender o que está acontecendo a cada momento, mas também porque fornece ao outro uma segurança profunda de que estou com ele. Quando o contato visual é usado em exercícios de grupo ou de terapia individual, deve ser realizado com alguma espontaneidade a fim de garantir que tenha uma expressão sincera. Como? Fazendo que o contato seja breve: um olhar, um toque, um instante de compreensão e em seguida a pessoa volta-se para outro lado. A manutenção do contato visual além de um tempo curto é antinatural e artificial; o gesto de olhar passa a ser forçado e mecânico.

Olhos e personalidade

Os olhos são o espelho da alma porque refletem direta e imediatamente os processos energéticos do corpo. Quando a pessoa está carregada de energia, seus olhos brilham, sendo este um bom sinal de seu estado de saúde. Qualquer queda no nível de energia da pessoa enfraquece a luminosidade de seus olhos. Na morte, os olhos estão vidrados. Há ainda uma relação entre a carga dos olhos e o nível da sexualidade. Não estou falando de excitação genital, que também tem efeito nos olhos. A sexualidade é um fenômeno corporal pleno e denota até que ponto a pessoa está identificada com seu desempenho sexual. Aquele que tem um alto grau de sexualidade apresenta um fluxo de energia completo – e seus pontos periféricos de contato com o mundo também estão plenos de carga. Como mencionei antes, esses pontos são os olhos, as mãos, os genitais e os pés. Isso não significa que os genitais estejam excitados; acontece quando os sentimentos ou a energia passam a concentrar-se nesse órgão. A conexão entre olhos e sexualidade está expressa na frase "brilho nos olhos e fogo no rabo".

Estar identificado com a própria sexualidade é um aspecto do contato firme com o chão (*grounding*). Qualquer atividade ou exercício que amplie essa sensação eleva o nível da carga dos olhos. Podemos afetar o funcionamento geral dos olhos ao fortalecer o contato que a pessoa mantém com suas pernas e com o chão. Os vários exercícios de *grounding* são muito úteis nesse sentido. Vários pacientes têm comentado que, após um trabalho intensivo com as pernas, sua visão melhorou a ponto de os objetos de um aposento parecerem mais claros e brilhantes. Quando a pessoa não está com os pés no chão, não enxerga com nitidez o que se passa à sua volta – está cega por suas ilusões.

Essas considerações fundamentam a ideia de que o nível de energia nos olhos é uma medida da força do ego. O indivíduo de ego forte tem a capacidade de olhar diretamente nos olhos de outra pessoa. Pode fazer isso facilmente porque tem certeza de si mesmo. Olhar para outra pessoa é uma modalidade de autoafirmação, assim como olhar para si mesmo é uma manifestação de autoexpressão. Estamos todos naturalmente conscientes disso, sendo surpreendente que haja tão poucas referências aos olhos na maioria das discussões sobre a personalidade.

O passo seguinte em nosso entendimento das relações entre olhos e personalidade é associar a expressão dos olhos aos diversos tipos de caráter. Cada uma das estruturas de caráter tem uma expressão típica que nem sempre será percebida por um observador, mas nem por isso deixa de ser comum o bastante para servir de critério diagnóstico. Isso por certo vale para o indivíduo esquizofrênico, cujo olhar tem uma expressão alienada. Reich falou sobre o assunto e eu o descrevi em *O corpo traído*. Basta encontrar essa expressão nos olhos de alguém para saber que está "fora de sintonia" ou pode "desligar-se".

Devo acentuar, neste esboço que associa olhares e tipos de caráter variados, que eles não estão presentes de modo contínuo. Além disso, um olhar eventual não é significativo nesse caso. Estamos em busca do olhar típico.

Caráter esquizoide: o olhar típico pode ser descrito como vazio ou inexpressivo. É a ausência de sentimento nos olhos que caracteriza essa personalidade. Quando um esquizoide nos olha, sentimos imediatamente a falta de contato.

Caráter oral: o olhar é tipicamente suplicante, um pedido de amor e de apoio. Pode estar mascarado por uma atitude de pseudoindependência, mas o olhar suplicante vem à tona com frequência suficiente para tornar essa personalidade nítida.

Caráter psicopático: há dois olhares típicos do indivíduo psicopata correspondentes às duas modalidades de psicopatia ou às duas atitudes psicopatas. Um deles é o olhar constrangedor ou penetrante daqueles que têm necessidade de controlar e dominar os outros. Os olhos de pessoas assim fixam-nos como se impondo à nossa vontade. O outro tipo de olhar é o suave, sedutor ou intrigante, que seduz a pessoa à qual se dirige no sentido de esta entregar-se nas mãos do psicopata.

Caráter masoquista: o olhar típico é de sofrimento ou dor. Entretanto, encontra-se muitas vezes encoberto por uma expressão confusa. O masoquista sente-se ludibriado e está em maior contato com esse sentimento do que com seu senso subjacente de sofrimento. Na personalidade sadomasoquista, ou seja, nas pessoas que portam um elemento sádico atuante em seu perfil psicológico, os olhos são pequenos e duros. Isso pode ser explicado como uma inversão do olhar masoquista normal, triste e delicado.

Caráter rígido: em geral, o indivíduo portador desta personalidade tem olhos relativamente fortes e brilhantes. Quando a rigidez é muito acentuada, os olhos tornam-se duros sem perder a luminosidade. O embrutecimento do olhar é uma defesa contra a tristeza que está sob a superfície do caráter rígido e se relaciona ao sentimento de frustração amorosa. Diferentemente do indivíduo de caráter masoquista, o rígido se equilibra usando uma forte atitude agressiva que ilumina tanto sua maneira de ser quanto seus olhos.

Neste momento, eu poderia acrescentar alguns comentários bem reveladores acerca dos meus olhos. Sempre pensei que meu olho direito fosse o mais forte, pois tem uma expressão mais determinada com a qual me identifico. Há alguns anos, por ocasião do exame de motorista, fiquei surpreso ao constatar que ele era o mais fraco. Minha vista esquerda sempre me parecera fraca porque chorava com mais facilidade e mais copiosamente numa situação triste, ou quando ventava muito. Percebo agora que foi justamente essa qualidade do olho esquerdo que preservou sua acuidade visual, ao passo que meu olho considerado forte, o direito, estava sofrendo com o esforço de defender-se de sentimentos internos de tristeza, que se exprimiam sem obstáculos pelo olho esquerdo. Essa experiência pessoal permitiu-me entender que a expressão dos sentimentos pelos olhos está intimamente relacionada com a função visual e a afeta.

Nunca usei óculos e ainda não o faço, a despeito do fato de já ter há muito tempo passado da idade em que os óculos para ler eram supostamente obrigatórios. Quando eu tinha 14 anos, contudo, indicaram-me o uso de óculos. Era um exame rotineiro de vista, na escola, e eu errei na leitura de uma ou duas letras na linha de baixo do cartaz. Fizeram-me um exame visual rigoroso na clínica e daí resultou a prescrição do par de óculos. Nunca contaram para mim qual era o problema. Jamais sofri nenhuma dificuldade na escola ou em nenhum outro lugar. Desconfio que meu problema era hipermetropia. Isso combina com o que sei de minha personalidade, mas não me dificultava olhar de perto.

Comprei os óculos, mas recusava-me a usá-los exceto para ler. E levava-os comigo em minha pasta. Opunha-me veementemente à ideia de usar óculos, pois durante minha juventude tinham uma conotação negativa. As pessoas que usavam óculos eram chamadas de "quatro-olhos". Suponho que, em consequência disso, eu tenha perdido os óculos logo na primeira semana. Minha mãe, preocupada ao extremo com minha saúde, insistia para que eu adquirisse outro par. Eu não conseguia convencê-la de que não necessitava das lentes, mas tive de mandar fazê-las. Também não me acostumei ao segundo par de óculos, que desapareceu no intervalo de uma semana. Como meus pais não poderiam pagar-me outro par, apesar de todas as suas preocupações, minha mãe desistiu de fazer que eu usasse óculos.

Atribuo minha boa visão atual ao hábito de ler e estudar à luz do sol, além de, na terapia, ter aprendido a chorar e expressar sentimentos de maneira mais aberta. Amo o sol e a luminosidade de um dia ensolarado. Eu costumava jogar tênis em quadras de saibro, nas quais ficava exposto à luz do sol refletido. Não percebia o valor disso até aprender, há alguns anos, que olhar para o sol e visualizar a si mesmo (com os olhos fechados) numa atmosfera ensolarada e agradável são técnicas que alguns praticantes do método Bates[71] usam para o tratamento da miopia. Retrospectivamente, percebo que tinha a necessidade de ver de modo claro e preciso. Para mim, ver é crer; eu chegaria a descrever-me como uma pessoa orientada visualmente, o que pode explicar meu interesse pela expressão corporal.

A miopia é um dos problemas oculares mais comuns, sendo quase estatisticamente normal. Nesse sentido, pode ser comparada à dor na parte inferior das costas e à depressão, que as autoridades consideram normais para nossa sociedade quando não provocam danos graves. Parece-me que estamos ficando tão aleijados emocional e fisicamente que tendemos a considerar a saúde uma anormalidade. Infelizmente, a saúde está se tornando raridade.

Muitos indivíduos que usam óculos sabem que, embora se beneficiem deles num sentido mecânico, sofrem uma interferência ou um bloqueio no contato e na expressividade visual. Quando trabalho com meus pacientes, sempre lhes pergunto por que não tiram os óculos para que eu possa ler a expressão de seus olhos e entrar em contato com eles. Em certos casos, porém, o paciente me enxerga só como uma mancha, o que atrapalha. Assim, quando necessário, proponho que o paciente use óculos quando conversamos e os tire quando trabalhamos com o corpo. As lentes de contato têm o mesmo efeito que os óculos, mas de maneira menos evidente.

Estou convencido de que a miopia é um distúrbio funcional que se estruturou no corpo como distorção dos globos oculares. Não é diferente de outras distorções do corpo, resultantes de tensões musculares crônicas. Em muitos casos, tais distorções se reduzem de modo significativo à medida que as tensões são descontraídas. Já presenciei alterações consideráveis no corpo das pessoas com exercícios e terapia bioenergética. E conheço pelo menos um paciente que superou por completo sua condição de míope usando o método Bates. Uma das dificuldades de trabalhar com o olho míope é que os músculos oculares tensos não são acessíveis à palpação e à pressão. O problema do método Bates é que ele exige o comprometimento com um programa intensivo de exercícios de visão que a maioria das pessoas parece incapaz de executar. Se levarmos em consideração essas dificuldades práticas, permanece o fato de que a miopia pode ser melhorada. Vi um progresso desses acontecer no decurso de uma dramática sessão terapêutica. Infelizmente, foi temporário, e a melhora conquistada não perdurou. Apesar disso, muitos pacientes relatam melhoras mais duradouras em consequência da terapia bioenergética.

A bioenergética lida com a estrutura corporal e busca compreendê-la dinamicamente, segundo as forças que a criam. Reich afirmou que a estrutura é a motilidade paralisada e, embora este seja um conceito amplo e filosófico, tem aplicação prática nos casos em que a estrutura desenvolve-se em decorrência daquilo que costumamos chamar de traumas psicológicos. Isso se aplica ao problema da miopia, em que os olhos permanecem arregalados e fixos. Há pouca mobilidade do globo ocular. Os músculos oculares estão contraídos e tensos. Se pudermos recuperar a motilidade do olho comprometido, reduziremos substancialmente sua miopia. Para tanto, porém, devemos compreender sua expressão. O olhar arregalado e o globo ligeiramente proeminente, típicos da miopia, expressam medo. O medo extremo provocaria esse mesmo olhar em qualquer pessoa. O míope, no entanto, não só não sente medo nenhum como não está consciente de nenhuma conexão entre seus olhos e esse sentimento. E o motivo é o seguinte: o olho míope está num estado de choque parcial, bloqueando, assim, a manifestação de qualquer emoção por meio desse órgão.

O medo não é difícil de explicar. Quando a criança encontra um olhar de raiva ou ódio nos olhos da mãe, seu corpo sentirá um choque, sobretudo nos olhos. Um olhar como este, num pai, é o mesmo que um soco na cara. Muitas mães chegam inclusive a nem perceber conscientemente o olhar que dirigem aos filhos. Vi uma mãe, em meu consultório, olhar para sua filha com uma raiva tão intensa que senti medo. A filha nem prestou atenção; parecia ser algo comum tanto para ela quanto para a mãe, que também não demonstrou ter percebido o próprio olhar. Porém, eu podia imaginar como o problema de personalidade de sua filha estava relacionado com tais olhares. A menina era míope. Havia já muito tempo que bloqueara toda consciência acerca das expressões da mãe, mas seus olhos estavam arregalados de medo.

Todo medo é um choque momentâneo no organismo. Tanto o medo quanto o choque produzem uma contração orgânica. Em geral, o corpo liberta-se desse estado de contração por meio de explosões violentas – como o choro, gritos ou um acesso de raiva. Tais reações liberam o corpo do choque e do medo, e os olhos recuperam sua condição normal. Mas o que ocorre se isso não acontece? Essa situação poderia suceder caso a raiva ou o ódio maternos fossem ainda mais aguçados pelo choro, pelos gritos ou pelo acesso de raiva da criança, ou caso a hostilidade materna fosse vivida pela criança de modo contínuo.

Experienciei pessoalmente um choque como esse aos 9 meses de idade, como recordei antes, e o efeito dessa situação perdurou em mim. Felizmente, aquilo não se repetiu. Minha mãe olhava-me sobretudo com uma expressão de afeto, pois eu era "a menina de seus olhos". Nem todas as crianças têm essa sorte. Se a criança antecipa constantemente um olhar hostil por parte de um dos pais, seus olhos permanecerão arregalados e amedrontados. Como vimos, olhos arregalados abrem o campo da visão periférica, mas reduzem a visão central. A fim de recuperar sua acuidade visual, a criança terá forçosamente de contrair os olhos, criando uma condição de rigidez e de esforço. Há ainda outro elemento. Olhos amedrontados tendem a rolar para cima – tendência que deverá ser vencida por um esforço consciente para que a criança consiga manter a capacidade de focalizar. Porém, a tensão desse esforço não pode ser sustentada indefinidamente. Em algum momento, os músculos dos olhos cansam-se e a criança desiste do esforço de estar alerta.

A miopia se instala quando tal compensação falha. Esse momento depende de muitos fatores, inclusive da quantidade de energia disponível na criança e do nível de tensão em sua casa. Em muitos casos, a descompensação surge entre 10 e 14 anos, quando uma sexualidade crescente reativa velhos conflitos e dá lugar a novos. Cai por terra a tentativa de manter uma visão aguda e os olhos tornam-se esbugalhados de novo por causa do medo, mas um medo de natureza inespecífica. Uma nova defesa é construída num nível inferior: os músculos da base da cabeça, sobretudo na região occipital e ao redor do maxilar, tornam-se tensos e contraídos a fim de eliminar o fluxo de sentimentos para os olhos. Esse anel de tensão aparece em todos os casos de miopia. Psicologicamente, a criança refugia-se num espaço ainda menor, mais confinado, deixando do lado de fora de suas paredes os elementos perturbadores do mundo externo.

Como o olho míope encontra-se em estado de choque, exercícios especiais como os do método Bates, conquanto necessários e úteis, não resolvem o problema por completo. Seu valor aumenta consideravelmente com a dissolução das tensões, o que permite que mais energia e excitação fluam até os olhos. O fundamental é evocar o medo subjacente para que possa ser experienciado e liberado. Essa constitui a base do tratamento bioenergético da miopia, limitado apenas pelo fato de que a maioria dos pacientes tem tantos outros problemas e tensões que exigem atenção que não é possível dar aos olhos o tempo a que fazem jus.

Partindo do que já comentei a respeito das diferentes atitudes defensivas, deve ter ficado claro que há casos em que a miopia não se apresenta, embora as condições para tanto existam. Examinei pacientes cujas experiências de vida eram permeadas por medo e não tinham desenvolvido miopia. Não creio que a diferença seja devida à hereditariedade. Quando o choque da hostilidade ou da rejeição parental sobre a criança é muito severo, o corpo todo sofre com isso, pois se desenvolve certo grau de paralisia que reduz todos os sentimentos a um nível muito profundo e limita todas as suas formas de manifestação. Isso ocorre com os esquizoides, marcados por baixo nível energético, respiração gravemente restringida e pouca motilidade geral. Dos olhos, o conflito desloca-se para o corpo todo. Os olhos são aparentemente poupados porque a pessoa excluiu todo seu mundo interpessoal e não apenas o visual. Mas, embora os olhos do esquizoide possam não ser míopes, também não têm carga de energia nem são expressivos. A função visual é mantida pela dissociação de sua função de expressividade emocional.

A terapia bioenergética para problemas visuais é tanto geral quanto específica. Quase sempre, como nos problemas de motilidade e de expressividade vocal, a energia do paciente tem de ser ampliada com uma respiração mais plena e profunda. Isso não só eleva o nível de sensações e sentimentos no corpo como garante o teor de energia necessário para carregar os pontos periféricos de contato com o mundo, inclusive os olhos. A respiração tem um efeito positivo sobre eles. Depois de um período de respiração profunda prolongada ao longo dos vários exercícios oculares, a maioria dos pacientes tem a visão notoriamente mais clara e brilhante. Eles mesmos comentam que sua visão melhorou, como disse antes. Os exercícios de contato com o chão (*grounding*) também ajudam o processo de recuperação.

A terapia específica dos distúrbios oculares requer o conhecimento dos trajetos de energia até os olhos. Descreverei dois desses caminhos a seguir, ilustrando-os. Um corre pela frente do corpo, do coração até a garganta, o rosto e pelos olhos adentro. Os sentimentos associados a esse fluxo são desejo de contato – estender-se em busca de contato por meio dos olhos para sentir e tocar, originando uma expressão suplicante e terna. O segundo trajeto de energia envolve as costas e sobe pelo alto da cabeça, atingindo a testa e os olhos. Tal fluxo confere um componente agressivo ao olhar. Pode-se compreendê-lo melhor pela expressão "sorver com os próprios olhos". No olhar normal, esses dois elementos estão presentes em graus variados. Se o componente de ternura, relativo ao desejo, estiver excluído, o olhar será duro e até mesmo hostil. Pode ser tão intenso que acaba empurrando o outro para longe. Se o componente agressivo é fraco, o olhar será de súplica, mas não comoverá a outra pessoa. Ambos os componentes são necessários para um bom contato visual.

A Figura 40 ilustra esses dois trajetos descritos, além de um terceiro, que se localiza na base do cérebro, o qual liga diretamente os centros de visão à retina. Embora não haja nenhuma comprovação objetiva desses caminhos, sua existência é confirmada pela experiência subjetiva e pela observação clínica. Muitos pacientes dizem sentir um movimento de carga energética na direção dos olhos, segundo estes trajetos, em consequência de diversos procedimentos da bioenergética. Tais sensações são corroboradas quando os olhos do paciente tornam-se mais brilhantes, mais carregados e mais presentes ao contato. Quando esses caminhos estão desimpedidos e a carga flui livre e completamente até os olhos, estes se descontraem. O indivíduo está num estado de prazer que se manifesta em testa lisa, sobrancelhas descansadas, pupilas contraídas e visão nítida.

Na Figura 41, observamos a energia mover-se dos olhos para outro ponto do corpo em decorrência do medo. Esse afastamento da energia produz o olhar típico de temor. Na medida em que o componente agressivo retrocede ao longo de seu trajeto, as sobrancelhas se erguem e os olhos se arregalam. Se o medo for muito intenso, pode-se inclusive sentir os pelos eriçados e a nuca tensa. Quando o componente afetivo se afasta, o queixo cai e a boca se escancara. Se a experiência for momentânea, a energia torna a fluir para os olhos e o rosto relaxa. Mas, se o medo estruturar-se no corpo num estado de apreensão crônica, a energia fica aprisionada no anel de tensão que circunda a base da cabeça. Assim, o indivíduo tem de fazer um esforço consciente para focar os olhos, o que impõe um esforço desgastante para os globos oculares e para seus músculos. Parte desse esforço consiste em endurecer o queixo para

Bioenergética

superar a sensação de medo. Ao fazer isso, ele está dizendo: "Não vou me permitir sentir medo". No entanto, cria-se um conflito interno entre o sentimento e a atitude que intensifica a tensão muscular.

FIGURA 40

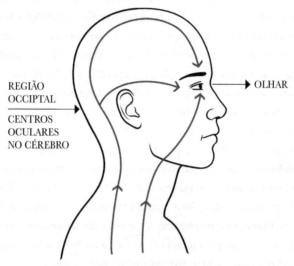

CAMINHOS DA ENERGIA ATÉ OS OLHOS

FIGURA 41

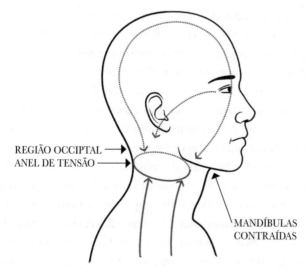

Há alguns anos atendi a um rapaz estrábico que só enxergava com o olho esquerdo. A visão do direito, embora normal, estava suprimida a fim de evitar uma imagem dupla, dado que não conseguia focar com ambos os olhos. Quando criança, passara por duas cirurgias para corrigir o problema, mas a melhora não fora permanente. O olho direito estava voltado para fora e o lado direito de seu rosto era ligeiramente torcido. À palpação, revelou-se um severo espasmo muscular do lado direito da área occipital. O rapaz era filho de um psicólogo que participava de um treinamento para profissionais de bioenergética. Minha intervenção era experimental. Eu desejava verificar se conseguiria ou não interferir no estrabismo descontraindo a tensão da parte posterior de sua cabeça. Apliquei, com os dedos, uma pressão firme sobre os músculos espásticos por cerca de 30 segundos e senti que relaxaram. Vários médicos que assistiam à sessão, enquanto o rapaz estava deitado na cama, surpreenderam-se ao ver que os olhos do paciente iam para o lugar. O rapaz voltou-se para mim e disse que enxergava uma coisa só com ambos os olhos e eu também vi que os dois olhos estavam em foco. A mudança foi drástica, mas não durou muito. O espasmo voltou e o olho direito tornou a virar para fora.

Não sei se, com uma terapia contínua, a melhora seria duradoura. Nunca mais vi o jovem e jamais tive outro caso desses, mas passei a adotar como procedimento de rotina, em todos os pacientes, a redução do tensionamento da região occipital por meio de uma pressão seletiva sobre os músculos, ao mesmo tempo que o indivíduo focalizava os olhos no teto. Descobri que essa manobra em geral tinha um efeito positivo sobre os olhos.

A principal tarefa terapêutica no trabalho com os olhos é liberar o medo bloqueado que neles se oculta. Para tanto, utilizo o seguinte procedimento: o paciente deita-se numa cama com os joelhos dobrados e a cabeça voltada para trás. Peço-lhe que assuma uma expressão de medo, erguendo as sobrancelhas, arregalando os olhos e escancarando a boca. As mãos ficam no ar, em frente ao rosto, cerca de 45 centímetros longe dele, as palmas, voltadas para fora e os dedos, abertos, numa atitude de proteção. A seguir, debruço-me sobre o paciente e peço-lhe que olhe diretamente dentro de meus olhos, enquanto me posiciono a cerca de 30 centímetros dele. Embora a pessoa esteja numa posição de vulnerabilidade e tenha adquirido uma expressão de medo, poucas se permitem sentir assustadas. É comum olharem para mim sorrindo, como se dissessem: "Não há motivo para temer. Você não vai me fazer nenhum mal porque sou um menino bonzinho". Para suplantar essa negação defensiva, aplico pressão com o polegar sobre os músculos risórios de ambos os lados das abas do nariz – o que impede que o paciente sorria e retira a máscara de seu rosto.

Se for feito corretamente (e devo acrescentar que se trata de uma manobra que exige habilidade e experiência consideráveis), o procedimento trará à tona um sentimento de medo e talvez até elicie um grito, como se a defesa contra o medo desaparecesse. Fazer o paciente emitir um som antes de aplicar-lhe a pressão provoca a descarga do grito. Deixo de pressionar quando o grito se inicia, mas, em muitos casos, ele perdura mesmo depois de retirada a pressão, enquanto os olhos permanecerem arregalados. O leitor talvez se lembre do que aconteceu em minha primeira sessão com Reich. Ele não precisou utilizar pressão nenhuma para liberar o grito. No entanto, poucos pacientes reagem de forma espontânea à expressão do medo gritando. Alguns não reagem nem mesmo quando se lhes aplica pressão. Nesses casos, a defesa contra o medo tem raízes muito profundas.

Suponho que, do ponto de vista do paciente, meus olhos pareçam fortes e talvez até duros quando aplico pressão. Sinto que os olhos se suavizam quando o paciente começa a gritar porque eu entro em empatia com ele. Depois do grito, em geral peço-lhe que estenda o braço e toque meu rosto. Descobri que o grito solta o medo e abre caminho para sentimentos de ternura e amor. Ao olharmos um para o outro, os olhos do paciente se amenizam e se enchem de lágrimas, enquanto o desejo de contato comigo (na qualidade de substituto do pai ou da mãe) se avoluma em seu peito. O procedimento termina quase sempre num abraço apertado, durante o qual o paciente soluça profundamente.

Como eu disse, não é sempre que essa manobra funciona. Muitos pacientes estão por demais assustados com o próprio medo para permitir que este venha à superfície. Quando isso acontece, o efeito é dramático. Uma paciente contou-me que, enquanto gritava, viu os olhos de seu pai mirando-lhe raivosamente na iminência de espancar-lhe. Outro disse que viu os olhos furiosos de sua mãe, numa recordação que datava de quando tinha 1 ano de idade. Uma mulher sentiu-se tão descontraída pela descarga de medo que saltou da cama e correu para abraçar o marido. Um rapaz, em terapia havia algum tempo, sentiu-se de tal modo sacudido pela experiência de terror que saiu do consultório destruído. Foi imediatamente para casa e dormiu duas horas. Logo que acordou, ligou pra mim e disse que sentia uma alegria tão grande como nunca antes na vida. A alegria era consequência da descarga do terror.

Vários outros procedimentos podem ser empregados para mobilizar os sentimentos nos olhos. Um deles deve ser descrito: uma tentativa de trazer o paciente para fora, por meio dos olhos, fazendo-o contatar com os meus. O paciente também está deitado na cama com a cabeça para trás e os joelhos dobrados. Debruço-me sobre ele e peço-lhe que estenda os braços e toque meu rosto. Coloco os polegares em suas sobrancelhas e, com um movimento delicado e apaziguador, tento desmanchar alguma manifestação de ansiedade ou de preocupação que porventura encontre, capaz de provocar o tensionamento dessa região. Ao olhar suavemente dentro dos olhos do paciente, quase sempre vejo uma criancinha prestando atenção em mim por trás de um muro, ou por uma fechadura, com vontade de sair, mas sem ousar fazê-lo. Essa é a criança mantida oculta do mundo. Posso dizer-lhe: "Venha para fora e brinque comigo. Está tudo bem". É fascinante verificar a resposta dada, quando os olhos relaxam e o sentimento flui até eles e, por intermédio destes, até mim. Aquela criancinha deseja desesperadamente sair e brincar, mas está morta de medo de magoar-se, de ser rejeitada ou de que riam na sua cara. Ela precisa do meu apoio para sentir-se segura e aventurar-se – e, sobretudo, necessita ser tocada amorosamente. E como é bom sair e descobrir-se aceito.

Com essa experiência, talvez seja a primeira vez, num longo período, que o paciente revela e reconhece a criança oculta dentro de si. Mas, assim que tal identificação é feita a nível consciente, está aberto o caminho para a análise e para a elaboração de todos os medos e ansiedades que forçaram a criança a esconder-se e a enterrar seu amor. Porque a criança é amorosa. E é esse o amor que não ousamos expressar na ação pelos olhos, com a voz e com o corpo.

Todas essas reações são anotadas e discutidas; constituem o melhor grão para o moinho terapêutico na medida em que são experiências imediatas e convincentes. Depende muito, claro, da sensibilidade do terapeuta e de sua liberdade de fazer contato, de tocar e ser tocado. E, sobretudo, de sua capacidade de manter-se isento de qualquer envolvimento emocional com o paciente. Uma situação desse tipo pode facilmente levar o terapeuta a descarregar sobre o paciente sua necessidade de contato. Trata-se de um erro trágico. Todo paciente faz o que pode para aceitar e manipular os próprios sentimentos e necessidades. Ter de lidar com os sentimentos de um terapeuta acrescenta um obstáculo impossível à recuperação de seu autodomínio. O paciente responderá aos sentimentos do terapeuta para escapar dos próprios; achará que as necessidades do terapeuta são mais importantes que as suas e, por fim, perderá o sentido de si mesmo, como aconteceu quando era criança e determinou seu enclausuramento no conflito entre suas necessidades e direitos e os de seus pais. O paciente paga para receber a sessão terapêutica, orientada somente para seus problemas; é abuso da confiança do terapeuta aproveitar-se da situação em benefício próprio.

Devo fazer outra advertência, ainda que repetitiva. Independentemente de quanto o paciente regrida, no curso de uma sessão, a um estado infantil, é ainda um adulto e tem plena consciência disso. O toque entre adultos sempre carrega uma conotação erótica ou sexual. Não tocamos num corpo neutro; tocamos num homem ou numa mulher. Isso é simplesmente natural. Mas, se temos consciência do sexo da pessoa, também estamos cônscios de nossa sexualidade. No entanto, sexualidade não significa genitalidade. A maioria dos pacientes tem plena consciência de que sou homem quando me tocam. Alguns assimilam profundamente essa percepção, mas nem por isso deixam de estar lá. Então, como enfrentar a situação?

A não existência de atração sexual pelos pacientes é uma questão de princípios para mim e uma regra da terapia bioenergética. Isso pode acontecer de modo sutil e, às vezes, abertamente. O terapeuta deve estar sempre alerta contra essa possibilidade. Sei que muitas pacientes desenvolveram sentimentos de natureza sexual a meu respeito. Várias delas comentaram isso comigo. Mas só vai até aí. Meus sentimentos não são da conta delas e seria um erro crasso torná-los intrusos na sessão terapêutica. Se possível, falamos deles, mas se não os mantenho só para mim não consigo fazer uma boa terapia. Um terapeuta deve ser capaz de conter seus sentimentos, ou seja, de ter autodomínio.

Falei a respeito de se deixar levar. A contenção, um dos temas dos próximos capítulos, também é importante e igualmente enfatizada na bioenergética. A contenção é voluntária e consciente, o que pressupõe uma capacidade de deixar levar. Se a pessoa não consegue soltar-se porque está retendo inconscientemente e essa retenção está estruturada no corpo, não se pode falar de contenção como expressão consciente de si mesmo. A pessoa não se contém; ela é contida.

Dor de cabeça
Esse tema se encaixa neste capítulo porque algumas dores de cabeça são provocadas por uma tensão nos olhos e, na minha opinião, todas elas estão rela-

cionadas ao bloqueio da autoexpressão. Não sou nenhuma autoridade em dor de cabeça, mas tenho acumulado uma experiência considerável tratando-as em meus pacientes e em outras pessoas. A visão bioenergética sobre a tensão fornece uma boa base para a tentativa de entender o problema.

Em numerosas oportunidades demonstrei em público ser possível aliviar a dor de cabeça dissolvendo tensões musculares. Em palestras, sempre pergunto se alguém da plateia está com dor de cabeça. Em geral, há pelo menos um indivíduo, e eu lhe peço que suba ao palco para que eu tente erradicá-la. O procedimento é muito simples. A pessoa senta-se numa cadeira enquanto palpo a tensão na base de sua cabeça – na região occipital –, no topo do crânio e na área frontal. Então, segurando sua testa com a mão esquerda, massageio com a mão direita os músculos tensos da parte de trás da cabeça e da região occipital. Depois de cerca de um minuto, inverto as mãos. Segurando com a mão esquerda a parte de trás da cabeça, descontraio a área frontal com a direita. Em seguida, circundo o escalpo com ambas as mãos, mantendo os dedos no topo do crânio, e movo o escalpo de um lado para o outro, suavemente. Nesse momento, explico aos espectadores que estou desenroscando a tampa apertada que está sobre a cabeça da pessoa. Até hoje o processo nunca falhou e a pessoa sempre diz, respondendo às minhas perguntas, que a dor de cabeça desapareceu.

Essa manobra, contudo, só funciona para a dor de cabeça tensional. Uma enxaqueca é caso diferente e, portanto, exige um tratamento diverso. Explicarei daqui a pouco a diferença entre elas.

Descobri essa manobra de modo acidental. Há muitos anos, visitei uns parentes que não encontrava havia bastante tempo. Eles estavam interessados no tipo de trabalho psiquiátrico que eu fazia e que envolvia o corpo. Expliquei-lhes o papel da tensão muscular nos problemas emocionais, mas achei que seria mais interessante demonstrar meu modo de trabalhar. Depois de ressaltar que a maioria das pessoas tem uma tensão considerável na nuca, na altura da base do crânio, dirigi-me ao meu primo, coloquei as mãos sobre sua cabeça e massageei delicadamente essa região. Ele apresentava ali um pouco de tensão, mas não fez referências específicas a esse respeito. E isso foi tudo. Quando voltamos para casa, minha esposa enviou à anfitriã uma nota de agradecimento. Duas semanas depois recebi uma resposta: "Não sei o que você fez com meu marido, mas conseguiu aliviá-lo de uma dor de cabeça que o atormentava havia 15 anos".

A tensão na base do crânio é comparável à que acomete a parte inferior das costas. Em geral, ambas são encontradas na mesma pessoa e expressam a necessidade de manter controle. A tensão superior é o equivalente somático do mandamento psicológico "Não perca a cabeça", ou seja, "Nunca deixe que seus sentimentos saiam do controle". A tensão inferior tem o mesmo significado no que se refere à sexualidade. Corresponderia ao seguinte mandamento: "Não se deixe levar pelo fogo no rabo". A maioria de nós está comprometida com o controle.

Retomarei agora a ilustração da seção anterior para retratar minhas ideias a respeito da causa de algumas dores de cabeça.

FIGURA 42

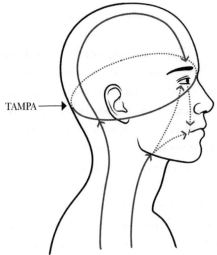

A Figura 42 mostra o trajeto do fluxo de energia ou excitação pela nuca e subindo até o topo da cabeça, chegando aos olhos e também aos dentes de cima, embora isso não esteja ilustrado. Esse fluxo é o responsável pelo componente agressivo de todos os sentimentos, necessário a várias ações, tais como olhar atentamente ou falar livremente. Se pusermos uma tampa sobre nossas agressões, acumular-se-á inevitavelmente uma pressão de sentido contrário à da tampa, dando margem à dor de cabeça.

A tampa é um conceito figurativo, mas, em certas pessoas, todo o alto da cabeça está tenso, como se fosse uma tampa. Nesses casos, a dor de cabeça é sentida em toda ela. Em outros, há um anel de tensão ao redor da cabeça, na altura da testa, que impede os impulsos agressivos de atingir a superfície. A pressão concentra-se ao redor desse anel; a dor é geralmente vivida na testa e, às vezes, na parte de trás da cabeça. Quando tais tensões são liberadas, a dor de cabeça desaparece.

Também é possível eliminar a dor de cabeça expressando sentimentos reprimidos. Contudo, é raro que a pessoa com dor de cabeça saiba o que a importuna. Quando o conflito é consciente, o sentimento é conhecido, o que significa que este atingiu a superfície da mente. Pode-se ter a cabeça apertada, mas isso é diferente de ter dor de cabeça. Esta se deve a forças inconscientes: tanto o sentimento como a tensão que o bloqueia estão abaixo do nível da consciência. O que a pessoa sente no máximo é a dor da pressão, o que explica por que a dor de cabeça, como no caso do meu primo, pode persistir por tanto tempo.

Segundo minha experiência, a enxaqueca deriva do bloqueio do sentimento de ter desejos (*longing*), viabilizado basicamente pelas artérias. Em meu primeiro livro, afirmei que Eros está associado ao fluxo de sangue, transmissor de sentimentos do coração para as demais partes. Clinicamente, sabe-se que a enxaqueca, no nível das artérias da cabeça, é constrição, sendo a pressão do sangue a causadora da intensa dor pulsátil.

Mas, embora o sentimento erótico de desejar flua pelos canais sanguíneos, o fluxo não se limita a eles. A carga de excitação ou energia passa para cima através da parte anterior do corpo, como se vê na figura – procurando expressar-se pelos olhos, pela boca e pelo gesto manual de ir em direção a algo. Descobri que, nesse caso, há uma área de grave tensão muscular num dos lados do pescoço, justamente abaixo do ângulo do maxilar. Uma pressão leve no local produz uma dor oriunda do choque agudo no fundo do olho. Essa tensão sempre se localiza do lado da dor de cabeça, mas não sei por que se concentra apenas num dos lados.

As enxaquecas mostraram-se suscetíveis à psicoterapia. Trabalhei com uma paciente que padecia do problema havia anos e consegui, primeiro, reduzir a frequência e a intensidade de suas dores de cabeça e, depois, eliminá-las por completo. Às vezes, conseguia livrá-la de uma crise violenta ajudando-a a descarregar os sentimentos com choro e gritos. Em outras, quando a crise já durava várias horas, esse procedimento reduzia a intensidade da dor, mas não a eliminava. No entanto, depois de uma noite de repouso após a sessão, a dor de cabeça sumia. Era sempre necessário que o choro viesse acompanhado de lágrimas para que a dor atrás dos olhos desaparecesse.

Essa paciente tinha grande dificuldade de expressar qualquer desejo de intimidade e contato. Ficava envergonhada e temerosa de tocar meu rosto de modo delicado e sensível. Era também portadora de uma grave inibição sexual, como seria de esperar depois de tal bloqueio na manifestação de desejos. Costumava ter as crises antes de sair com um rapaz de que gostasse. Os ataques eram mais intensos toda vez que eu me ausentava por motivo de viagem ou férias. Ela se sentia melhor se falasse comigo por telefone e sempre me ligava onde quer que eu estivesse. Evidentemente, transferira para mim, de modo intenso, os sentimentos que nutria pelo pai e não tinha condições de admitir. Para eliminar sua dor de cabeça, era preciso elaborar a transferência analiticamente e abrir caminho para a manifestação de seu desejo de intimidade com o pai. Mas foi só quando ela conquistou a capacidade de exprimir tais sentimentos pelo olhar e pela voz que tive certeza de que ela conseguiria ficar livre daquele tormento para sempre.

Todos que sofrem de enxaqueca têm um problema sexual obcecante, mas sem relação com a atividade sexual em si. Conheci muitos pacientes que tinham enxaquecas apesar da atividade sexual normal. A dor de cabeça origina-se do bloqueio do componente erótico e terno da sexualidade. Esse sentimento sobe à cabeça ao invés de descer para o aparato genital, onde poderia ser enfrentado e descarregado. O terminal cefálico não tem condições de fornecer essa saída. O choro e os gritos descarregam a tensão imediata, mas não resolvem o problema. A capacidade de ter um orgasmo é a resposta à situação.

Um de meus pacientes disse que a enxaqueca tem o nome certo porque o sentimento corre em sentido inverso ao que seria natural[72]. Há muito tempo considero essa observação válida. Ao inverter a direção do sentimento, o portador de enxaqueca se beneficia. Para tanto, pode-se utilizar exercícios de *grounding* – que, no entanto, de nada servirão quando a crise estiver a todo vapor. Mas percebi sua enorme utilidade quando a pessoa sente que a crise é iminente ou quando ela já começou.

O medo de deixar-se cair até o chão e de deixar-se levar pela própria sexualidade está intimamente vinculado à ansiedade da queda. Menciono esse fato porque a náusea que sempre acompanha a enxaqueca forte é produzida por uma contração do diafragma, associada ao medo de deixar cair.

Embora eu ou outro terapeuta bioenergético possa ter proficiência na abordagem física do paciente, é impossível elaborar qualquer problema emocional ou de personalidade sem antes expandir sua consciência a ponto de incluir a compreensão de seus problemas. Mas a compreensão não é apenas uma operação intelectual. Para mim, significa empatia num nível mais inferior, um contato mais básico que envolve a retomada das raízes de uma situação e a percepção das forças que influenciam e modelam sentimentos e condutas.

10. Consciência: unidade e dualidade

EXPANSÃO DA CONSCIÊNCIA

Desenvolveu-se, na última década, um interesse cada vez maior naquilo que se denominou *expansão da consciência*. O foco lançado sobre a expansão da consciência faz parte de uma nova abordagem humanista dentro da psicologia, a qual nasceu dos treinamentos de sensibilidade, do movimento de encontro, da Gestalt-terapia, da bioenergética e de outras modalidades de ampliação da consciência de si e dos outros. Uma vez que a bioenergética contribuiu para esse desenvolvimento e pertence à abordagem humanista, é importante compreender o papel que a consciência desempenha nela, bem como suas técnicas de expansão por meio dessa abordagem.

Contudo, devemos reconhecer que essa não é uma ideia nova, pois a cultura é o resultado do contínuo esforço do homem para expandir sua consciência. Cada passo dado no aprimoramento da cultura – seja ela religiosa, artística, científica ou política – representa uma expansão da consciência. Novo é o foco consciente de luz lançado sobre a *necessidade* dessa expansão. A meu ver, esse novo elemento indica que muitos de nós vivenciam a cultura contemporânea como algo que as confina e limita, sentindo-se psiquicamente sufocadas por uma orientação cada vez mais materialista. As pessoas sentem uma necessidade desesperada de respirar ar puro e de refrescar a mente e os pulmões.

O desespero é uma das motivações mais fortes para a mudança, mas nem por isso a mais confiável[73]. Sabemos muito pouco da natureza da consciência e, em nosso desespero para fazer mudanças, facilmente optamos pela errada. Quase sempre o desespero nos faz saltar da frigideira para a fogueira. É ingenuidade presumir que sempre mudamos para melhor. As pessoas, tanto quanto as culturas, podem tanto ir por água abaixo como de vento em popa; o curso da história registra períodos de involução e de evolução. Em geral, uma reação a determinada situação atinge o extremo oposto e, depois, há uma lenta integração das duas posições e o início de um novo movimento ascendente.

Se nossa atual cultura e a consciência que ela representa podem ser chamadas de mecanicistas, a reação contra elas levará ao misticismo. Ambos os termos demandam definições. A filosofia do mecanicismo baseia-se no princípio de que há uma conexão direta e imediata entre causa e efeito. Dado que esse pressuposto subjaz à nossa perspectiva de mundo tecnológico--científico, pode ser descrita como mecanicista. Um exemplo simples desse tipo de pensamento é considerar o crime resultado da pobreza. Por certo, crime e pobreza estão relacionados, mas inferir que a pobreza causa o crime é ingenuidade, uma vez que se ignoram por completo os sutis e complexos fatores psicológicos que determinam o comportamento. O fracasso desse tipo de pensamento está registrado na elevada taxa de criminalidade verificada em períodos de prosperidade econômica.

Já a atitude mística nega a existência da lei de causa e efeito, pois entende que todos os fenômenos são manifestações de uma consciência universal, negando a importância da consciência individual. Num mundo em que a lei da causalidade é uma ilusão, a ação não tem sentido. O místico se vê forçado por suas crenças a fugir do mundo, a voltar-se para dentro de si na busca do verdadeiro sentido da vida, e então descobre a unidade entre toda a vida e o universo. Ou, pelo menos, é isso que busca atingir, já que a vida não permite uma retirada total do mundo que a sustenta, exceto por meio da morte. Nem o místico, como nenhum outro ser humano, consegue transcender por completo a existência corporal.

Em nosso estado atual de reação à filosofia mecanicista, podemos ser levados facilmente a crer que a resposta está no misticismo. E, de fato, foram muitas as pessoas que se voltaram para ele a fim de libertar a consciência dos grilhões da mecanicidade. Não creio que esta seja uma alteração para melhor, nem que o misticismo seja errado, já que existe algo de verdadeiro nessa posição. Na realidade, nem o mecanicismo está errado, pois a ciência demonstrou a eficiência da lei de causa e efeito em certas situações, em sistemas fechados em que todas as variáveis podem ser controladas ou determinadas. Porém, não se pode conhecer nem controlar todas as variáveis que afetam o comportamento humano, de modo que a lei da causalidade não é inteiramente aplicável. Por outro lado, há certo mecanicismo na vida, bem como certo dinamismo – se eu enterrar uma faca em seu coração, certamente vou matá--lo, uma vez que terei destruído a capacidade do coração de desempenhar a função mecânica de bombear o sangue.

Bioenergética

Se nenhuma das duas correntes está errada, ambas estão parcialmente certas. Assim, nossa tarefa é discernir qual é a verdade completa e como cada uma delas se encaixa nesse jogo. Deixe-me colocar as coisas do seguinte modo: há uma validade objetiva na posição mecanicista. No mundo de coisas e objetos, sobretudo de coisas materiais, a lei de causa e efeito parece passível de aplicação. O místico pode defender sua validade subjetiva porque descreve um mundo espiritual onde os objetos não existem. Mas os dois universos existem, já que nenhum dos dois nega o outro e um ser humano normal está em contato com ambos, experimentando-se tanto como sujeito quanto como objeto. Não creio que esta seja uma experiência exclusivamente humana. Os organismos animais superiores parecem transitar por ambos os mundos, mas a consciência da polaridade de ambas as posições é exclusiva ao homem. É também peculiar à nossa espécie a possibilidade de cindir a unidade interno-externo, como quando dividiu a unidade do átomo, criando assim o terror objetivo de uma bomba nuclear – concretização do terror subjetivo de destruição do mundo vivido pela personalidade esquizofrênica.

Um diagrama simples pode mostrar tais relações de modo mais claro do que as palavras. Representaremos o organismo do homem por meio de um círculo com um centro ou núcleo. Os impulsos que se originam do centro ou essência, na qualidade de energia pulsátil, fluem para fora como ondas em direção à periferia do círculo, quando o organismo interage com o ambiente. Ao mesmo tempo, os estímulos que se originam do mundo exterior incidem sobre o organismo, que responderá a alguns deles.

FIGURA 43

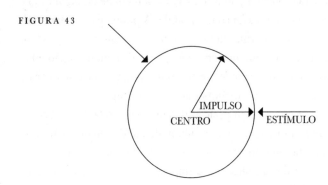

Olhando para a figura, recordo-me de um organismo unicelular envolvido por uma membrana especial semipermeável, representada na figura pelo círculo. A vida humana começa como uma célula única e, embora as células se multipliquem de modo astronômico até criar um indivíduo, este, em sua unidade energética, retém uma identidade funcional com a célula única que o originou. Uma membrana viva cerca cada organismo, criando sua individualidade na medida em que o separa do mundo. Mas a membrana não é uma parede, pois permite o intercâmbio entre a pessoa e o mundo.

No estado saudável, a pessoa percebe o contato entre seu centro e o mundo externo. Os impulsos de seu coração (centro pulsátil) fluem em direção ao mundo e os acontecimentos destes alcançam e atingem seu coração. Como entidade responsável, o coração sente-se unido ao mundo e ao cosmo. O indivíduo não se lança no mundo de modo apenas mecânico, como nos quer fazer crer a teoria do comportamento condicionado, mas responde com sentimentos que vêm do coração e são fruto da exclusividade daquele ser humano. Mas, na medida em que a pessoa tem consciência de sua individualidade, também tem consciência de que as reações espontâneas afetam o mundo e as pessoas que o habitam *de modo causal*, podendo assim assumir a responsabilidade por seus atos. A causalidade de fato funciona: se digo algo que magoa você, se faço algo que o fere, devo assumir a responsabilidade pela dor que lhe provoco.

Essa situação normal é perturbada quando o homem se "encouraça", segundo a descrição de Reich. Na Figura 44, essa couraça é representada pela linha ondulada que está sob a superfície da membrana do organismo. Na verdade, a couraça cinde os sentimentos do centro para um lado e as sensações da periferia para o outro. E, ao fazê-lo, cinde a unidade do organismo e sua verdadeira unidade de relação com o mundo. A pessoa passa a ter sentimentos internos e reações externas, um mundo interior e um mundo exterior com o qual se identifica; porém, devido à divisão, os dois mundos não estão juntos. O processo de encouraçamento é como um muro – pode-se estar do lado de cá ou de lá, mas nunca em ambos ao mesmo tempo.

Creio que agora estamos em posição de entender a relação misticismo *versus* mecanicismo. Ambas as atitudes resultam de um estado de couraça. O místico vive no mundo interno, tendo se dissociado dos fatos externos. Para ele, é irrelevante a lei da causalidade; só importa *tentar* entrar em contato com o centro pulsátil. Se o místico tentar envolver-se com o mundo físico, terá de passar para o outro lado do muro e assim perderá o contato com seu centro. O mecanicista, que está do outro lado do muro, perdeu o contato com seu

FIGURA 44

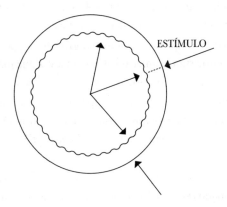

centro. Tudo que sente e vê faz que acredite que a vida não passa de reflexos condicionados. Dado que os objetos e os acontecimentos determinam suas reações, suas energias estão comprometidas com a manipulação do ambiente – que, para ele, é alheio e hostil à sua natureza.

A consciência mística é exatamente oposta à mecanicista. Esta é mais estreita e focada, já que todos os objetos do ambiente devem ser isolados a fim de ser controlados. Também os fatos têm de ser separados e estudados como acontecimentos especiais. Desse modo, a história acaba sendo vista como uma série de acontecimentos mais do que como a contínua luta dos povos para realizar seu potencial de vida. Não desejo criar a imagem de que a consciência mecanicista é completamente má, pois surgiu do forte senso de individualidade e do egoísmo do homem ocidental depois de séculos de esforço para afirmar a liberdade do indivíduo. Por seu turno, a consciência mística é ampla, mas tão ampla em sua forma final que chega à difusão e à perda de sentido. Suponho que poderíamos simplesmente dizer que o mecanicista não vê nas árvores uma floresta (já que tenciona abatê-las) e que a consciência mística não enxerga numa floresta suas árvores. Lembro-me também daqueles que estão tão "apaixonados" pelas *pessoas* que não conseguem ver a – nem reagir à – pessoa que está na sua frente. Outra analogia surgiu-me agora: o místico, andando de olhos arregalados perante a maravilha do universo, não enxerga as pedras no caminho e tropeça. Mas não importa. O mecanicista, prestando muita atenção às pedras que poderão atravancar seu caminho, deixa de ver a beleza do céu.

Não se pode resolver tal conflito tentando fazer ambas as coisas, ou seja, olhar para baixo e olhar para cima. É preciso se transformar num acrobata para escalar o muro tantas vezes seguidas. O único jeito é quebrar a parede em pedaços, remover a couraça ou liberar as tensões, que é justamente do que trata a bioenergética. Enquanto o muro mantiver-se em pé, a pessoa estará dividida entre o misticismo e o mecanicismo, uma vez que todo mecanicista é um místico por dentro e todo místico é um mecanicista de fachada. Ambos são fundamentalmente iguais e virar a roupa do avesso não muda nada. Isso explica por que um grande cientista como Erwin Schrödinger, ao voltar-se para seu mundo interior de sentimentos em *What is life?*[74] (O que é a vida?), pensa de modo místico.

O pensamento que não pode ser rotulado nem de mecanicista nem de místico é denominado *funcional*. Considero o conceito de pensamento funcional, como o elucidou Reich, uma das grandes conquistas da mente humana. É útil, sobretudo, para a compreensão da consciência.

Em primeiro plano, digamos que a consciência seja uma função e não um estado, como a função da fala. Pode-se falar ou estar calado dependendo da necessidade e, portanto, pode-se estar consciente ou não de acordo com a situação. É interessante notar o grau de proximidade entre consciência e fala subvocal – que fazemos a maior parte do tempo em nome do pensamento. Também é interessante levar em conta que, numa conversa, transmitimos informações para outras pessoas, enquanto a consciência volta-se para receber dados. Há uma conexão íntima entre consciência e o ato de prestar atenção, pois, quanto mais atenção dermos a algo, mais consciência teremos desse objeto.

Mas se a consciência é uma função, denota uma capacidade. A expansão da consciência não tem sentido a menos que se pense nela como o aumento da capacidade que a pessoa tem de estar consciente. A mudança da atenção de uma coisa para outra não expande a consciência, já que, no processo de ver o novo, não conseguimos enxergar o antigo. A consciência é como um farol que ilumina um aspecto do campo para que possamos vê-lo com clareza; porém, ao fazê-lo, deixa o resto do campo aparentemente mais escuro. A mudança no foco da luz não aumenta nem expande a consciência, já que a primeira área torna a ficar escura e o campo de visão (ou de compreensão) do indivíduo não se transformou. Não obstante, a mobilidade da luz é um fator na consciência. A pessoa cujos olhos mantêm-se fixos numa única região do campo tem uma consciência (capacidade) mais limitada do que aquela que pode mover o olhar para ver outras coisas.

Comparar a consciência com uma luz permite-me apresentar vários fatores que usamos para medi-la. Evidentemente, a luz brilhante revela mais do que a tênue. Dá-se o mesmo com a consciência: a pessoa de visão clara e nítida, audição aguda, olfato apurado, paladar refinado – ou seja, com maior sensibilidade perceptiva – tem um grau de funcionamento consciente mais elevado do que aquele cuja sensibilidade é reduzida. A profundidade ou capacidade de penetração da luz, que deriva tanto de sua intensidade como de seu foco, é similar na consciência.

Há indivíduos psicologicamente previdentes que pensam em profundidade e veem longe. Isso reflete uma característica de sua consciência, e seria uma desvantagem caso a pessoa não conseguisse enxergar também o que está diante do nariz. Há, por fim, a capacidade de alargar ou de estreitar o campo de percepção, de mover-se livremente em meio às visões mística e mecanicista, que não estão separadas.

Desse modo, a função da consciência depende do grau de vivacidade da pessoa, estando diretamente relacionada a sua saúde emocional. Contudo, ainda mais importante é a conclusão de que a capacidade de ser consciente está vinculada aos processos energéticos do corpo, ou seja, ao teor de energia do indivíduo e do grau de liberdade que ele tem para circular. A consciência reflete o estado de excitação interna; na realidade, é a luz de sua chama interna projetada em duas telas, a superfície do corpo e a superfície da mente.

Uma última analogia poderá auxiliar no esclarecimento de tais relações. Comparemos o que acontece na consciência com um aparelho de TV. Este consiste num conjunto de aparatos para receber sinais e amplificá-los, numa fonte de energia (elétrons) que é projetada numa tela sensível. Quando o aparelho é ligado e sintonizado para receber os sinais que estão sendo enviados, a tela se ilumina e mostra uma imagem. A clareza e o brilho desta são determinados pela força do fluxo de elétrons e pela sensibilidade da tela. Fatores similares agem na consciência, a saber: a carga de energia dos impulsos que fluem do centro e a sensibilidade das duas superfícies – o corpo e a mente. Dizemos que as pessoas têm pele fina ou grossa conforme sua sensibilidade. Um corpo sem pele não consegue apresentar os estímulos recebidos e a pessoa é extremamente sensível, sendo vulnerável a toda brisa que soprar. Trata-se de um estado deveras doloroso.

O aparelho de TV é um dispositivo mecânico, mas como o corpo também tem um aspecto mecânico é possível fazer tais comparações. Todavia, o corpo tem uma fonte de energia própria e um ego ou uma vontade que a dirige de acordo com suas necessidades. Podemos enviar nossa consciência a uma parte do corpo ou a outra segundo nossa vontade. Para tanto, focamos a atenção na parte em questão. Posso olhar para meu pé por um instante, por exemplo, e ter dele uma imagem, movê-lo e senti-lo cinestesicamente, deixar a energia fluir e senti-la fluindo para lá – nesse caso, ele começará a formigar e a vibrar. Só então tomo consciência de meu pé como uma parte viva e sensitiva de meu ser. Há diversos níveis de consciência que demandam esclarecimentos.

Já discuti esse fenômeno neste livro, demonstrando que podemos dirigir a atenção para a mão a fim de intensificar a carga que ela contém. Justamente por isso, quando a mão, o pé ou outra parte do corpo fica energeticamente carregado, a atenção é atraída para essa parte e aumenta a consciência desse local. A carga maior coloca essa parte do corpo num estado de tensão. Não se trata da tensão crônica de um músculo espástico ou contraído, mas de um estado positivo de vitalidade, que poderia levar naturalmente a uma resposta e a uma descarga. No nível da musculatura, é chamado de prontidão para a ação. No nível do pênis, é a condição para exprimir amor sexual.

Embora possamos dirigir a atenção por um ato de vontade – o que significa que o ego tem certa dose de controle sobre o fluxo de energia no corpo –, a maior parte de nossa atenção é atraída por causas internas ou externas. Já assinalei muitas vezes que a vontade é, em geral, um mecanismo de emergência. Se nossas respostas forem espontâneas, as partes periféricas do corpo que estão em contato com o mundo devem estar relativamente carregadas o tempo todo e num estado de prontidão para reagir. Ou seja, quando estamos acordados, quase sempre permanecemos num estado relativo de alerta. Em outras palavras, estamos conscientes. Segue-se daí que o âmbito de nossa consciência é proporcional à quantidade de carga no corpo, embora seu grau de consciência dependa da intensidade da carga. No sono, quando a carga afasta-se da superfície do corpo, nossa gama de atenções e de consciência cai a zero. Isso também acontece quando perdemos momentaneamente a consciência.

Mencionei que existem níveis de consciência. A consciência do bebê é diferente e menor que a do adulto. O bebê tem uma consciência corporal maior que o adulto, embora menos definida e menos refinada. Ele é mais sensível a acontecimentos corporais, mas tem menos consciência de sentimentos específicos, como emoções e pensamentos. A consciência torna-se mais

Bioenergética

aguda com o crescimento e o desenvolvimento do ego – que, em si, é uma cristalização da consciência. Assim, considero os níveis de consciência correspondentes à hierarquia das funções de personalidade que descrevi antes. A Figura 45 ilustra-as como níveis de consciência.

FIGURA 45

A *consciência dos processos corporais* é o nível mais amplo e profundo da consciência. Entre esses processos estão a respiração rítmica, o estado vibratório da musculatura, ações involuntárias e espontâneas, sensações de fluxo e vibração e expansão/contração pulsátil do sistema cardiovascular. Em geral, temos consciência deles apenas em situações de elevada excitação ou em estados místicos. Este é o nível em que *sentimos* identificação com a vida, com a natureza e com o cosmo. Entre povos nativos, tal consciência é descrita como participação mística, o que denota uma identificação sobrenatural com os processos naturais e universais. Em seu auge, perde-se o senso de individualidade, à medida que o limite do si mesmo torna-se tão nebuloso que não mais diferencia o ser do meio. Faz parte também da consciência do bebê – que, no entanto, tem uma direção oposta à da consciência mística; desenvolve-se no sentido de uma diferenciação de si, enquanto a consciência mística se encaminha para a indiferenciação.

O nível seguinte de consciência, em minha opinião, implica a percepção das emoções específicas. Um bebê muito pequeno não fica zangado, triste, assustado ou feliz. Tais emoções dependem de certo grau de consciência do mundo externo. A raiva, por exemplo, demanda um esforço direto contra uma força "hostil", exterior ao organismo. Um bebê muito pequeno lutará contra uma força restritiva, mas suas ações são aleatórias e desorientadas. Falta-lhe o controle consciente dos movimentos e ele não sente ainda a natureza das forças externas. A emoção de tristeza implica uma sensação de perda que o bebê não tem condições de perceber. Ele chora em reação à tensão decorrente de uma condição dolorosa (fome, desconforto e assim por diante). Isso não significa que não exista uma perda; o bebê chora pela mãe porque perdeu o vínculo necessário com ela. Porém, até que associe a mãe a uma sensação de prazer, não sente a perda.

A consciência desabrocha como uma flor em botão, tão gradualmente que não se nota a mudança. Nossa consciência consegue discernir estágios que, em nome de uma análise, podemos descrever. A memória desempenha um papel importante na função da consciência.

Quando a criança torna-se consciente de seus pensamentos ou pensa de maneira consciente? Apesar de não ter uma resposta exata para essa pergunta, estou certo de que há um momento em que esses aspectos da função da consciência tornam-se ativos. Parece-me que a consciência do pensamento está relacionada ao uso das palavras, ao menos para a maioria de nós. Mas, na medida em que as palavras surgem em relações sociais e são usadas para transmitir informações, esse estágio da consciência está vinculado a uma conscientização cada vez maior do mundo social. Ao passo que esse mundo se amplia, diminui o espaço pessoal – e a posição da pessoa (ego, indivíduo) torna-se mais definida.

Pensar consciente ou objetivamente faz surgir a consciência do ego. O indivíduo se vê como um agente consciente no mundo que pode escolher seu tipo de comportamento. A escolha relevante se dá entre contar a verdade e enganar[75]. Tal escolha implica que a consciência pode voltar-se para si mesma, tomando consciência de si como fator objetivo do próprio pensamento – ou seja, trata-se da capacidade de pensar a respeito do próprio pensamento. Aí surge a dualidade que caracteriza a consciência contemporânea. A pessoa é tanto sujeito como objeto, consciente de ser tanto agente quanto objeto da ação.

No nível do ego, a consciência é de natureza dual, mas não cindida. A cisão acontece quando a consciência transcende a personalidade, criando a autoconsciência. Não se trata de estar consciente de si (*self*), mas de um estado patológico no qual a consciência torna-se tão intensamente focada em si mesma que o movimento e a expressão tornam-se dolorosos e difíceis. Tal estado de consciência, conquanto não raro na esquizofrenia, pode acometer momentaneamente a qualquer um. A intensidade do foco estreita a consciência a ponto de haver o risco de que ela se rompa ou desvaneça, o que é deveras assustador.

Tal análise evidencia que, à medida que a consciência se eleva a níveis cada vez mais altos, se estreita no sentido de intensificar seu foco e sua capacidade de discriminação. Por outro lado, ao passo que a consciência se aprofunda para abarcar sentimentos, sensações e os processos corporais que os originam, ela se torna mais ampla e abrangente. Para evidenciar essa diferença, empregarei dois termos bem gerais – consciência da cabeça e consciência do corpo – para representar, respectivamente, a ponta e a base de um triângulo.

Muitos indivíduos, sobretudo aqueles caracterizados como intelectuais, têm basicamente consciência da cabeça. Pensam a respeito de si mesmos como seres conscientes e o são de fato, mas sua consciência é limitada e restrita; limitada a pensamentos e imagens e restrita porque só vê a si própria e ao mundo em pensamentos e imagens. Os intelectuais exprimem suas ideias com facilidade, mas têm grande dificuldade de entender ou de expressar o que sentem. Quase nunca percebem o que ocorre no interior de seu corpo e, por isso, não estão cônscios dos corpos à sua volta. Falam sobre sentimentos, mas não os vivenciam nem agem sobre eles. Só têm consciência da ideia do sentimento; não vivem a vida, mas pensam no percurso de viver. Vivem dentro da própria cabeça.

A consciência do corpo está no polo oposto. É característica das crianças que vivem no mundo do corpo e de seus sentimentos – e dos adultos que conservam uma relação íntima com as crianças que foram e ainda são interiormente. Uma pessoa com consciência do corpo sabe o que sente e onde sente no próprio organismo. E pode dizer também o que o outro sente e como ela vê tais sentimentos no corpo dele. Essas pessoas nos veem como corpos e respondem a nós como corpos, não se deixando levar pelas aparências.

Há uma grande diferença entre ter consciência do corpo e ter consciência corporal. Pode-se ter consciência do corpo usando a consciência de cabeça, o que acontece com boa parte daqueles que se voltam para a cultura física (frequentando clínicas de estética corporal) ou para o atletismo profissional e as artes cênicas. Nesses casos, o corpo é visto como um instrumento do ego e não como o verdadeiro *self* (si mesmo). Trabalhei com várias pessoas assim em bioenergética, e já não mais me surpreendo com a falta de contato que mantêm com o próprio corpo.

Não estou dizendo que a consciência corporal seja superior à de cabeça, embora o contrário não seja incomum. Tenho pouco respeito por uma consciência de cabeça que esteja dissociada, mas respeito ao máximo a consciência de cabeça integrada à consciência do corpo. Da mesma forma, considero que a consciência corporal por si só denota um nível imaturo de desenvolvimento da personalidade.

Claro que a bioenergética procura expandir a consciência elevando o teor de consciência corporal da pessoa e, ao fazê-lo, não pode permitir-se (e não se permite de fato) negligenciar a importância da consciência de cabeça. Assim, a consciência pode ser intensificada pelo uso da linguagem e das palavras. Contudo, precisamos admitir que nossa cultura é predominantemente uma cultura de "cabeça"; temos pouca consciência do corpo.

A consciência corporal ocupa uma posição intermediária entre consciência de cabeça e inconsciente, servindo para nos conectar às – e a nos orientar perante as – misteriosas forças de nossa natureza. A Figura 46 simplifica e ilustra essa relação.

FIGURA 46

Enquanto a consciência de cabeça não tem contato direto com o inconsciente, a consciência corporal tem. O inconsciente é o aspecto de nosso funcionamento corporal que não percebemos ou não conseguimos perceber. Assim, embora possamos, reforçando a atenção, tomar consciência de nossa respiração e de nossos batimentos cardíacos, em determinados estados não conseguimos perceber o funcionamento dos rins e muito menos as reações sutis que se dão em tecidos ou células. O próprio processo vital do metabolismo está fora do alcance da percepção. Boa parte da nossa vida acontece numa região escura em que a luz da consciência não consegue brilhar. E, uma vez que a consciência mental é pura luz, tem medo da escuridão.

No que se refere à consciência de cabeça, o mundo é uma série de descontinuidades, de fatos e causas não relacionados. A mente ou a consciência do ego, por natureza, cria características e cisões na unidade essencial de todas as funções naturais. Albert Camus descreve esse processo de forma magistral e poética: "Enquanto o espírito se cala no mundo imóvel de suas esperanças, tudo se reflete e se organiza na unidade da sua nostalgia. Mas, em seu primeiro movimento, o mundo se racha e desmorona: uma infinidade de clarões resplandecentes se oferece ao conhecimento"[76]. A intromissão da mente consciente tem um efeito demolidor. O problema teórico é como reconstruir conscientemente tal unidade.

Uma vez que isso não pode ser feito, Camus denomina o mundo "absurdo". Mas seria mesmo preciso fazê-lo? Esse problema que tanto atormenta diversos pensadores não incomoda a pessoa comum. Nunca ouvi um paciente queixar-se disso. Suas queixas concentram-se em temas práticos e em sentimentos conflitantes. Nunca vi um paciente que sofresse de ansiedade "existencial". Em todos os casos com os quais trabalhei, a ansiedade podia ser associada a "sufocação nos estreitos". Por que assumimos que a consciência pode fornecer todas as respostas, quando todas as evidências apontam para o fato de ela criar tantos problemas quanto os que soluciona? Por que somos tão arrogantes a ponto de acreditar que conhecemos tudo? Não é preciso.

A resposta a essas perguntas é que passamos a ter medo do escuro, do inconsciente e dos misteriosos processos que sustentam nosso ser. Apesar de todos os avanços da ciência, esses processos continuam misteriosos e fico contente por algum mistério permanecer em nossa vida. Uma luz sem sombra é uma claridade insuportável. Se iluminarmos tudo, estaremos nos arriscando a "empalidecer" a consciência até que ela seja destruída. Seria como o flash no cérebro do epiléptico que precede a convulsão e a perda da consciência. À medida que intensificamos a consciência no topo da pirâmide, facilmente ultrapassamos o limite do autoconhecimento e ficamos imobilizados.

A bioenergética procede de modo diferente. Ao expandir a consciência em sentido descendente, aproxima a pessoa do inconsciente. Seu objetivo não é tornar consciente o inconsciente, mas torná-lo mais familiar e menos ameaçador. Quando descemos para essa região em que a consciência corporal toca no inconsciente, ficamos cientes de que o inconsciente é nossa força, ao passo que a consciência é nossa glória. Sentimos a unidade da vida e percebemos que a vida é o sentido da própria vida. Poderemos até descer mais fundo e deixar que o inconsciente nos envolva num sono maravilhoso ou num orgasmo extático. Então, renovamo-nos nas fontes profundas de nosso ser e conseguimos levantar para enfrentar um novo dia com uma consciência ampliada que não precisa aferrar-se à luz efêmera por medo da escuridão.

PALAVRAS E A AGUDIZAÇÃO DA CONSCIÊNCIA

Em 1949, Reich trocou o nome de sua forma de terapia de vegetoterapia caracteroanalítica para orgoneterapia. "Orgone" era o nome que ele dava à energia cósmica primordial. Essa alteração coincidiu com sua crença de que as palavras podiam ser dispensadas do processo terapêutico, posto que era possível efetuar melhoras significativas na personalidade por meio de um trabalho direto com os processos energéticos do corpo. A orgoneterapia envolvia ainda o uso de acumuladores de energia orgone para carregar o corpo.

No Capítulo 1, relatei que Reich tinha conseguido fazer que alguns pacientes desenvolvessem o reflexo do orgasmo em muito pouco tempo, mas esse progresso não se sustentava no período pós-terapêutico. Sofrendo as tensões da vida diária, a pessoa via seus problemas ressurgirem, perdendo em seguida a capacidade de se entregar ao próprio corpo. Mas o que significa exatamente "trabalhar ao máximo os problemas de alguém"? Usamos essa expressão indiscriminadamente, sem especificar suas reais dimensões.

Falando analiticamente, um problema é elaborado quando a pessoa *sabe* o que é, como é e por que é. Qual é o problema? Como ele afeta meu comportamento na vida? Por que tenho esse problema? A técnica psicanalítica busca respostas para tais perguntas. Por que, então, não funcionou de maneira mais eficiente? A resposta é a seguinte: há um quarto fator, o fator econômico ou energético. Reich mostrou que, a menos que haja uma mudança no funcionamento sexual do paciente ou em sua economia energética – ou seja, a menos que ele tenha mais energia do que a que descarrega –, ele não melhora de maneira significativa.

Saber não basta. Todos conhecemos pessoas que sabem os quês, "comos" e porquês de seus problemas sem conseguir alterar suas reações emocionais. Estão disponíveis tantos livros sobre psicologia que qualquer um tem à disposição um grande conhecimento acerca dos problemas de personalidade.

Porém, essas obras dificilmente ajudam uma pessoa a elaborar seus problemas – mesmo quando fornecem informações completas sobre sua natureza, sua ação e suas origens. Isso porque saber é uma função da consciência de cabeça que nem sempre penetra ou afeta a consciência corporal. *Pode*, é lógico, afetá-la, o que chegou a acontecer nos primeiros tempos da psicanálise, antes de as pessoas terem se tornado sofisticadas psicologicamente. Naquela época, aquele que descobria – pela interpretação de sonhos – ter um envolvimento incestuoso com a mãe chocava-se emocionalmente e era fisicamente abalado por esse conhecimento. Tinha um *impacto* sobre ele, ao qual reagia com seu ser como um todo. Era um *insight* eficiente. Hoje, os pacientes falam a torto e a direito de seu ódio pela mãe ou da rejeição vivida com ela sem nenhum envolvimento emocional forte ou sem a mínima carga de energia nas palavras.

Foi exatamente essa situação – falar a respeito de sentimentos sem sentir nada – que levou Reich a desenvolver a técnica da análise de caráter e, a seguir, as técnicas de "desencouraçamento" do corpo. E ainda estamos cativos da mística das palavras, como se o fato de enunciá-las mudasse as coisas. E mais: muitas vezes usamos as palavras para *não* mudar coisa nenhuma. Sentimo-nos a salvo enquanto pudermos falar a respeito do tema, já que falar reduz a necessidade de sentir e de agir. As palavras são um substituto – às vezes valioso e necessário – à ação, mas em certos momentos constituem um bloqueio à vida do corpo. E, quando empregadas como substitutas dos sentimentos, as palavras são abstratas e enfraquecem a vida.

Quando se confia nas palavras, sempre há o perigo de que elas não expressem a verdade. As pessoas mentem de modo deliberado, mas não podem fazê-lo em nível corporal, dado que o mascaramento de um sentimento denuncia sua insinceridade. É raro encontrar pacientes que mintam para mim conscientemente, embora isso aconteça. Mas há a questão do autoengano, quando o indivíduo faz uma afirmação que considera verdadeira, mas ela não entra em consonância com a verdade de seu corpo. Em geral, as pessoas dizem "estou bem" mesmo quando um olhar ligeiro revela sua aparência cansada, triste ou abatida. Talvez não se trate de uma mentira deliberada; costuma ser uma fachada construída com palavras, para convencer mais a elas próprias do que aos outros.

Quem teria coragem de dizer que acredita em todas as palavras que as pessoas dizem? Seria o cúmulo da ingenuidade ou da tolice. Todo terapeuta desconfia das palavras do paciente até que saiba o que está por trás da fachada ou das defesas construídas inconscientemente contra a revelação de si mesmo.

Assim, compreende-se a tentativa de Reich de ultrapassar o palavrório para tratar do paciente exclusivamente no nível corporal ou energético. E por que isso não deu certo? Porque as palavras são indispensáveis ao funcionamento humano, desde que descontada sua falta de confiabilidade.

As palavras são o grande celeiro das experiências. Desempenham essa função, culturalmente, nas histórias que são contadas e nos livros que lemos. Não são o único celeiro existente, mas constituem de longe o mais importante. A história não está registrada apenas nas palavras – há os artefatos que descobrimos ou guardamos de eras anteriores –, mas estudar a história sem usar as palavras, escritas e faladas, é uma tarefa sobre-humana.

As palavras servem para o indivíduo assim como para a sociedade. A história viva da existência de uma pessoa está em seu corpo, mas a história consciente de sua vida está em suas palavras. Se lhe falta a lembrança de suas experiências, não terá as palavras para descrevê-las. Se lembrar-se delas, serão traduzidas em palavras que cunhará para si, falará com desenvoltura na frente dos outros ou, quem sabe, escreverá. Em qualquer caso, quando uma recordação é traduzida em palavras – sobretudo quando expressas –, assume uma realidade objetiva. Em minha terapia pessoal, quando vi a imagem de minha mãe olhando para mim com raiva porque eu a havia incomodado com meu choro, eu disse em voz alta: "Por que você está com raiva de mim? Estou chorando porque quero ficar com você". Experimentei todos os sentimentos ali como se fosse uma criança, mas falei com as palavras de um adulto – e, ao fazê-lo, fiquei totalmente consciente das sensações de mágoa e choque por sua reação. Sabendo disso, compreendi por que mais tarde passei a reagir com sentimentos parecidos quando deparava com a mesma reação por parte daqueles de quem eu queria me aproximar.

Ao falar com liberdade, objetivei a experiência tanto para mim quanto para meu interlocutor, que era Reich. Ele também entendeu a experiência e a compartilhou comigo. O ato de tê-la repartido tornou a experiência ainda mais real porque, se eu a esquecer, ele me recordará.

Esse é um episódio isolado. No decurso da terapia, a pessoa descobre e comenta muitas experiências perdidas que são partes ocultas de si mesma. A revivência de certas vivências em nível corporal gera uma sensação de convicção que não pode ser alcançada de nenhum outro modo, mas falar sobre elas com outra pessoa lhe confere uma qualidade real que apenas as palavras conseguem dar. Essa realidade se une à parte do si mesmo ou do corpo envolvida na experiência, promovendo sua integração no todo da personalidade.

Sentir e experienciar são importantes porque sem esses dois elementos as palavras tornam-se vazias. Mas só experienciar não basta. Precisamos falar sobre as experiências repetidamente para captar todos os sentidos e nuanças que as compõem e para torná-las objetivamente reais dentro da própria consciência. Agindo assim, não precisamos reviver a experiência em si incontáveis vezes para torná-la um agente eficaz de mudanças; nesse caso, as palavras evocam os sentimentos e tornam-se bons substitutos para a ação.

Para mim, falar é tão importante no processo terapêutico que dou ao paciente metade do tempo da sessão para conversar. Às vezes, a sessão toda é dedicada a discutir comportamentos e atitudes e procurar sua conexão com a experiência passada. E o trabalho com o corpo vem sempre acompanhado de um pouco de conversa. Contudo, há momentos em que acho a discussão repetitiva e vaga. Quando isso acontece, fazemos os exercícios que são destinados a fornecer as experiências sobre as quais estamos falando.

Os leitores acostumados com minha ênfase ininterrupta na relação direta entre realidade e corpo poderão ficar surpresos e confusos quando falo, como agora, da realidade das palavras. Essa confusão é inevitável se ignorarmos que o homem moderno tem uma consciência dupla, como vimos na seção anterior. As palavras não têm o mesmo sentido da realidade imediata, como uma experiência corporal: sua realidade é medida pelos sentimentos que expressam ou evocam. Portanto, quando completamente dissociadas de quaisquer sentimentos, são irreais. Para muitos, porém – crianças em especial –, as palavras podem ter um impacto mais violento que uma pancada.

As crianças não são as únicas passíveis de sofrer uma grande mágoa por causa de palavras. Acredito que todos nós temos consciência disso. O indivíduo extremamente consciente escolhe com cuidado suas palavras quando faz uma crítica ou dá uma resposta negativa a fim de evitar magoar o outro.

Assim como ferem, as palavras podem ter um efeito muito positivo. Uma palavra de recomendação ou elogio é profundamente apreciada. Uma coisa é sentir que seu esforço é reconhecido e outra é ouvir esse reconhecimento expresso em palavras. Mesmo quando sentimos que somos amados, ouvir a pessoa dizer "eu amo você" é uma experiência excitante, gratificante e enriquecedora. Eu poderia citar ainda muitos outros exemplos: "Você é lindo(a)", "Você é meu (minha) querido(a)" e assim por diante.

Só posso especular sobre o motivo de as palavras terem tal poder. Os sentimentos são subjetivos, enquanto as palavras têm característica objetiva.

As palavras estão ali no espaço para ser vistas ou ouvidas e também têm duração. Todos sabemos como é difícil apagar o efeito de uma palavra proferida. Uma vez dita, ela parece permanecer. Algumas chegam a perdurar para sempre. A frase de Patrick Henry – "Dê-me a liberdade ou então a morte" – persiste como um monumento ao espírito humano muito tempo depois de a situação ter-se esvanecido da memória. As palavras de Shakespeare também têm essa característica de imortalidade.

Uma vez que as palavras são o repositório das experiências, servem ainda para modelar e configurar as experiências futuras. Quando a mãe diz à filha: "Os homens são egoístas. Não confie neles", transmite sua experiência pessoal e, também, estrutura as experiências futuras da filha com os homens. Mas não é necessário acrescentar a advertência, pois dizer simplesmente "Os homens são egoístas" ou "Não se deve confiar nos homens" tem o mesmo efeito. Isso é o que chamamos de aprendizagem. Os objetivos de uma escola são transmitir a experiência passada às crianças sobretudo na forma de palavras e, no mesmo processo, estruturar a futura relação delas com o mundo, segundo as diretrizes dessas experiências.

Não posso adentrar a questão dos valores ou dos defeitos criados pelo processo de escolarização. A instituição escolar foi necessária ao desenvolvimento de nossa atual cultura. O objetivo de qualquer currículo escolar é verificar se a experiência transmitida foi percebida convenientemente e se foi relatada com honestidade. Quanto ao ensino da história, é evidente a presença de muitas distorções.

Estamos preocupados com o poder das palavras para modelar as experiências. Considere a criança que ouve do pai o seguinte: "Você nunca faz nada direito". A criança sofrerá o resto da vida com essa sensação de nunca conseguir fazer as coisas direito. Esse sentimento de incompetência persistirá independentemente de seu desempenho real na vida. As palavras ficaram gravadas na mente da criança e apagá-las não é tarefa simples.

Na maioria dos casos por mim tratados, descobri algumas evidências da formação de impressões com esse caráter negativo. Uma paciente comentou que sua mãe lhe disse: "Nunca um homem vai querer você", palavras que pareciam uma maldição lançada sobre ela. Eis aqui outro exemplo: um paciente contou que não conseguia ter amigos, já que esperava e queria muito deles. Eu sabia que ele era assim, mas não entendia por que persistia com exigências que ele reconhecia despropositadas. Havíamos descoberto que sua mãe fora hostil com ele de várias maneiras, de modo que lhe perguntei: "É muito pedir por uma mãe que não seja hostil?" No ato, ele respondeu: "É, é muito". E, quando perguntei por quê, respondeu que não podia ter uma mãe assim. Assinalei o fato de que minha pergunta era sobre *pedir* e não sobre *conseguir*. "É muito pedir?" Respondeu: "Para os outros não era, mas para mim, sim". E, a seguir: "Minha mãe sempre dizia que eu pedia demais".

Uma criança nunca pede "demais". Pede o que quer. O "demais" é uma avaliação do adulto que serve para a criança se sentir culpada pelo mero fato de *querer*. O efeito da culpa faz a pessoa pedir demais para que possa ser rejeitada. A rejeição endossa a culpa e fecha o círculo no qual o indivíduo se vê preso.

O poder das palavras pode ser combatido apenas com outras palavras. As novas devem ter o caráter de verdade, devem tocar dentro do paciente para libertá-lo do cárcere de palavras. É isso que fazemos quando elaboramos um problema, elucidando analiticamente seus quês, "comos" e porquês. Esse processo leva ao que, em análise, chamamos de *insight*, que pode ser definido como "ver a distorção da impressão".

Não estou defendendo que apenas os *insights* e a análise cheguem a mudar a personalidade. Há outro fator importante – o energético – que deve ser levado em conta no nível corporal. Creio que a mudança na personalidade pode se manter desde que haja *insights* suficientes em consequência de uma abordagem profunda do problema.

A "cura" rápida que Reich conseguia efetuar poderia ser chamada de *transformação mágica* ou de *experiência transcendental*. Acontecia ao paciente devido ao tipo de pessoa que era Reich e do que ele fazia. Também realizei "mágicas" parecidas com meus pacientes, mas sei que essas mudanças não se sustentam. Assim como elas podem surgir num conjunto de circunstâncias, podem ser perdidas em outro. E, quando isso acontece, o paciente não sabe o caminho para entrar em seu estado de liberdade. Precisa de um mapa, como o fez Conway quando buscava Shangri-la.

Um dos objetivos da análise é criar esse mapa na mente do paciente. Trata-se de um mapa de palavras, constituído por recordações; portanto, revela a história de vida completa da pessoa. Quando todos os fragmentos conseguem reunir-se, como num quebra-cabeça, tudo acaba fazendo sentido e a pessoa vê quem é e como é no mundo, assim como sabe o motivo de ter o caráter que tem. O resultado é uma maior consciência de si mesmo, de sua vida e do mundo. Ao longo de todo o trabalho terapêutico com meus pacientes, alterno entre a expansão da consciência em nível corporal e sua intensificação em nível verbal.

Um dos meus pacientes expressou sucintamente essa ideia ao dizer: "Se a gente não verbaliza os sentimentos, acaba não funcionando. É o lance final. É o que compõe o quadro". Entendi de imediato. As palavras compõem o quadro para pior ou para melhor. Eu diria ainda mais: elas criam o quadro na nossa mente, retratando o mundo à nossa volta. Sem ele, estamos perdidos, sendo esse um dos motivos pelos quais o esquizofrênico *está* perdido. Ele não forma uma imagem inteira do mundo nem de si mesmo, compondo apenas fragmentos dissociados que não consegue juntar. Se o quadro for aparentemente completo, mas impreciso por causa de ilusões, temos uma situação neurótica. À medida que a terapia progride, vai-se formando um quadro progressivamente mais nítido e verdadeiro do que tem sido a própria vida e de quem se é. Nenhuma terapia acaba enquanto o quadro estiver incompleto. Mas ele é de natureza verbal e não visual. Por meio das palavras certas vemos e conhecemos a nós mesmos. Além disso, conseguimos nos expressar por completo.

O uso das palavras certas é uma função energética porque é uma função da consciência. É a tomada de consciência do encaixe perfeito entre a palavra e a impressão, entre a ideia e o sentimento. Quando palavras e sentimentos se harmonizam, o fluxo de energia que daí decorre aumenta o estado de excitação na mente e no corpo, elevando o nível de consciência e aguçando seu foco. Porém, entrar em contato não é uma ação consciente. Fazemos um esforço consciente para descobrir as palavras que combinem com nossos sentimentos – todo escritor faz isso –, mas o momento do encaixe propriamente dito acontece de maneira espontânea. A palavra certa escorrega para seu lugar, às vezes de modo inesperado, quando estamos abertos a nossos sentimentos e permitimos que eles fluam. Creio que a carga de energia associada ao sentimento excita e ativa os neurônios do cérebro envolvidos na formação de palavras. Quando tais neurônios respondem de modo adequado à percepção do sentimento, acontece o encaixe certo e uma luz parece se acender na cabeça da pessoa.

Os indivíduos usam palavras que não estão em conexão com seus sentimentos. Nesses casos, dizemos que a pessoa simplesmente fala por falar. Esse tipo de expressão indica ainda que as palavras não têm relação com a realidade. Estou interessado na própria expressão, pois essa é a linguagem do corpo e denota certa conscientização dos processos dinâmicos envolvidos na comunicação verbal. Isso fica claro quando contrastamos tais expressões com as que lhe são opostas: "A pessoa fala com seu coração" ou "As palavras que ele diz saem direto de seu coração". Quando se fala de coração, sabe-se disso pelo tom de voz e pelo uso de palavras que exprimem simples e diretamente sentimentos verdadeiros. Quando alguém fala de coração, somos convencidos de imediato da integridade da pessoa e de suas afirmações.

Quando as palavras vêm somente da cabeça, a simplicidade e a proximidade imediata estão ausentes. As palavras são técnicas ou intelectuais e refletem as preocupações básicas de quem fala com ideias mais do que com sentimentos. Não estou criticando esse tipo de discurso quando é apropriado. Mas, mesmo nessa situação, a maioria dos bons oradores conduz seu discurso com a linguagem do corpo e do sentimento, já que não consegue dissociar completamente suas ideias de seus sentimentos.

Tal dissociação leva a um intelectualismo estéril que alguns tomam erroneamente por erudição. Independentemente do que a pessoa diga, seus comentários são considerados monótonos e inconclusivos. Há pouco tempo, assisti a um programa de TV em que William F. Buckley Jr. e Malcolm Muggeridge[77] foram entrevistados. Era extraordinário o contraste das colocações de ambos. Muggeridge expressava suas ideias numa linguagem relativamente simples e com sentimento. Buckley, por sua vez, escolhia palavras usadas apenas em tratados de filosofia. Muggeridge era interessante; Buckley, um chato – diferença que também aparecia no corpo de cada um. Muggeridge, mais velho, tinha olhos brilhantes e claros, além de modos graciosos e suaves. Buckley era tenso e contido; seus olhos não tinham a menor expressão.

As palavras são a linguagem do ego, como o movimento é a linguagem do corpo. A psicologia do ego, por conseguinte, estuda as palavras que a pessoa usa. Nenhum estudo sério da personalidade humana pode ignorar a importância do ego e de sua psicologia, mas também não pode limitar-se a tal aspecto da personalidade. O ego não é a pessoa nem funciona independentemente do corpo. Um ego dissociado e um intelecto alienado representam uma perda de integridade da personalidade. A psicologia do ego é incapaz de vencer esse problema, uma vez que seu foco exclusivo sobre o ego intensifica a dissociação. É preciso enfrentar a questão partindo do nível corporal e dos sentimentos para instituir um processo de cura. Mas essa abordagem deve levar em conta o fato de também ser unilateral.

Somente por meio de palavras podemos trazer o problema para a cabeça e resolvê-lo. Uso o termo "cabeça" no sentido literal da cabeça do corpo. Todos os organismos vão metendo a cabeça vida adentro, assim como foram metendo a cabeça pelo buraco no nascimento. A cabeça, com suas funções de ego, é a ponta de lança do corpo. Imagine uma flecha sem a ponta aguda e você terá a imagem de um corpo com sentimentos, mas sem a cabeça para traduzi-los em ações efetivas no mundo. Mas não esqueçamos também que uma ponta de flecha sem a haste, ou o ego sem o corpo, é apenas uma lembrança do que em outros tempos foi uma força vital.

PRINCÍPIOS E CARÁTER

O fato de a psicologia do ego não ter conseguido resolver o problema do intelecto dissociado provocou, nos últimos anos, o surgimento de técnicas que enfatizam a regressão como meio de ajudar a pessoa a alcançar um nível mais profundo de sentimentos. Em muitos casos, essas técnicas regressivas expandem a consciência fazendo a pessoa entrar em contato com sentimentos infantis suprimidos. A bioenergética vale-se delas e as vem empregando há muitos anos. Porém, tanto a regressão quanto a expansão da consciência não são fins em si mesmos – nem sequer objetivos terapêuticos sólidos. O que todo paciente deseja é agir no mundo como ser humano totalmente funcional e integrado. Isso só acontece quando a regressão é equilibrada pela progressão, pela expansão da consciência e por sua elevação, por um movimento descendente que equivalha ao movimento ascendente que visa atingir a cabeça. É preciso voltar atrás no tempo para avançar no presente.

O equilíbrio é uma característica importante da vida saudável. Tal afirmação é tão evidente que não precisa de confirmação. Falamos de uma dieta equilibrada, de um bom equilíbrio entre trabalho e lazer, entre atividades mentais e físicas e assim por diante. Em geral, não estamos conscientes de quão profundamente o princípio do equilíbrio atua em nosso corpo e na natureza, apesar de termos nos conscientizado de sua importância. Tomamos a natureza como algo dado e a exploramos, desequilibrando o sutil equilíbrio ecológico do qual depende nossa sobrevivência. Agora que essa sobrevivência se vê ameaçada, estamos começando a perceber os perigos de nossa ignorância e avidez. E o mesmo fizemos com nosso corpo.

O princípio do equilíbrio no organismo vivo é mais bem explicado pelos chamados mecanismos homeostáticos corporais. Os processos químicos do corpo requerem a manutenção de um equilíbrio preciso entre hidrogênio e íons hidroxílicos no sangue e outros líquidos do corpo. A proporção ideal é indicada por uma acidez de 7,4. O excesso de íons de hidrogênio cria acidose e sua escassez determina a alcalose. Ambas as situações podem levar ao coma e à morte. Dado que a vida não é uma condição estática, mas um processo que demanda intercâmbio e interação contínuos com o ambiente, a acidez do sangue não é constante, oscilam entre limites estreitos – 7,38 a 7,42 –, os quais são controlados por sistemas de *feedback* que regulam a acidez por meio da respiração.

Quando o pêndulo oscila demais para o lado da acidez, uma respiração intensa sopra para fora o dióxido de carbono, reduzindo o hidrogênio concentrado. Quando oscila para a alcalinidade, uma respiração suave provoca a retenção do dióxido de carbono e o aumento nos íons de hidrogênio no sangue.

Sabemos que a temperatura interna do corpo deveria manter-se estável em torno de 36,5°C. No entanto, não estamos conscientes dos sutis mecanismos que estabilizam nossa temperatura. Quando estamos com frio, trememos. Esse tremor não é uma reação voluntária. A hiperatividade dos músculos, no tremor, produz o calor necessário à manutenção da temperatura corporal. Os tremores estimulam a respiração, elevando o teor de oxigênio na queima metabólica. Os tremores involuntários dos músculos, na terapia bioenergética, têm efeito parecido. O maior calor do corpo é descarregado automaticamente pelo aumento da sudorese e diminuído quando se reduz a atividade muscular.

Consideremos nosso estado fluido, que deve ser mantido num nível ótimo para que não fiquemos desidratados nem ensopados. No nível inconsciente, o corpo equilibra a ingestão de líquidos pela descarga de fluidos. A mente consciente desempenha um papel secundário nesse processo, limitado a encontrar e ingerir água quando o corpo lhe envia um sinal de necessidade. O corpo "sabe" do que precisa e o que tem de fazer. Esse "conhecimento" é tão surpreendente que W. B. Cannon, investigando tais processos, intitulou seu trabalho de *A sabedoria do corpo*[78].

O homem intervém conscientemente nesses processos quando os mecanismos homeostáticos se rompem devido a doenças. Essa intervenção visa recuperar o equilíbrio, de modo que o corpo possa curar-se e manter sua função vital. O equilíbrio é o princípio fundamental.

No que se refere a nossas atividades mais amplas, o equilíbrio também é essencial. Isso é claramente ilustrado por nosso modo de andar e de ficar em pé. Ficamos em pé sobre os dois pés e só quando nos postamos assim nos equilibramos devidamente. Podemos romper o equilíbrio da personalidade de uma pessoa exigindo-lhe que fique numa perna só. Isso é o que fazemos com nossos exercícios de cair. Andamos ou corremos sobre duas pernas e sustentamos o equilíbrio magnificamente deslocando o peso de uma perna para a outra. Não agimos assim de modo consciente. Se interpusermos com muita violência a consciência nessa atividade, não iremos muito longe. É a história da centopeia que tentou decidir conscientemente qual perna mover e em que ordem: a pobre criatura não conseguiu se mexer.

O equilíbrio implica uma dualidade – como a de ter duas pernas – ou uma polaridade – como os polos norte e sul de um ímã. No corpo, esta se apresenta no sangue na forma de um equilíbrio entre H^+ e OH^-. O equilíbrio, contudo, não é um fenômeno estático, pois se o fosse não haveria movimento. Seria impossível andar se as duas pernas fossem ativadas igual e simultaneamente. Sairiam saltos e não uma caminhada. A vida é movimento e equilíbrio ao mesmo tempo, ou equilíbrio em movimento, o qual é atingido por mudanças na carga, por alternâncias de excitação de um polo para o outro, do pé esquerdo para o direito e de novo para o esquerdo, da inspiração para a expiração, da expansão para a contração, da consciência do dia para a inconsciência do sono. Essa atividade rítmica corporal é a *unidade* subjacente a todas as dualidades de que temos consciência.

Não há na vida uma dualidade que não se apoie sobre uma unidade de base. E não há tampouco uma unidade que não comporte dualidades correspondentes. Herdei de Wilhelm Reich esse conceito de dualidade e unidade de todos os processos vivos. Considero-o sua maior contribuição ao entendimento tanto da personalidade humana quanto da vida. Reich postulou-o como o princípio da unidade e da antítese de todas as funções naturais. As dualidades sempre são antitéticas.

A nossa mente lógica vê as coisas apenas em termos de dualidades, de causa e efeito. Trata-se de uma atitude mecanicista. Já nossa mente espiritual, com a devida licença pelo uso do termo, só enxerga a unidade subjacente, o que dá margem a uma atitude mística. O domínio do pensamento funcional abrange justamente a compreensão do paradoxo entre unidade e dualidade. Tal pensamento demanda um novo tipo de consciência, nem mística nem mecanicista. E a vida é um paradoxo. É um fogo que queima na água, não sobre ela como queima o óleo, mas dentro dela, como sua parte. O interessante é que não somos consumidos pelo fogo nem nos afogamos e nos perdemos na água. Há aqui um mistério que creio que nunca será resolvido – ou, ao menos, espero que não o seja. Os mistérios são essenciais ao ser humano, pois sem eles perdemos nosso sentido de admiração e, por fim, nosso respeito e reverência pela vida em si.

O pensamento funcional é dialético e, ao longo deste livro, venho utilizando diagramas dialéticos para explicar determinadas relações. Agora, usarei outro para demonstrar a ligação entre os dois modos de consciência.

FIGURA 47

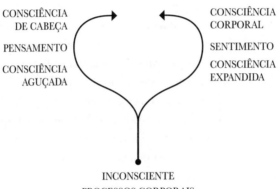

Do ponto de vista da consciência, só temos condições de perceber as dualidades, a consciência de cabeça ou a consciência corporal, o pensamento ou o sentimento. A unidade só existe no inconsciente ou nos processos corporais que transcendem a percepção. Como saber que a unidade existe se não a percebemos? Podemos deduzi-la, podemos intuí-la nas relações e vagamente sentir a unidade, uma vez que a fronteira entre consciência e inconsciência não é uma parede, mas uma zona de luz difusa. Na passagem diária que fazemos por essa zona, recebemos diversos avisos quanto à presença dessa unidade subjacente. Os místicos, cuja consciência adentra com mais facilidade por essa zona de transição, têm muito mais consciência do que os outros da existência da unidade. Há outro caminho para se perceber a unidade. As consciências de cabeça e de corpo não só interagem uma com a outra como também entram ocasionalmente em contato, fundindo-se. São sublimadas no calor e na excitação da fusão, tornando-se uma consciência unitária que é, ao mesmo tempo, tanto consciente quanto inconsciente (outro paradoxo). Passei por várias dessas fusões durante a vida. Quando criança, fiquei tão empolgado assistindo a um jogo que não sabia mais dizer se estava sonhando ou se estava acordado. Tive de me beliscar para descobrir. E, na atividade sexual, experienciei um orgasmo que me fez voar, extinguiu meus limites e tornou-me consciente de meu inconsciente. Trata-se de experiências de êxtase e já aconteceram a vários indivíduos. E, quando acontecem, a pessoa "sabe" e percebe a unidade da vida.

Na maior parte do tempo, porém, funcionamos com uma dupla consciência – o que é normal, já que o êxtase só pode ser uma experiência extraordinária se for completo. Contudo, estamos mais próximos desse estado quando a consciência está ao mesmo tempo expandida e aguçada. As duas flechas do diagrama dialético aproximam-se mais uma da outra.

Para tanto, devemos aceitar a natureza dupla da consciência. Não há êxtase num só dos lados, pois é o encontro dos opostos que cria a centelha da fusão.

Se aceitarmos a dualidade da consciência, devemos aceitar que, em nível consciente, temos a percepção da natureza dupla de nossa personalidade. Quando nos concentramos nos pensamentos, como estou fazendo enquanto escrevo, temos consciência da mente e de seus processos mentais, dado que o pensamento de cada pessoa é único, que cada mente é única. Depois, se a pessoa concentra-se em seu corpo, toma consciência de ter uma vida própria. Do ponto de vista da consciência, deve-se perguntar: "Quem sou eu? Serei eu uma mente pensante ou este corpo vivo?" A resposta óbvia é "ambos", mas em geral não temos consciência de ambos ao mesmo tempo. A consciência não consegue focalizar duas operações distintas ao mesmo tempo. Imagine dois aviões voando em dois quadrantes diferentes do céu, com um farol tentando abarcar os dois como se fosse um facho de luz: é impossível. Mas o problema da dualidade do homem não costuma nos incomodar. O farol de luz da consciência está numa mesa giratória que gira rápida e facilmente, podendo ir de um quadrante para outro tão depressa que consegue manter as duas perspectivas dentro do âmbito normal de atenção.

Posso ilustrar esse conceito, dado que o emprego com facilidade de maneira consciente quando falo em público. Ao longo dos anos, acabei aprendendo que um orador eficiente nunca perde o contato com sua plateia. Ao dar palestras, adotei como prática – que agora se tornou hábito – olhar para as pessoas na plateia, senti-las, falar com elas. Devo acrescentar que esse hábito tornou mais difícil falar ao microfone quando não há público. Além disso, o foco do palestrante dirige-se com muita força para a audiência e, portanto, é possível que ele perca o contato consigo mesmo, com sua pessoa, com o local onde está e com o que tem a dizer. E não se pode estar nos dois lugares ao mesmo tempo.

Todos os oradores enfrentam esse tipo de problema. Quando se lê um texto preparado, é fácil perder o contato com a plateia. Então é preciso erguer os olhos e encará-la, fazendo contato de tempos em tempos com seus participantes. O que faço é deslocar minha atenção do público para mim e de novo para ela, seguindo um padrão rítmico e suave, para que não pareça haver quebras no contato com nenhum dos dois lados. É esse princípio que fundamenta o motor alternativo. É o princípio da ritmicidade que opera dentro de nós o tempo todo, apesar de a maioria não ter consciência de sua atividade. É como andar, possível apenas pela alternância de uma perna movendo-se após a outra.

Creio no valor da dualidade em nível consciente. Sem ela, não poderíamos nos deslocar de modo tão suave e eficiente como acontece ao enfrentarmos as diversas contingências da vida. A bioenergética trabalha assim, alternando o foco de luz do corpo para a mente e de volta para o corpo, no intuito de desenvolver a consciência do paciente até que ele consiga enfocar os dois aspectos de seu ser consciente.

Tal dualidade, por certo, só existe em nível consciente; abaixo dela, há a unidade: não somos uma mente pensante e um corpo sensível, mas um organismo vivo. Dado, todavia, que passamos a maior parte da vida conscientes, devemos ser capazes de lidar com as dualidades. Toda a teoria da psicologia da Gestalt baseia-se nesse fato – a saber, que não existe a figura sem o fundo sobre o qual se apoia, que não há primeiro plano sem segundo plano; não há uma característica que não tenha seu oposto.

No nível da personalidade, isso significa que não há pensamentos sem o arcabouço dos sentimentos no seio dos quais ocorrem. Mas, ao centralizarmos a luz da consciência sobre os pensamentos, mergulhamos todo o resto do campo na escuridão, e assim muitas vezes perdemos de vista os sentimentos que motivaram os pensamentos. Por certo podemos averiguar os sentimentos e confirmar sua harmonia com os pensamentos. Não raro, porém, ambos entram em conflito. Deixarei de lado qualquer tentativa de explicar por que isso acontece. A vivência desse conflito é muito comum. Quero comprar um barco maior, mas penso nos custos e na manutenção e entro em conflito. Ou quero ser indulgente comigo ao comer uma sobremesa deliciosa, mas penso em seguida no aumento de peso e outra vez entro em conflito.

Todos os terapeutas trabalham com conflitos – não com esses que descrevi, mas com outros parecidos: existe um conflito entre um sentimento ou desejo que se deseja exprimir e o medo das consequências. Uma vez que as consequências ainda estão por acontecer, o medo está presente como percepção mental, ou seja, como pensamento associado a uma reação corporal. Não estou dizendo que o medo é imaginário porque é mental, já que ele é sentido fisicamente apesar de originar-se na mente. A terapia lida com conflitos intensos nos quais os sentimentos que buscam um meio de expressão são importantes para a integridade da personalidade e suas consequências ameaçam a própria integridade. Quando a pessoa não consegue resolver um conflito intenso, a única solução é suprimir o desejo ou sentimento, eliminando assim o medo e, inclusive, reprimindo o conflito. Afasta-se da consciência toda a situação e, em certo sentido, esta passa então a não existir. Porém, o conflito não desaparece: estrutura-se no corpo em nível inconsciente, tendo apenas desaparecido de vista.

Essa maneira de lidar com os conflitos cria as várias estruturas de caráter que já descrevi. Consideramos tais adaptações neuróticas quando perturbam seriamente a capacidade da pessoa de agir como indivíduo integrado e plenamente eficaz.

Mas como as pessoas relativamente não neuróticas enfrentam os inúmeros conflitos entre pensamentos e sentimentos? Minha resposta é: elas desenvolvem códigos de comportamento *conscientemente* aceitos, que são o oposto de padrões inconscientemente estruturados de comportamento. Tais códigos de conduta adquirem a forma de princípios.

É interessante observarmos que, embora empreguemos a palavra "caráter" no sentido negativo, nem sempre ela tem tal conotação. Na verdade, "caráter" sempre foi usado para designar certas virtudes, estando nesse caso associado ao adjetivo "bom" – "pessoa de bom caráter" –, ao passo que outras pessoas têm "mau caráter". O termo "caráter" está relacionado a "característica" e implica que uma pessoa se comporta de modo típico ou previsível, seja este bom ou mau. Previsibilidade também denota confiabilidade: pode-se confiar que a pessoa que tem bom caráter é virtuosa e também que o mau caráter é imoral ou sem princípios.

Mas se o comportamento do indivíduo não é estruturado ou não tem um padrão, de onde vem sua previsibilidade? Em outras palavras, como uma pessoa relativamente saudável, espontânea e completamente capaz de se manifestar pode ter um caráter? Em primeiro lugar, devemos reconhecer a diferença entre caráter e estrutura de caráter. O acréscimo do termo "estrutura" denota que o padrão de comportamento não é determinado conscientemente, tendo se tornado inconscientemente fixado e enrijecido no corpo. Quando a conduta da pessoa é governada por diretrizes conscientes ou princípios assumidos, ela se comportará de modo característico enquanto estes intensificarem seu bem-estar.

O conceito de princípios é pouco mencionado na teoria da personalidade. Chegamos quase ao ponto, em nossa cultura, de dizer que qualquer princípio é ruim porque estabelece limites e determina respostas. Esse conceito está relacionado a princípios morais que muitas pessoas consideram restrições à sua liberdade ou a seu direito de autoexpressão. Trata-se de uma conclusão infeliz, já que são os princípios que indicam que a pessoa atingiu um nível superior de consciência. Estou falando, claro, de princípios que o indivíduo forma conscientemente, embora possam ser os mesmos que a sociedade apregoa e promove.

Vimos que a consciência começa pela percepção de sensações. Estas são quase sempre localizadas ou vagas. Nesse ponto, contrastam com os sentimentos, mais insinuantes e definidos. Quando os sentimentos ficam mais intensos e adotam uma definição mais clara, denominamo-nos emoções. Assim, podemos falar do sentimento de "estar numa pior", mas chamaríamos a tristeza de emoção. O problema é que usamos a palavra "sentimento" para incluir todas as percepções corporais. Mas, quando nossas emoções integram-se às coisas que pensamos, podemos falar de um princípio. A ordem de desenvolvimento é a seguinte:

1. sensação
2. sentimento
3. emoção
4. princípio

No que se refere a princípios, ego e corpo, sentimento e pensamento estão integrados numa consciência unitária ou numa unidade consciente.

Um dos princípios que muitas pessoas defendem é a autenticidade. Pode-se dizer a verdade por medo de ser punido por um Deus onipresente, como procedimento compulsivo ou partindo de uma convicção *interna* de que esse é o modo certo de proceder. Mas, para se chegar a tal convicção, é preciso ter tido a possibilidade de optar entre a verdade e a mentira. Assim, a convicção surgirá das experiências de contar a verdade ou a mentira. No primeiro caso, a pessoa sente a harmonia entre sentimentos e as colocações que faz, percebendo o prazer que daí resulta. No segundo, tal harmonia não existe e a pessoa talvez sinta de fato toda a dor do conflito. Com isso, pode fazer uma escolha consciente baseada em sentimentos corporais.

Toda criança mente numa ou noutra época da vida. Fazem-no para explorar o papel da trapaça e para sentir seu poder. Mentem para testar sua capacidade de enganar os pais, o que lhes confere uma sensação de controle, caso consigam manter a mentira. Mas também mentirão se sentirem medo das consequências que poderão sofrer com a verdade. Em ambos os casos, terão ganhado algo e perdido alguma coisa também. O ganho reside na sensação de poder e controle, ou na evitação das punições. Já a perda está no prazer de ser honesto. Se a perda for maior que o ganho, a criança saberá que mentir não vale a pena, exceto em circunstâncias extraordinárias. Com seus bons sentimentos, entenderá que a mentira não vale a pena e desenvolverá a convicção de que mentir é errado. Seu corpo e sua mente lhe mostrarão isso, e ela passará a acreditar não só com a cabeça, mas também com o coração. Suas convicções repousam em dois pontos: saber e sentir. Com o tempo e com o acúmulo de experiências, a verdade tornar-se-á para tal criança uma questão de princípios. Evitará os conflitos e a perda de energia ligada a ter de decidir, diante das muitas situações que a confrontarão na vida, entre dizer uma mentira e contar a verdade.

Um princípio age como o pêndulo do relógio que mantém o ritmo regular daquele mecanismo. O princípio sustenta o equilíbrio entre pensamento e sentimento, de modo que ambos entram em harmonia sem que precisem ser confrontados de forma constante e consciente. Os princípios promovem uma vida organizada e, sem eles, estou certo de que não haveria nada além de desordem e caos.

Parece-me que, na ausência de princípios, não pode haver equilíbrio na vida da pessoa. Fica fácil ir ao extremo para justificar os meios pelos quais se atingem certos fins e seguir os caprichos do momento. Pode-se até ficar na posição absurda de agir segundo todo e qualquer sentimento, dado que não se sabe onde traçar a linha divisória – ou na também absurda posição de que todo comportamento deve ser logicamente controlado. Nesse último caso temos a rigidez extrema; no primeiro, nenhuma estrutura. As pessoas de princípios evitam tais extremos porque o princípio em si representa a harmonia de opostos, a integração de pensamento e sentimento, o equilíbrio tão essencial a um fluxo harmônico de vida.

É importante reconhecer que os verdadeiros princípios morais não podem ser inculcados pela doutrinação, por ameaças ou pela punição. Essas técnicas fazem que a pessoa hesite em contar uma mentira por causa do medo, mas a decisão terá de ser renovada a cada situação – o que é diferente de ter um princípio que poupe o indivíduo desse conflito. Além disso, a imposição de uma força externa, seja na forma de doutrinação ou de ameaça, quebra a harmonia interna e dificulta o desenvolvimento da convicção interna necessária ao princípio. Deixe-me colocar da seguinte maneira: princípios não são mandamentos, são convicções.

Eis aqui um exemplo de como os princípios ficam estabelecidos. Tratei de um rapaz que estava profundamente envolvido com drogas, embora não tivesse se tornado vítima da heroína. Trabalhando com seu corpo e expressando seus sentimentos (socando o divã com raiva, por exemplo), o paciente conseguiu chegar a um estado no qual seu organismo carregava bons sentimentos. Então, certo dia, ele entrou em meu consultório e disse que fumara maconha na casa de um amigo na noite anterior. "Perdi todos os bons sentimentos que lutei tanto para conseguir", disse. "Agora sei que a maconha não me faz bem." Pensamento e sentimento tiveram de se unir para criar tal conclusão. Era a primeira afirmação de um princípio que ficaria mais forte à medida que os bons sentimentos aumentassem, pois ele sabia o que estaria perdendo se usasse drogas.

É impossível desenvolver princípios se não se tem nada a perder. Sem bons sentimentos, não há motivação para proteger a integridade da personalidade. A questão dos princípios não aparece na terapia até que o corpo tenha recuperado o estado de prazer por meio de uma redução contínua de seus bloqueios e tensões musculares. Então, o tema dos princípios surge de modo espontâneo, à medida que o paciente luta para compreender por que perde os bons sentimentos durante suas atividades diárias. Por fim, ele desenvolve princípios próprios de conduta para guiar-se na manutenção desse estado de prazer ou de bons sentimentos, tão importante ao senso de si mesmo e ao seu funcionamento como ser humano integrado.

Não acho que a sociedade esteja errada quando tenta inculcar princípios morais nos jovens. Toda geração tenta transmitir suas experiências para a seguinte a fim de facilitar sua travessia de vida. Os princípios do tipo Dez Mandamentos evoluíram das experiências acumuladas da nossa espécie. Mas o ensino de princípios só é eficiente quando o sistema de crenças do professor deriva de sua convicção interna ou de seus sentimentos. Nesse caso, espera-se que tal professor siga seus princípios com prazer. A ausência de prazer e de bons sentimentos na geração anterior faz que os jovens questionem a validade de seus princípios. Da mesma forma, não tem sentido apresentar princípios a corpos em sofrimento. O princípio não serve para reconciliar a pessoa com seu sofrimento, mas para fornecer a harmonia interna que possibilita uma vida alegre e equilibrada. Os princípios não são técnicas de sobrevivência. Quando o foco é sobre a sobrevivência, eles se tornam irrelevantes. Antes de falarmos em princípios, devemos ter certeza de que os jovens sentem-se bem com o próprio corpo e consigo mesmos. Os princípios facilitam a manutenção dos bons sentimentos.

Cada um de nós descobriu princípios para guiar sua conduta e trazer bem-estar. A autenticidade é um deles; respeito pela pessoa ou pela propriedade alheia é outro. Há muitos anos, minha esposa e eu passamos uma semana em Guadalupe, no Caribe. Minha esposa conheceu um morador que trabalhava como jardineiro do hotel. Na conversa com o homem, comentou que nunca havia provado cana de açúcar. O empregado ofereceu-se para lhe arranjar um pouco e combinaram de se encontrar e ir até uma plantação. Quando se encontraram, o homem disse que era um pouco longe do hotel. No caminho, passaram por diversos canaviais e minha mulher voltou-se ansiosa para o primeiro que viu. Ao notar seu gesto, o homem disse simplesmente: "Ah, esse não é meu!", e conduziu-a até sua propriedade, onde colheu cana para ela. Teria sido tão fácil cortar alguns talos de qualquer um dos outros campos, mas era contra os princípios daquele homem tomar algo que não lhe pertencesse. Não preciso comentar o imenso respeito que minha mulher sentiu pela integridade daquele ser humano.

Bioenergeticamente, um princípio é um fluxo de excitação ou de energia que une cabeça, coração, genitais e pés num movimento ininterrupto. Há uma sensação de retidão nele, pois a pessoa sente-se conectada, unificada e

Bioenergética

inteira. Não precisa afirmar seu valor nem o submete a argumentações. Mas é uma convicção *pessoal* que não pode ser imposta a outrem.

Talvez o principal problema que nossa sociedade esteja enfrentando seja a falta de princípios morais por parte de um grande número de pessoas. Mas não creio que uma moralidade imposta possa funcionar. Talvez mantenha uns poucos dentro da linha, se for apoiada pela maioria, mas jamais conseguirá controlar a todos. Não creio que qualquer moralidade imposta tenha funcionado algum dia. Os códigos morais do passado não foram impostos, apesar de todas as evidências em contrário. Moisés trouxe os Dez Mandamentos para seu povo, mas se estes não estivessem de acordo com suas convicções internas sobre o certo e o errado logo teriam sido descartados.

Os princípios morais não são absolutos, ainda que alguns cheguem praticamente a sê-lo. Tais princípios existem para ajudar as pessoas a sentir-se bem e a agir corretamente em dado contexto cultural, mas perdem sua validade quando não mais conseguem desempenhar essa função. A autenticidade pode parecer um princípio moral natural, mas há condições em que contar a verdade pode ser um ato de fraqueza ou de covardia. Não se conta a verdade a um inimigo quando esta significaria traição aos amigos. Um princípio mais profundo de lealdade está em jogo. Mas, seja qual for o contexto cultural, as pessoas precisam de princípios morais para orientar e governar seu comportamento. Sem eles, a sociedade se desintegraria num estado caótico e os indivíduos tornar-se-iam alienados. Se as pessoas desenvolvessem princípios próprios, tenho certeza de que eles seriam os mesmos em determinada cultura, já que a natureza humana é a mesma.

Em 1944, escrevi um artigo sobre a sexualidade adolescente para uma publicação de Reich, o *International Journal of Sex-Economy and Orgone--Research*. Naquela ocasião, defender o direito dos adolescentes à satisfação sexual era considerado perigoso. Ao discutir o problema comigo, ele disse: "Lowen, nem sempre é aconselhável dizer a verdade. Mas, se você não puder falar a verdade, não diga nada". Reich era um homem de princípios. Orientava-se por eles e morreu por causa deles. Pode-se discordar de seus princípios, mas não se pode duvidar da integridade que representavam.

Os princípios subjacentes à bioenergética são a dualidade e a unidade simultâneas da personalidade humana. O ser humano é um pensador criativo e um animal sensível, mas não passa de um homem ou de uma mulher. É uma mente racional e um corpo não racional, mas não passa de um organismo vivo. Deve viver em todos os níveis ao mesmo tempo, tarefa nada fácil. Para ser um indivíduo integrado, precisa identificar-se com seu corpo e com suas palavras. Dizemos que o homem é tão bom quanto as palavras que profere. Nós o descrevemos respeitosamente como um homem de palavra. Para alcançar esse nível de integração, deve-se começar sendo o próprio corpo – você é o seu corpo. Mas não só. É preciso terminar sendo a palavra – você é o que você fala. Porém, a palavra deve vir do coração.

Notas

1. Sempre que possível, indicaremos as obras citadas por Lowen que já foram publicadas em português. [N. E.]
2. LOWEN, A. *O corpo em depressão*. 10. ed. rev. São Paulo: Summus, no prelo.
3. FREUD, S. *Três ensaios sobre a teoria da sexualidade*. Rio de Janeiro: Imago, 1997.
4. REICH, W. *A função do orgasmo*. 9. ed. São Paulo: Brasiliense, 1975, p. 137.
5. *Ibidem*, grifos do original.
6. *Ibidem*.
7. *Ibidem*, p. 156.
8. Tais ideias foram publicadas pela primeira vez num livro anterior a esse, *Die funktion des orgasmus* (Viena: Internationaler Psychoanalytischer Verlag, 1927).
9. Nos Estados Unidos, o curso de Medicina é de pós-graduação. Antes de se tornar médicos, os candidatos devem concluir uma graduação no ensino superior em outra área de estudo. Em geral, optam por cursos na área de ciências biológicas. Depois de formados, fazem um teste denominado MCAT para ser admitidos nas faculdades de medicina. [N. E.]
10. MONTAGU, A. *Tocar – O significado humano da pele*. 4. ed. São Paulo: Summus, 1988.
11. HILTON, J. *Horizonte perdido*. São Paulo: Abril Cultural, 1980.
12. Em inglês, *ground* significa "solo", "chão". O termo *grounding* implica a dinâmica de estar no chão, em contato com a terra; por extrapolação, as noções de solidez, de firmeza, de "estar com os pés na terra". [N. T.]
13. LOWEN, A. *Prazer*. 9. ed. rev. São Paulo: Summus, no prelo.
14. LOWEN, A. *O corpo em terapia*. 12. ed. rev. São Paulo: Summus, no prelo.
15. LOWEN, A. *O corpo traído*. 8. ed. rev. São Paulo: Summus, no prelo.
16. SZENT-GYORGYI, A. *Bioenergetics*. Nova York: Academic Press, 1957.
17. LOWEN, A. *O corpo em depressão*, op. cit.
18. LOWEN, A. *Prazer*, op. cit.
19. LOWEN, A. *O corpo em terapia*, op. cit.
20. No original, o autor utilizou *nobody* e *somebody*, respectivamente. O jogo de palavras é de difícil tradução, pois *body* significa corpo e, literalmente, teríamos de empregar "corpo algum" e "certo corpo". [N. T.]
21. No original, o autor utiliza a expressão *"there is nothing to mind (pay attention to)"*. [N. T.]
22. Para compreender melhor esse conceito, veja: LOWEN, A. *O corpo em depressão*, op. cit.
23. *The Random House dictionary of the English language*. Nova York: Random House, 1970.
24. No original, *"Life comes into be world as being = be-ing"*. [N. T.]
25. No original, *"I want to belong (be-long)"*. [N. T.]
26. LOWEN, A. *Amor e orgasmo*. 4. ed. rev. São Paulo: Summus, no prelo.
27. MONTAGU, A. *Tocar*, op. cit.
28. LOWEN, A. *O corpo em depressão*, op. cit.
29. LOWEN, A. *O corpo traído*, op. cit.
30. No livro *Prazer* (op. cit.), explico a importância da autoaceitação para o processo terapêutico.

31. LOWEN, A. *Amor e orgasmo*, op. cit.
32. LOWEN, A. *O corpo em depressão*, op. cit.
33. STOUGH, C.; STOUGH, R. *Dr. Breath – The story of breathing coordination*. Nova York: William Morrow, 1970. A obra traz uma discussão aprofundada do papel da tensão do diafragma nos distúrbios respiratórios.
34. RIBBLE, M. A. *Os direitos da criança – As necessidades psicológicas iniciais e sua satisfação*. Rio de Janeiro: Imago, 1970.
35. LOWEN, A. *A linguagem do corpo*, op. cit.
36. Em *A linguagem do corpo* (op. cit.), discuto mais profundamente essa relação.
37. LAING, R. D. *O eu dividido*. 3. ed. Petrópolis: Vozes, 1978.
38. Conservamos o termo que aparece no original por ser comum em psicologia. Em inglês, significa "atuação" ou "ato de chamar a atenção exageradamente", o que se manifesta sobretudo em crianças. [N. E.]
39. Outra perspectiva sobre a atuação dessas forças energéticas na estrutura masoquista pode ser encontrada em LOWEN, A. *A linguagem do corpo*, op. cit.
40. REICH, W. *Análise do caráter*. 4. ed. São Paulo: Martins Fontes, 2001.
41. LOWEN, A. *O corpo em depressão*, op. cit.
42. LOWEN, A. *O corpo traído*, op. cit.
43. LOWEN, A. *O corpo traído*, op. cit.
44. *Ibidem*.
45. LOWEN, A. *O corpo em depressão*, op. cit.
46. LOWEN, A. *Prazer*, op. cit.
47. Em inglês, *hang-ups*, que pode significar "estar em suspenso", distante ou desligado da realidade. [N. E.]
48. DARWIN, C. *A expressão das emoções no homem e nos animais*. São Paulo: Companhia de Bolso, 2009. Na edição da Watts & Co., de 1934 (p. 40 e 41, respectivamente), Darwin diz o seguinte: "Vi o pelo dos babuínos-anúbis, quando zangados, eriçar-se ao longo das costas, do pescoço ao lombo". Nos carnívoros, afirma o autor, essa ação "parece ser praticamente universal, sendo muitas vezes acompanhada de movimentos ameaçadores, da apresentação das presas e da emissão de grunhidos selvagens".
49. LOWEN, A. *Prazer*, op. cit.
50. LOWEN, A. *O corpo traído*, op. cit., p. 103.
51. PFEIFFER, J. E. *The emergence of mankind*. Nova York: Harper & Son, 1969, p. 21.
52. REICH, W. *A biopatia do câncer*. Tradução Maya Hantover. São Paulo: Martins Fontes, 2009, p. 396. Mantivemos a expressão "angústia de cair", tal como foi usada na referida tradução. [N. E.]
53. *Ibidem*.
54. *Ibidem*.
55. *Ibidem*, p. 399.
56. *Ibidem*, p. 400.
57. REICH, W. "Armoring in a newborn infant". *Orgone Energy Bulletin*, v. 3, n. 3, Nova York, 1951, p. 120-38.
58. REICH, W. "Anorgonia in the carcinomatous shrinking". *Biopathy of Sex-economy and Orgone Research*, Nova York, v. 4, n. 1, abr. 1945, p. 32.
59. LOWEN, A. *O corpo traído*, op. cit., p. 184 do original em inglês.
60. LOWEN, *Prazer*, op. cit.
61. LABARRE, W. *The human animal*. Chicago: The University of Chicago Press, 1954. Esse livro discute de forma magistral a importância do corpo humano e da sexualidade para os relacionamentos sociais.
62. SELYE, H. *Stress: a tensão da vida*. São Paulo: Ibrasa, 1959.

63. Lowen, *A linguagem do corpo*, op. cit.
64. Maslow, A. "The creative attitude". *The Structurist*, v. 3, 1963, p. 4-10.
65. Moses, P. *The voice of neurosis*. Nova York: Grune & Stratton, 1954.
66. *Ibidem*.
67. Pierrakos, J. C. *The voice and feeling in self-expression*. Nova York: Institute for Bioenergetic Analysis, 1969, p. 11.
68. Quantos de nós não fomos forçados a engolir lágrimas e protestos porque estes não eram uma expressão aceitável?
69. Janov, A. *O grito primal – Terapia primal: a cura das neuroses*. Rio de Janeiro: Artenova, 1974.
70. Meu livro *O corpo traído* (op. cit.) contém uma descrição completa dos olhos do indivíduo esquizoide.
71. Método criado pelo médico e cientista William Bates (1860-1931). Consiste em diversos exercícios para fortalecer os músculos dos olhos.
72. Jogo de palavras de difícil tradução. Enxaqueca, em inglês, é *migraine*. O radical *-grain*, entre outros significados, denota *natureza;* acrescido do prefixo *"mis"*, que indica errôneo, invertido, a palavra como um todo significa "antinatural, contra a natureza" – daí a observação do paciente. [N. T.]
73. No livro *O corpo traído* (op cit.), apresento uma discussão completa sobre a psicologia do desespero.
74. Schrödinger, E. *What is life?* Cambridge: Cambridge University Press, 2016.
75. Em *Prazer* (op cit.) discuto o papel da mentira na formação do ego.
76. Camus, A. *O mito de Sísifo*. Lisboa: Livros do Brasil, 1946, p. 18.
77. Intelectual conservador norte-americano, Buckley também foi escritor; o britânico Muggeridge sobressaiu-se como jornalista, humorista e autor.
78. Cannon, B. W. *A sabedoria do corpo*. São Paulo: Cia. Editora Nacional, 1946.